pocket**book**

С любовью Дону Конгдону,
благодаря которому
возникла эта книга,
и памяти Рэймонда Чандлера,
Дэшила Хэммета, Джеймса М. Кейна
и Росса Макдональда,
а также памяти моих друзей и учителей
Ли Брэкетт и Эдмонда Гамильтона,
к сожалению ушедших, посвящается

Тем, кто склонен к унынию, Венеция в штате Калифорния раньше могла предложить все, что душе угодно. Туман — чуть ли не каждый вечер, скрипучие стоны нефтяных вышек на берегу, плеск темной воды в каналах, свист песка, хлещущего в окна, когда поднимается ветер и заводит угрюмые песни над пустырями и в безлюдных аллеях.

В те дни разрушался и тихо умирал, обваливаясь в море, пирс, а неподалеку от него в воде можно было различить останки огромного динозавра — аттракциона «русские горки», над которым перекатывал свои волны прилив.

В конце одного из каналов виднелись затопленные, покрытые ржавчиной фургоны старого цирка, и, если ночью пристально вглядеться в воду, заметно было, как снует в клетках всякая живность — рыбы и лангусты, принесенные приливом из океана. Казалось, будто здесь ржавеют все обреченные на гибель цирки мира.

И каждые полчаса к морю с грохотом проносился большой красный трамвай, по ночам его дуга высекала снопы искр из проводов; достигнув берега, трамвай со скрежетом поворачивал и мчался прочь, издавая стоны, словно мертвец, не находящий покоя в могиле. И сам трамвай, и одинокий, раскачивающийся от тряски вожатый знали, что через год их здесь не будет, рельсы зальют бетоном, а паутину высоко натянутых проводов свернут и растащат.

И вот тогда-то, в один такой сумрачный год, когда туманы не хотели развеиваться, а жалобы ветра — стихать, я ехал поздним вечером в старом красном, грохочущем, как гром, трамвае и, сам того не подозревая, повстречался в нем с напарником Смерти.

В тот вечер лил дождь, старый трамвай, лязгая и визжа, летел от одной безлюдной, засыпанной билетными конфетти остановки к другой, и в нем никого не было — только я, читая книгу, трясся на одном из задних сидений. Да, в этом старом, ревматическом деревянном вагоне были только я и вожатый, он сидел впереди, дергал латунные рычаги, отпускал тормоза и, когда требовалось, выпускал клубы пара.

А позади, в проходе, ехал еще кто-то, неизвестно когда вошедший в вагон.

В конце концов я обратил на него внимание, потому что, стоя позади меня, он качался и качался из стороны в сторону, будто не знал, куда сесть, — ведь когда на тебя ближе к ночи смотрят сорок пустых мест, трудно решить, какое из них выбрать. Но вот я услышал, как он садится, и понял, что уселся он прямо за мной, я чуял его присутствие, как чуешь запах прилива, который вот-вот зальет прибрежные поля. Отвратительный запах его одежды перекрывало зловоние, говорившее о том, что он выпил слишком много за слишком короткое время.

Я не оглядывался: я давно по опыту знал, что стоит поглядеть на кого-нибудь — и разговора не миновать.

Закрыв глаза, я твердо решил не оборачиваться. Но это не помогло.

— Ох,— простонал незнакомец.

Я почувствовал, как он наклонился ко мне на своем сиденье. Почувствовал, как горячее дыхание жжет мне шею. Упершись руками в колени, я подался вперед.

— Ох,— простонал он еще громче. Так мог молить о помощи кто-то падающий со скалы или пловец, застигнутый штормом далеко от берега.

— Ох!

Дождь уже лил вовсю, большой красный трамвай, грохоча, мчался в ночи через луга, поросшие мятликом, а дождь барабанил по окнам, и капли, стекая по стеклу, скрывали от глаз тянувшиеся вокруг поля. Мы проплыли через Калвер-Сити, так и не увидев киностудию, и двинулись дальше — неуклюжий вагон гремел, пол под ногами скрипел, пустые сиденья дребезжали, визжал сигнальный свисток.

А на меня мерзко пахнуло перегаром, когда сидевший сзади невидимый человек выкрикнул:

— Смерть!

Сигнальный свисток заглушил его голос, и ему пришлось повторить:

— Смерть...

И опять взвизгнул свисток.

— Смерть,— раздался голос у меня за спиной.— Смерть — дело одинокое!

Мне почудилось — он сейчас заплачет. Я глядел вперед на пляшущие в лучах света струи дождя, летящего нам навстречу.

Трамвай замедлил ход. Сидевший сзади вскочил: он был взбешен, что его не слушают, казалось, он готов ткнуть меня в бок, если я хотя бы не обернусь. Он жаждал, чтобы его увидели. Ему не терпелось обрушить на меня то, что его донимало. Я чувствовал, как тянется ко мне его рука, а может быть, кулаки, а то и когти, как рвется он отколошматить или исполосовать меня, кто его знает. Я крепко вцепился в спинку кресла передо мной.

— Смерть... — взревел его голос.

Трамвай, дребезжа, затормозил и остановился.

«Ну давай, — думал я, — договаривай!»

— ...дело одинокое, — страшным шепотом докончил он и отодвинулся.

Я услышал, как открылась задняя дверь. И тогда обернулся.

Вагон был пуст. Незнакомец исчез, унося с собой свои похоронные речи. Слышно было, как похрустывает гравий на дороге.

Невидимый впотьмах человек бормотал себе под нос, но двери с треском захлопнулись. Через окно до меня еще доносился его голос, что-то насчет могилы. Насчет чьей-то могилы. Насчет одиночества.

Трамвай дернулся и, лязгая, понесся дальше сквозь непогоду, мимо высокой травы на лугах.

Я поднял окно и высунулся, вглядываясь в дождливую темень позади.

Я не мог бы сказать, что там осталось — город, полный людей, или лишь один человек, полный отчаяния, — ничего не было ни видно, ни слышно.

Трамвай несся к океану.

Меня охватил страх, что мы в него свалимся.

Я с шумом опустил окно, меня била дрожь.

Всю дорогу я убеждал себя: «Да брось! Тебе же всего двадцать семь! И ты же не пьешь». Но...

Но все-таки я выпил.

В этом дальнем уголке, на краю континента, где некогда остановились фургоны переселенцев, я отыскал открытый допоздна салун, в котором не было никого, кроме бармена — поклонника ковбойских фильмов о Хопалонге Кэссиди, которым он и любовался в ночной телепередаче.

— Двойную порцию водки, пожалуйста.

Я удивился, услышав свой голос. Зачем мне водка? Набраться храбрости и позвонить моей девушке Пег? Она за две тысячи миль отсюда, в Мехико-Сити. А что я ей скажу? Что со мной все в порядке? Но ведь со мной и правда ничего не случилось!

Ровно ничего, просто проехался в трамвае под холодным дождем, а за моей спиной звучал зловещий голос, нагонял тоску и страх. Однако я боялся возвращаться в свою квартиру, пустую, как холодильник, брошенный переселенцами, бредущими на запад в поисках заработка.

Большей пустоты, чем у меня дома, пожалуй, нигде не было, разве что на моем банковском счете — на счете Великого Американского Писателя — в старом, похожем на римский храм здании банка, которое возвышалось на берегу у самой воды, и казалось, что его смоет в море при следующем отливе. Каждое утро кассиры, сидя с веслами в лодках, ждали, пока управляющий топил свою тоску в ближайшем баре. Я нечасто с ними встречался. Притом что мне лишь изредка удавалось продать рассказ какому-нибудь жалкому детективному журнальчику, наличных, чтобы класть их в банк, у меня не водилось. Поэтому...

Я отхлебнул водки. И сморщился.

— Господи, — удивился бармен, — вы что, в первый раз водку пробуете?

— В первый.

— Вид у вас просто жуткий.

— Мне и впрямь жутко. Вы когда-нибудь чувствовали, будто должно случиться что-то страшное, а что — не знаете?

— Это когда мурашки по спине бегают?

Я глотнул еще водки, и меня передернуло.

— Нет, это не то. Я хочу сказать: чуете *смертельную* жуть, как она на вас надвигается?

Бармен устремил взгляд на что-то за моим плечом, словно увидел там призрак незнакомца, который ехал в трамвае.

— Так что, вы притащили эту жуть с собой?

— Нет.

— Значит, здесь вам бояться нечего.

— Но, понимаете, — сказал я, — он со мной разговаривал, этот Харон.

— Харон?

— Я не видел его лица. О боже, мне совсем худо! Спокойной ночи.

— Не пейте больше!

Но я уже был за дверью и оглядывался по сторонам — не поджидает ли меня там что-то жуткое? Каким путем идти домой, чтобы не напороться на тьму? Наконец решил и, зная, что решил неверно, торопливо пошел вдоль старого канала, туда, где под водой покачивались цирковые фургоны.

Как угодили в канал львиные клетки, не знал никто. Но если на то пошло, никто, кажется, уже не помнил и того, откуда взялись сами каналы в этом старом обветшавшем городе, где ветошь каждую ночь шелестела под дверями домов вперемешку с песком, водорослями и табаком из сигарет, усеивавшим берег еще с тысяча девятьсот десятого года.

Как бы то ни было, каналы прорезали город, и в конце одного из них, в темно-зеленой, испещренной нефтяными пятнами воде, покоились старые цирковые фургоны и клетки; белая эмаль и позолота с них облезли, ржавчина разъедала толстые прутья решеток.

Давным-давно, в начале двадцатых, и фургоны, и клетки, словно веселая летняя гроза, проносились по городу, в клетках метались звери, львы разевали пасти, их горячее дыхание отдавало запахом мяса. Упряжки белых лошадей провозили это великолепие через Венецию, через луга и поля, задолго до того, как студия «Метро-Голдвин-Майер» присвоила львов для своей заставки и создала совсем иной, новый цирк, которому суждено вечно жить на лентах кинопленки.

Теперь все, что осталось от прошлого праздничного карнавала, нашло себе пристанище здесь, в канале. В его глубокой воде одни клетки стояли прямо, другие валялись на боку, схоронившись под волнами прилива, который иногда по ночам совсем скрывал их от глаз, а на рассвете обнажал снова. Между прутьями решеток сновали рыбы. Днем здесь, на этих островах из дерева и стали, отплясывали мальчишки, по временам они ныряли внутрь клеток, трясли решетки и заливались хохотом.

Но сейчас, далеко за полночь, когда последний трамвай унесся вдоль пустынных песчаных берегов к месту своего назначения, темная вода тихо плескалась в каналах и чмокала в решетках, как чмокают беззубыми деснами древние старухи.

Пригнув голову, я бежал под ливнем, как вдруг прояснилось и дождь перестал. Луна, проглянув сквозь щель в темных тучах, следила за мной, будто огромный глаз. Я шел, ступая по зеркалам, а из них на меня смотрели та же луна и те же тучи. Я шел по небу, лежавшему у меня под ногами, и вдруг — вдруг это случилось...

Где-то поблизости, кварталах в двух от меня, в канал хлынула волна прилива; соленая морская вода гладким черным потоком потекла между берегами. Видно, где-то недалеко прорвало песчаную перемычку и море устремилось в канал. Темная вода текла все дальше. Она достигла пешеходного мостика, как раз когда я достиг его середины.

Вода с шипением обтекала прутья львиных клеток.

Я подскочил к перилам моста и крепко за них ухватился.

Потому что прямо подо мной, в одной из клеток, показалось что-то слабо фосфоресцирующее.

Кто-то в клетке двигал рукой.

Видно, давно уснувший укротитель львов только что проснулся и не мог понять, где он.

Рука медленно тянулась вдоль прутьев — укротитель пробудился окончательно.

Вода в канале спала и снова поднялась.

А призрак прижался к решетке.

Склонившись над перилами, я не верил своим глазам.

Но вот светящееся пятно начало обретать форму. Призрак шевелил уже не только рукой, все его тело неуклюже и тяжело двигалось, словно огромная, очутившаяся за решеткой марионетка.

Я увидел и лицо — бледное, с пустыми глазами, в них отражалась луна, и только, — не лицо, а серебряная маска.

А где-то в глубине моего сознания длинный трамвай, сворачивая по ржавым рельсам, скрежетал тормозами, визжал на остановках, и при каждом повороте невидимый человек выкрикивал:

— Смерть... дело... одинокое!

Нет!

Прилив начался снова, и вода поднялась. Все это казалось странно знакомым, будто однажды ночью я уже наблюдал такую картину.

А призрак в клетке снова привстал.

Это был мертвец, он рвался наружу.

Кто-то издал страшный вопль.

И когда в домиках вдоль темного канала вспыхнул свет, я понял, что кричал я.

— Спокойно! Назад! Назад!

Машин подъезжало все больше, все больше прибывало полицейских, все больше окон загоралось в домах, все больше людей в халатах, не очнувшихся от сна, подходило ко мне, тоже не успевшему очнуться, но только не от сна. Будто толпа несчастных клоунов, брошенных на мосту, мы глядели в воду на затонувший цирк.

Меня трясло, я всматривался в затопленную клетку и думал: «Как же я не оглянулся? Как же не рассмотрел того незнакомца, ведь он наверняка все знал про этого беднягу там, в темной воде».

«Боже, — думал я, — уж не он ли, этот тип из трамвая, и затолкал несчастного в клетку?»

Доказательства? Никаких. Все, что я мог предъявить, это три слова, прозвучавшие после полуночи в последнем трамвае, а свидетелями были лишь дождь, стучавший по проводам и повторявший эти слова, да холодная вода, которая, словно смерть, подступала к затонувшим в канале клеткам, заливала их и отступала, став еще более холодной, чем прежде.

Из старых домишек выходили все новые несуразные клоуны.

— Эй, народ! Все в порядке!

Снова пошел дождь, и прибывающие полицейские косились на меня, словно хотели спросить: «Что у тебя, своих дел мало? Не мог подождать до утра, позвонить, не называя себя?»

На самом краю берега над каналом, с отвращением глядя на воду, стоял один из полицейских в черных купальных трусах. Тело у него было белое — наверно, давно не видело солнца. Он стоял, наблюдая за тем, как волны заливают клетку, как всплывает покойник и манит к себе. За прутьями возникало лицо. Печальное лицо человека, ушедшего далеко и навсегда. Во мне росла щемящая тоска. Пришлось отойти: я почувствовал, как в горле начинает першить от горечи — того и гляди, всхлипну.

И тут белое тело полицейского вспороло воду. И скрылось.

Я испугался, не утонул ли и он тоже. По маслянистой поверхности канала барабанил дождь.

Но вдруг полицейский показался снова — уже в клетке, прижавшись лицом к прутьям, он хватал ртом воздух.

Я вздрогнул: мне почудилось, будто это мертвец всплыл, чтобы сделать последний судорожный живительный глоток.

А минуту спустя я увидел, как полицейский, изо всех сил работая ногами, уже выплывает из дальнего конца клетки и тащит за собой что-то длинное, призрачное, похожее на погребальную ленту из блеклых водорослей.

Кто-то подавил рыдание. Господи Иисусе, неужто я?

Тело выволокли на берег, пловец растирался полотенцем. Мигая, угасали огни патрульных машин. Трое полицейских, тихо переговариваясь, наклонились над покойником, освещая его фонариками.

— ...похоже, почти сутки.

— ...а следователь-то где?

— У него трубка снята. Том поехал за ним.

— Бумажник? Удостоверение?

— Пусто — видно, приезжий.

Начали выворачивать карманы утопленника.

— Нет, не приезжий,— сказал я и осекся.

Один из полицейских оглянулся и направил на меня фонарик. Он с интересом вгляделся мне в глаза и услышал звуки, которые рвались из моего горла.

— Знаете его?

— Нет.

— Тогда почему...

— Почему расстраиваюсь? Да потому! Он умер, ушел навсегда. О господи! Это же я его нашел!

Неожиданно мысли мои скакнули назад.

Давным-давно, в яркий летний день, я завернул за угол и вдруг увидел затормозившую машину и распростертого под ней человека. Водитель как раз выскочил и нагнулся над телом.

Я сделал шаг вперед и замер. Что-то розовело на дороге возле моего ботинка.

Я понял, что это, вспомнив лабораторные занятия в колледже. Маленький одинокий комочек человеческого мозга.

Какая-то женщина, явно незнакомая, проходя мимо, остановилась и долго смотрела на тело под колесами. Потом, повинуясь порыву, сделала то, чего и сама не ожидала. Медленно опустилась на колени возле погибшего. И стала гладить его по плечу, мягко, осторожно, словно утешая: «Ну, ну, не надо, не надо!»

— Его... убили? — услышал я свой голос.

Полицейский обернулся:

— С чего вы взяли?

— А как же... я хочу сказать... как бы иначе он попал в эту клетку под водой? Кто-то должен был его туда запихнуть.

Снова вспыхнул фонарик, и луч света зашарил по моему лицу, словно глаза врача, ищущего симптомы.

— Это вы позвонили?

— Нет,— поежился я.— Я только закричал и перебудил всех.

— Привет! — тихо проговорил кто-то.

Детектив в штатском, небольшого роста, начинающий лысеть, опустился на колени возле тела и уже выворачивал карманы утопленника. Из них вывалились какие-то клочки и комочки, похожие на мокрые снежные хлопья, на кусочки папье-маше.

— Что это, черт побери? — удивился кто-то.

«Я-то знаю»,— подумал я, но промолчал.

Склонившись рядом с детективом, я дрожащими руками подобрал кусочки мокрой бумаги. А детектив в это время обследовал другие карманы, вынимая из них такой же мусор. Я зажал мокрые комочки в кулаке и, выпрямившись, сунул их себе в карман, а сыщик как раз поднял голову.

— Вы насквозь промокли,— сказал он.— Сообщите полицейскому свое имя и адрес и отправляйтесь домой. Сушиться.

Дождь начался снова. Меня трясло. Я повернулся, назвал полицейскому свою фамилию и адрес и быстро пошел к дому.

Я пробежал почти целый квартал, когда возле меня остановилась машина и открылась дверца. Коренастый лысеющий сыщик кивнул мне.

— Господи, ну и вид у вас, хуже некуда! — сказал он.

— От кого-то я уже слышал об этом всего час назад.

— Садитесь.

— Да я живу в квартале отсюда.

— Садитесь!

Весь дрожа, я влез в машину, и он провез меня последние два квартала до моей пропахшей затхлостью, тесной, как коробка от печенья, квартиры, за которую я платил тридцать долларов в месяц. Вылезая из машины, я чуть не свалился — так измотала меня дрожь.

— Крамли,— представился сыщик.— Элмо Крамли. Позвоните мне, когда разберетесь, что за бумажонки вы спрятали в карман.

Я виновато вздрогнул. Потянулся рукой к карману. И кивнул:

— Договорились.

— И хватит вам страдать и трястись. Кем он был? Никем.— Крамли вдруг замолчал — видно, устыдился того, что сказал, и наклонил голову, собираясь ехать дальше.

— А мне почему-то кажется, я знаю, *кем* он был,— проговорил я.— Когда вспомню, позвоню.

Я стоял, совсем окоченев. Боялся, что за спиной меня ожидает еще что-то страшное. Вдруг, когда я открою дверь, на меня хлынут черные воды канала?

— Вперед! — приказал Элмо Крамли и захлопнул дверцу.

Он уехал. Только две красные точки и остались от его машины, они удалялись в струях снова начавшегося ливня, который заставил меня зажмуриться.

Я посмотрел на телефонную будку возле заправочной станции на другой стороне улицы. Я пользовался этим телефоном, как своим собственным, названивая разным издателям, а вот они никогда не звонили мне в ответ. Шаря в карманах в поисках мелочи, я размышлял, не позвонить ли в Мехико, не разбудить ли Пег, не взвалить ли на нее мои страхи, не рассказать ли ей про клетку, про утопленника и... о господи... напугать ее до смерти!

«Послушайся сыщика»,— подумал я.

Вперед!

У меня уже зуб на зуб не попадал, и я с трудом вставил проклятый ключ в замочную скважину.

Дождь последовал за мной и в квартиру.

Что ждало меня за дверью?

Пустая комната двадцать на двадцать футов, продавленный диван, книжная полка, на ней четырнадцать книг и много пустого места, жаждущего, чтобы его заполнили, купленное по дешевке кресло да некрашеный сосновый письменный стол с несмазанной пишущей машинкой «Ундервуд стандарт» выпуска 1934 года, огромной, как рояль, и громыхающей, как деревянные башмаки по не покрытому ковром полу.

В машинку был вставлен давно ждущий своего часа лист бумаги. А в ящике рядом с машинкой лежала небольшая стопка журналов — полное собрание моих сочинений — экземпляры «Дешевого детективного журнала», «Детективных рассказов», «Черной маски», каждый из них платил мне по тридцать — сорок долларов за рассказ. По другую сторону машинки стоял еще один ящик, ждал, когда в него положат рукопись. Там покоилась единственная страница книги, никак не хотевшей начинаться. На ней значилось:

РОМАН БЕЗ НАЗВАНИЯ

А под этими словами моя фамилия. И дата — июль 1949 г.

То есть три месяца тому назад.

Продолжая дрожать, я разделся, вытерся полотенцем, надел халат, вернулся к письменному столу и уперся в него глазами.

Дотронулся до пишущей машинки, гадая, кто она мне — потерянный друг, слуга или неверная любовница?

Еще несколько недель назад она издавала звуки, отдаленно напоминавшие голос музы. А теперь почти каждый раз я тупо сижу перед проклятой клавиатурой, словно мне отрубили кисти рук по самые запястья. Трижды, четырежды в день я устраиваюсь за столом, терзаемый муками творчества. И ничего не получается. А если и получается, то тут же, скомканное, летит на пол — каждый вечер я выметаю из комнаты кучу бумажных шариков. Я застрял в бесконечной аризонской пустыне, известной под названием «Засуха».

Во многом мой простой объяснялся тем, что Пег так далеко — в Мехико, среди своих мумий и катакомб, а я здесь один, и солнце в Венеции не показывается уже три месяца, вместо него лишь мгла, да туман, да дождь, и снова туман и мгла. Каждую ночь я заворачивался в холодное хлопчатобумажное одеяло, а на рассвете разворачивался с прежним мерзким ощущением на душе. Каждое утро подушка оказывалась влажной, а я не мог вспомнить, что мне снилось и отчего она стала солоноватой.

Я выглянул в окно на телефон, я прислушивался к нему с утра до вечера изо дня в день, но еще ни разу он не зазвонил, чтобы предложить превратить в деньги мой замечательный роман, сумей я закончить его в прошлом году.

Вдруг я поймал себя на том, что пальцы неуверенно скользят по клавишам машинки. «Будто руки того утопленника в клетке», — подумал я и вспомнил, как они высовывались между прутьями решеток, покачиваясь в воде, словно морские анемоны. И я вспомнил о других руках, которых так и не увидел, — о руках того, кто ночью стоял в вагоне трамвая у меня за спиной.

И у того и у другого руки не знали покоя.

Медленно, очень медленно я присел к столу.

Что-то стучало у меня в груди, казалось, что-то бьется о решетку брошенной в канал клетки.

Кто-то дышал мне в затылок.

Надо избавиться от того и от другого. Надо что-то сделать, чтобы они успокоились и перестали меня донимать, иначе мне не заснуть.

Какой-то хрип зазвучал в моем горле, словно меня вот-вот вырвет. Но не вырвало.

Вместо этого пальцы забегали по клавишам, зачеркивая заголовок «РОМАН БЕЗ НАЗВАНИЯ».

Потом я сдвинул каретку, сделал интервал и увидел, как на бумаге возникают слова: СМЕРТЬ, затем ДЕЛО и, наконец, ОДИНОКОЕ.

Я дико уставился на этот заголовок, ахнул и, принявшись печатать, печатал, не останавливаясь, почти час, пока не заставил трамвай в отсветах грозовых молний умчаться сквозь ливень прочь, пока не залил львиную клетку черной морской водой, которая хлынула, сметая все преграды, и выпустила мертвеца на волю.

Вода струилась по моим рукам, стекала к ладоням и по пальцам выливалась на страницу.

И вдруг, как наводнение, надвинулась темнота.

Я так ей обрадовался, что рассмеялся.

И рухнул в постель.

Я пытался уснуть, но расчихался и все чихал и чихал, извел целую пачку бумажных носовых платков и лежал без сна, совершенно несчастный, предчувствуя, что моя простуда никогда не кончится.

Ночью туман сгустился, и где-то далеко в заливе одиноко и потерянно, не переставая, гудела и гудела сирена. Казалось, огромное морское чудовище, давно умершее, брошенное и забытое, оплакивая самого себя, уплывало все дальше от берега, в глубину, в поисках собственной могилы.

Ночью ветер задувал ко мне в окно, шевелил напечатанными страницами моего романа. Я слышал, как бумага, вздыхая, словно вода в каналах, дышит, как дышал мне в затылок тот, в трамвае. Наконец я уснул.

Проснулся поздно в ярком сиянии солнца. Чихая, добрался до двери, распахнул ее настежь и оказался в таком ослепительном потоке дневного света, что мне захотелось жить вечно, но, устыдившись этой мысли, я, подобно Ахаву, готов был посягнуть на солнце. Однако вместо этого я стал поспешно одеваться. Одежда за ночь не высохла. Я натянул теннисные шорты, надел куртку и, вывернув карманы еще сырого пиджака, нашел похожие на папье-маше комочки бумаги, вывалившиеся всего несколько часов назад из карманов мертвеца.

Затаив дыхание, я коснулся их кончиками пальцев. Я знал, что это такое. Но пока не был готов обдумать вопрос до конца.

Я не люблю бегать. Но тут побежал...

Побежал прочь от каналов, от клетки, от голоса в темном ночном трамвае, прочь от моей комнаты, прочь от только что напечатанных страниц, ждущих, чтобы их прочитали, ведь на них начинался рассказ обо всем случившемся, но сейчас мне еще не хотелось их перечитывать. Ни о чем не думая, я бежал очертя голову вдоль берега к югу.

Бежал в страну под названием «Затерянный мир».

Но замедлил бег, решив поглазеть на утреннюю кормежку диковинных механических зверей.

Нефтяные вышки. Нефтяные насосы.

Эти гигантские птеродактили, рассказывал я друзьям, стали прилетать сюда по воздуху в начале века и темными ночами плавно опускались на землю, чтобы вить гнезда. Перепуганные прибрежные жители просыпались среди ночи от чавканья огромных голодных животных. Люди садились в постелях, разбуженные в три часа ночи скрипом, скрежетом, стуком костей этих скелетоподобных монстров, взмахами голых крыльев, которые то поднимались, то опускались, напоминая тяжкие вздохи первобытных существ. Их запах, вечный, как само время, проплывал над побережьем, доносясь из допещерного века, из времен, когда люди еще не жили в пещерах, это был запах джунглей, ушедших в землю, чтобы там, в глубине, умереть и дать жизнь нефти.

Я бежал через этот лес бронтозавров, представляя себе трицератопсов и похожих на частокол стегозавров, выдавливающих из земли черную патоку, утопающих в гудроне. Их жалобные крики эхом отдавались от берега, а прибой возвращал на сушу их древний громоподобный рык.

Я бежал мимо невысоких домиков, притулившихся среди чудовищ, мимо каналов, вырытых и наполненных водой еще в 1910 году, чтобы в них отражалось безоблачное небо, по их чистой поверхности в те дни плавно скользили гондолы, а мосты были, как светлячками, увешаны разноцветными лампочками, сулящими веселые ночные балы, похожие на балетные спектакли, уже не повторявшиеся после войны. И когда гондолы погрузились на дно, унеся с собой веселый смех последней вечеринки, черные уроды продолжали сосать песок.

Конечно, кое-кто из тех времен здесь все-таки оставался, укрывшись в лачугах или запершись в немногочисленных виллах, напоминавших средиземноморские, возведенных тут и там по капризу архитекторов.

Я бежал, бежал и вдруг остановился. Мне пора было поворачивать назад, идти искать этот похожий на папье-маше мусор, а потом выяснять, как звали его пропавшего, погибшего владельца.

Но сейчас я не мог оторвать глаз от высившегося передо мной средиземноморского палаццо, сиявшего белизной, как будто на песок опустилась полная луна.

«Констанция Раттиган, — прошептал я, — может быть, выйдешь поиграть?»

На самом-то деле дворец был не дворец, а слепящая глаза белоснежная мавританская крепость, фасадом обращенная к океану, она бросала дерзкий вызов волнам: пусть нахлынут, пусть попробуют сокрушить ее. Крепость венчали башенки и минареты, на песчаных террасах наклонно лежали голубые и белые плитки в опасной близости — всего каких-то сто футов — от того места, где любопытные волны почтительно кланялись крепости, где кружились чайки, стараясь заглянуть в окна, и где сейчас замер я.

«Констанция Раттиган».

Но никто не выходил.

Одинокий и таинственный, этот дворец, стоявший на берегу, где царили лишь грохот прибоя да ящерицы, бдительно охранял загадочную королеву экрана.

В окне одной из башен днем и ночью горел свет. Я ни разу не видел, чтобы там было темно. Интересно, она и сейчас там?

Да!

Вон за окном метнулась тень, словно кто-то подошел взглянуть вниз, на меня, и тут же отпрянул, как мотылек.

Я стоял, вспоминая.

Ее головокружительный взлет в двадцатых длился всего один быстро пробежавший год, а потом ее неожиданно сбросили с высоты вниз, и она исчезла где-то в подземельях кино. Как писали в старых газетах, директор студии застал ее в постели с гримером и, схватив нож, перерезал Констанции Раттиган мышцы на ногах, чтобы она никогда больше не могла ходить так, как он любил. А сам сразу сбежал, уплыл на запад, в Китай. Констанцию же Раттиган с тех пор никто не видел. И никто не знал, может ли она вообще ходить.

«Господи!» — услышал я свой шепот.

Я подозревал, что поздними ночами Констанция Раттиган навещает мой мир, что она знакома с людьми, которых знаю и я. Что-то предсказывало мне возможность скорых встреч с ней.

«Иди, — говорил я себе. — Возьми вон тот медный молоток в виде львиной морды и постучи в дверь, что выходит на берег».

Нет. Я покачал головой. Испугался, что меня встретит за дверью всего лишь блеск черно-белой кинопленки.

Ведь с тайной любовью не ищешь встречи, хочется только мечтать, что когда-нибудь ночью она выйдет из своей крепости и пойдет по песку, а ветер, гонясь за ней, будет заметать ее следы, что она остановится возле твоего дома, постучит в окно, войдет и начнет разматывать кинопленку, изливая в изображениях на потолке свою душу.

«Констанция, дорогая Раттиган, — мысленно умолял я, — ну выйди же! Вскочи в этот длинный белый лимузин, вон он, сверкающий и горячий, стоит на песке возле самого дома, запусти мотор, и мы умчимся с тобой на юг, в Коронадо, на залитый солнцем берег...»

Но никто не выходил, не заводил мотор, никто не звал меня, никто не уносился со мной на юг, к солнцу, подальше от этой туманной сирены, погребенной где-то в океане.

И я отступил, с удивлением обнаружив на своих теннисных туфлях соленую воду, повернулся и поплелся назад к залитым холодным дождем клеткам, побрел по мокрому песку — величайший в мире писатель, чего, правда, никто не знал, кроме меня самого.

С влажными конфетти и мокрыми комочками папье-маше в карманах куртки я вошел туда, куда, как я знал, мне следовало наведаться.

Туда, где собирались старики.

Эта тесная, полутемная лавка глядела на трамвайные рельсы. В ней продавали конфеты, сигареты и журналы, а также билеты на красный трамвай, который проносился из Лос-Анджелеса к океану.

Владели этой пропахшей табачным дымом лавкой два брата, пальцы у них были испещрены никотиновыми пятнами. Они вечно брюзжали и пререкались друг с другом, как старые девы. На стоявшей сбоку скамье облюбовала себе место стайка стариков. Не обращая внимания на ведущиеся вокруг разговоры, как зрители на теннисном матче, они просиживали здесь час за часом изо дня в день и морочили головы посетителям, прибавляя себе годы. Один утверждал, что ему восемьдесят два. Другой — что ему девяносто. Третий похвалялся, что ему девяносто четыре. С каждой неделей возраст менялся, старики не помнили, что выдумывали месяц назад.

И когда мимо с грохотом проносились большие красные трамваи, вы, вслушиваясь, могли уловить, как от стариковских костей отшелушивается ржавчина и хлопья ее, точно снег, плывут по кровеносным сосудам, чтобы на миг блеснуть в помутневших глазах. Тогда старики, не закончив фразы, замолкали на несколько часов, силясь вспомнить, о чем начали говорить в полдень. Бывало, они заканчивали разговор только к ночи, к тому времени, как братья, продолжая ворчать, закрывали лавку и, переругиваясь, возвращались в свои холостяцкие постели.

Никто не знал, где живут старики. Каждый вечер, когда братья, шпыняя друг друга, скрывались в темноте, старики, подгоняемые соленым ветром, словно перекати-поле, разбредались кто куда.

Я вступил в вечную полутьму лавки и остановился возле скамьи, на которой старики восседали с незапамятных времен.

На скамье между ними оставалось свободное место. Там, где всегда сидели четверо, сейчас было трое, и по их лицам я понял: что-то не так.

Я взглянул им под ноги: пол был засыпан не только сигарным пеплом, но и легким снегом — странными кусочками бумаги — конфетти от множества пробитых компостерами трамвайных билетов, конфетти разной формы в виде букв А, Б, В.

Я извлек из кармана теперь уже почти высохшую бумажную массу и сравнил ее со снежинками на полу. Наклонился, набрал этих снежинок полную горсть и, разжав пальцы, пустил весь алфавит по ветру.

Переведя взгляд на пустое место на скамье, я спросил:

— А где же старый джент...— и поперхнулся.

Потому что старики уставились на меня так, будто я выстрелил в них, застывших в молчании, из пистолета. И к тому же их глаза говорили, что для похорон я одет неподобающим образом.

Самый старый зажег трубку, раскурил ее и, попыхивая, пробормотал:

— Придет. Всегда приходит.

Однако двое других неловко заерзали на скамейке, и лица их затуманились.

— Где он живет? — осмелился спросить я.

Старик вынул трубку изо рта:

— А кто интересуется?

— Я. Вы же меня знаете,— ответил я.— Я хожу сюда не один год.

Старики взволнованно переглянулись.

— Это важно,— заметил я.

Старик снова поерзал на скамье.

— Канарейки,— буркнул он.

— Что?

— Леди с канарейками.— Трубка погасла. Старик стал разжигать ее снова, в его глазах была тревога.— Не стоит его беспокоить. Ничего с ним не сделалось. Он не болен. Придет.

Он убеждал меня слишком усердно, и старики едва заметно беспокойно задвигались.

— А как его фамилия? — спросил я.

Это была ошибка. Как?! Я не знаю его фамилии! Господи, да ее все знают! Старики снова уставились на меня.

— Леди с канарейками! — воскликнул я и стремглав выскочил из лавки, чуть не угодив под колеса трамвая, проезжавшего в тридцати футах от дверей.

— Идиот! — заорал вожатый, высунувшись наружу, и погрозил мне кулаком.

— Леди с канарейками! — по-дурацки прокричал я в ответ, тоже грозя кулаком в доказательство того, что остался жив.

И помчался ее искать.

Адрес я знал, так как видел вывеску на окне: «...продаются канарейки».

В нашей Венеции всегда было и теперь есть множество заброшенных уголков, хозяева которых выставляют на продажу жалкие остатки того, что радовало им душу, втайне надеясь, что никто ничего не купит.

Вряд ли найдется хоть один старый дом с давно не стиранными занавесками, где в окне не красовалась бы вывеска вроде:

«1927 г. ЗАКУСКИ НА СКОРУЮ РУКУ. РАЗУМН. ЦЕНА. ЧЕРНЫЙ ХОД».

Или:

«МЕТАЛЛИЧ. КРОВАТЬ. ПОЧТИ НЕ ИС-
ПОЛЬЗ. ДЕШЕВО. ВЕРХН. ЭТАЖ».

Проходя мимо, невольно задаешься вопросами: на
какой же стороне кровати спали, спали ли на обеих
сторонах, и если спали, то как долго, и с каких пор там
никто больше не спит? Двадцать лет? Тридцать?

«СКРИПКИ, ГИТАРЫ, МАНДОЛИНЫ»,— гла-
сит другая вывеска.

И в окне — старые инструменты, вместо струн не
проволока, не кетгут, а паутина, а за окном, скорчив-
шись над верстаком, старик что-то вырезает из дерева; он всегда отворачивается от света, его руки быстро
двигаются; он — свидетель еще тех дней, когда начали затаскивать гондолы из каналов во дворы и использовать как ящики для цветов.

Интересно, сколько лет прошло с тех пор, как этот
старик продал последнюю скрипку или гитару?

Постучишь в дверь, в окно — старик не переста-
нет резать и полировать дерево, лицо и плечи у него
трясутся. Почему он смеется? Потому что ты стучишь,
а он делает вид, будто не слышит?

Вы проходите мимо окна с объявлением:

«КОМНАТА С ВИДОМ».

Окно комнаты выходит на океан. Но уже лет десять
в ней никого нет. И никому нет дела до вида на океан.

Я завернул за угол и нашел то, что искал.

Объявление висело на окне с потемневшими от
солнца рамами, тонкие буквы, вычерченные повидав-
шим виды карандашом, еле заметные, словно на-

писанные лимонным соком, выцветшие, почти совсем стершиеся... Господи! Не иначе, их написали лет пятьдесят назад!

«Продаются канарейки».

Да, полвека назад кто-то послюнил карандаш, написал на картонке это объявление, прикрепил его на годы липкой лентой от мух, а потом отправился пить чай, поднявшись по лестнице, на перила которой налипла пыль, словно их смазали смолой, вошел в комнату, где пыль толстым слоем покрывала лампочки, так что они стали тусклые, как восточные светильники, где подушки превратились в комки ваты, а в шкафах с пустых вешалок свисали тени.

«Продаются канарейки».

Я не стал стучать. Несколько лет назад просто из глупого любопытства я попробовал было постучать и, чувствуя себя полным идиотом, ушел.

А сейчас я повернул древнюю дверную ручку. Дверь подалась. В нижнем этаже царила пустота. Ни в одной из комнат не было мебели. В лучах солнца клубились пылинки. Я крикнул:

— Есть кто дома?

Мне показалось, что на самом верху кто-то прошептал:

— ...никого.

На подоконниках валялись дохлые мухи. К сетке от насекомых на окне прилипло несколько мотыльков, окончивших свои дни летом 1926 года, их крылышки потемнели от пыли.

Где-то далеко наверху, где томилась состарившаяся, забытая в башне безволосая Рапунцель, словно прошелестело падающее перышко.

— ...да?

На прячущихся в темноте стропилах пискнула мышь.

— Войдите.

Я толкнул дверь. Раздался громкий пронзительный скрежет. «Наверно, — подумал я, — ржавые петли нарочно не смазывали, чтобы скрип извещал о появлении непрошеного гостя».

В верхнем холле о давно перегоревшую лампочку билась моль.

— ...сюда, наверх...

Я стал подниматься в царивших здесь средь бела дня сумерках, проходя мимо повернутых к стене зеркал. Ни одно из них не увидит, как я пришел, ни одно не увидит, как уйду.

— ...да? — прошелестело где-то.

На верхней площадке я помедлил у дверей. Может быть, мне показалось, что, распахнув дверь, я увижу гигантскую канарейку, распростертую на ковре из пыли, уже не поющую, способную отвечать на вопросы только ударами сердца.

Я вошел. И услышал вздох.

Посреди пустой комнаты стояла кровать, на ней с закрытыми глазами лежала старуха, ее губы чуть шевелились — она дышала.

«Археоптерикс», — подумал я.

Так и подумал. Честное слово. Я видел такие кости в музее, видел слабые, как у рептилии, крылья этой погибшей, вымершей птицы, ее силуэт был запечатлен на песчанике — возможно, рисунок сделал какой-то египетский жрец.

Кровать и все, что на ней лежало, напоминали захламленное дно обмелевшей реки. Словно сквозь медленно текущие воды, угадывались соломенный матрас, какая-то ветошь и жалкий скелет.

Она лежала на спине, такая плоская, такая хрупкая, что я засомневался, живое ли передо мной существо или всего лишь окаменелость, не тронутая ходом времени.

— Да?

На пожелтевшем личике, едва видном из-под одеяла, открылись глаза, словно блеснули стекляшки.

— Я насчет канареек,— услышал я собственный голос.— У вас там объявление на окне? О птицах?

— Ах,— вздохнула старуха.— О боже...

Она забыла. Наверно, уже много лет не спускалась вниз. И за последнюю тысячу дней я, похоже, был единственный, кто поднялся к ней наверх.

— Ах,— прошептала она.— Это было давно. Канарейки. Да-да. У меня были. Замечательные. В тысяча девятьсот двадцатом году,— продолжала она шепотом,— в тридцатом, в тридцать первом...— Шепот стал едва слышен.

Видно, на этом время для нее остановилось. Дальше просто наступало еще одно утро, проходил еще один день.

— Они пели. Господи! Как они пели. Но никто не заходил купить. Почему? Не продала ни одной!

Я огляделся: в дальнем углу стояла птичья клетка и еще две высовывались из шкафа.

— Простите,— тихо прошелестела старуха.— Совсем забыла снять с окна эту вывеску...

Я подошел к клеткам. Моя догадка подтвердилась.

На дне первой я увидел обрывок древней, как папирус, газеты «Лос-Анджелес таймс» за 25 декабря 1926 года:

«ВОСШЕСТВИЕ ХИРОХИТО НА ПРЕСТОЛ.

Сегодня днем молодой двадцатисемилетний император...»

Я перешел к другой клетке и прищурился. Меня захлестнули воспоминания о студенческих днях со всеми их страхами:

«БОМБЕЖКА АДДИС-АБЕБЫ.

Муссолини празднует победу. Хайле Селассие заявляет протест...»

Я закрыл глаза и постарался отмахнуться от этого давнего ушедшего в прошлое года. Вот когда, значит, перестали шуршать перья и смолкли трели. Я вернулся к кровати и к тому иссохшему, никому не нужному, что лежало на ней. И снова услышал свой голос:

— Вы когда-нибудь включали по воскресеньям утреннюю передачу «Час канареек со Скалистых гор»?

— С органистом? Он играл, а канарейки — их была целая студия — подпевали! — радостно воскликнула старуха, от приятных воспоминаний ее плоть словно помолодела, голова слегка приподнялась, глаза блеснули, точно осколки стекла.— «Когда в горах весна».

— «Милая Сью», «Голубые небеса»,— подхватил я.

— О, они были прелестны! Канарейки. Правда?

— Прелестны.— Мне в то время было десять, и я старался понять, как эти чертовы птицы умудряются так верно вторить музыке.— Я тогда сказал маме, что клетки, наверно, выстилают дешевыми нотами.

— Похоже, вы были неглупым мальчуганом.— Голова в изнеможении упала, старуха закрыла глаза.— Теперь таких не бывает.

«И никогда не было»,— подумал я.

— Но на самом деле вы ведь пришли,— опять прошелестела она,— не из-за канареек?..

— Нет,— признался я.— Я насчет того старичка, что снимал у вас...

— Он умер.

Я не успел ничего спросить, как она спокойно продолжила:

— Я не слышала, как он возится внизу на кухне, со вчерашнего утра. Ночью тишина мне все объяснила. Когда сейчас вы открыли дверь внизу, я так и знала: кто-то идет с плохими вестями.

— Сожалею.

— Не стоит. Я его совсем не видела, разве только на Рождество. За мной ухаживает моя соседка, приходит два раза в день, поправляет постель, приносит еду. Значит, он умер, да? Вы хорошо его знали? А похороны будут? Там на бюро пятьдесят центов. Возьмите, купите от меня букетик.

Денег на бюро не было. И бюро тоже не было. Но я сделал вид, будто есть и то и другое, и сунул в карман несуществующие центы.

— Приходите через шесть месяцев,— прошептала она.— Я тогда поправлюсь. И снова буду продавать канареек, и... Вы смотрите на дверь! Вам надо идти?

— Да, мэм,— виновато сказал я.— Хочу предупредить — у вас входная дверь не заперта.

— Ну и что? Кому нужна такая старуха, как я? — Она в последний раз приподняла голову.

Глаза вспыхнули, лицо исказилось, словно что-то отчаянно билось у нее внутри, стремясь вырваться наружу.

— Никто больше не войдет в этот дом, никто не поднимется по лестнице! — выкрикнула она.

Голос смолк, словно радиостанция, оставшаяся за холмами. Веки опустились, она медленно выключалась из действительности.

«Господи,— подумал я,— да ведь ей *хочется*, чтобы кто-то поднялся сюда и оказал ей ужасную услугу! Только не я!» — пронеслось у меня в голове.

Глаза у нее широко раскрылись. Неужели я произнес это вслух?

— Нет,— проговорила она, пристально вглядываясь мне в лицо.— Вы не он.

— Кто?

— Тот, кто стоит у моей двери. Каждую ночь.— Она вздохнула.— Но никогда не входит. Почему?

Она остановилась, как часовой механизм. Еще дышала, но уже хотела, чтобы я ушел.

Я взглянул через плечо. В дверях ветер шевелил пыль, там словно туман клубился, как будто кто-то стоял и ждал. Что-то или кто-то, кто появлялся каждый вечер и стоял в холле.

Я направился к дверям.

— Прощайте,— сказал я.

Молчание.

Надо бы остаться, выпить с ней чаю, пообедать, позавтракать. Но никто не может защитить всех нуждающихся в защите. Верно?

У дверей я задержался.

— Прощайте.

Возможно, она пробормотала это слово в своем старческом глубоком сне. Я чувствовал только, как ее дыхание выталкивает меня из комнаты.

Спускаясь по лестнице, я сообразил, что так и не узнал фамилию старика, утонувшего в львиной клетке с горстью не нашедших применения конфетти от трамвайных билетов в каждом кармане.

Я отыскал его комнату, но толку от этого не было.

Его фамилии там не будет, так же как и его самого.

Все всегда начинается хорошо. Но как редко история людей, история маленьких и больших городов имеет счастливый конец.

Все разваливается, преображается до неузнаваемости. Расползается. Распадается связь времен. Молоко скисает. По ночам в моросящем тумане провода, натянутые на высоких столбах, рассказывают страшные истории. Вода в каналах слепнет от пены.

Чиркнешь по кремню, а искры нет. Ласкаешь женщину, и никакого тепла в ответ.

Внезапно кончается лето.

Зима пробирает до мозга костей.

И наступает черед стены.

Стены, что находится в комнатушке, где от грохота проносящихся мимо больших красных трамваев вы мечетесь, словно в кошмаре, в холодной железной кровати на содрогающемся нижнем этаже своих, вряд ли королевских, Апартаментов Имени Погибших Канареек в доме, номер которого свалился с фасада, а табличка с названием улицы на углу так перекосилась, что указывает не на север, а на восток, и теперь, если кто-то когда-нибудь захочет найти вас, он свернет не туда, куда надо, и исчезнет навсегда.

Но зато у вас есть стена возле кровати. Можно читать ее слезящимися глазами или протянуть к ней руку, но так и не достать: слишком она далеко, слишком глухая, слишком пустая.

Я знал, что, раз я нашел комнату старика, я найду в ней и эту стену.

И нашел.

Дверь, как и все двери в этом доме, оказалась незапертой, словно комната ждала, что в нее забредет ветер, или туман, или какой-нибудь бледный незнакомец.

Забрел я. И замешкался в дверях. Может быть, я ожидал, что найду здесь на пустой койке рентгеновский снимок старика? Его комната, как и комната леди с канарейками наверху, напоминала о распродажах домашнего скарба, когда к концу не остается ничего — за гроши растаскивают все подряд.

Здесь на полу не валялось даже зубной щетки, не было ни мыла, ни мочалки. Видно, старик мылся раз в день в море, чистил зубы пучком водорослей и стирал единственную рубашку в соленых волнах, а потом раскладывал ее на песке в дюнах, ложился рядом и ждал, пока она высохнет на солнце, если, конечно, оно появится.

Я двинулся вперед, словно нырнул в пучину. Если вы знаете, что человек мертв, воздух в покинутом им помещении противится каждому вашему движению, даже мешает дышать.

Я чуть не задохнулся.

Моя догадка оказалась неверна.

Потому что фамилию старика я увидел на стене. И чуть не упал, когда наклонился, чтобы прочесть ее.

Имя повторялось снова и снова, оно было нацарапано на штукатурке в дальнем от кровати конце стены. Снова и снова. Словно человек боялся, что выживет из ума или будет забыт; словно страшась, что однажды утром проснется безымянным, он снова и снова царапал стену пожелтевшим от никотина ногтем.

«Уильям». А потом «Уилли», затем «Уилл», а под этими именами — «Билл».

А потом снова, снова и снова.

«Смит», «Смит», «Смит», «Смит».

А в самом низу: «Уильям Смит».

И «Смит У.».

Эта его таблица умножения плыла у меня перед глазами. Я вглядывался в нее, а она то становилась совсем неразличимой, то вновь обретала четкость. Потому что я представлял себе все те ночи, когда и сам боялся заглянуть вперед, в темную бездну моего будущего. Боялся увидеть себя в 1999 году, одинокого, царапающего ногтем штукатурку, словно скребущаяся мышь.

— Боже мой, — прошептал я. — Ну-ка постой!

Койка взвизгнула подо мной, как потревоженная во сне кошка. Я навалился на нее всей своей тяжестью и шарил пальцами по штукатурке. Там были какие-то слова. Письмо? Намек? Улика?

И я вспомнил любимый детьми фокус. Просишь приятелей написать что-нибудь в блокноте, вырвать страничку и разорвать ее. Потом уходишь с блокнотом в другую комнату, проводишь мягким карандашом по бесцветным отпечаткам на чистой странице раз, другой и, возвращаясь, объявляешь, что было написано.

Это я сейчас и проделал. Достал карандаш и осторожно начал водить тупым грифелем по стене. Проявились сделанные ногтем царапины: обрисовался рот, потом глаз, какие-то полосы и круги, обрывки стариковской полудремы.

«Четыре часа ночи, а сна нет».

Чуть ниже едва различаемая мольба:

«Господи! Помоги уснуть!»

А на рассвете отчаянное:

«Господи Иисусе!»

И наконец под этими словами я увидел то, что будто ударило меня под колени, и я присел. Потому что на стене было нацарапано:

«Он снова стоит в холле».

«Да ведь это обо мне, — промелькнуло у меня в мозгу. — Это же я пять минут назад стоял наверху перед дверью старухи. И минуту назад — перед этой дверью. И...»

Прошлая ночь. Трамвай. Дождь. Огромный вагон грохочет по рельсам, скрипят и стонут деревянные части, сотрясаются потускневшие металлические детали, а кто-то невидимый раскачивается в проходе у меня за спиной, оплакивая похоронный рейс трамвая.

«Он снова стоит в холле».

А тот стоял в проходе у меня за спиной.

Нет, нет, это уж слишком!

Ведь не преступление же — правда? — испускать стоны в вагоне трамвая? Или стоять в холле, глядя на дверь, одним своим молчанием давая понять старику, что ты здесь.

Правда! Не преступление. Но что, если этот кто-то однажды ночью все-таки вошел в комнату?

И занялся своим «одиноким делом»?

Я снова вгляделся в надпись, такую же выцветшую, едва заметную, как объявление о продаже канареек на окне. И попятился, стремясь уйти, вырваться из жуткой комнаты человека, приговоренного к одиночеству и отчаянию.

Выйдя в холл, я постоял, принюхиваясь к воздуху, пытаясь угадать, приходил ли сюда снова и снова в последнее время тот, другой, лицо которого едва скрывало череп.

Мне захотелось вихрем взлететь по лестнице и закричать так, чтобы затряслись птичьи клетки:

— Ради всего святого, если тот человек придет опять, позвоните мне!

Но как? В холле я видел пустую подставку для телефона, а под ней — «Желтые страницы» за 1933 год.

Тогда хотя бы крикните в окно!

Но кто услышит ее голос, слабый, как скрип старого ключа в ржавом замке?

«Ладно,— подумал я,— приеду и буду караулить». Только зачем?

Да затем, что эта словно поднятая с морского дна мумия, эта по-осеннему пожелтевшая, обряженная для похорон старуха, лежащая наверху, молит о том, чтобы к ней по лестнице поднялся холодный ветер.

«Запереть все двери?» — подумал я.

Но когда попытался плотнее закрыть входную дверь, у меня ничего не вышло.

И я слышал, как холодный ветер по-прежнему шепчет в доме.

Пробежав часть пути, я замедлил шаг, остановился и взял было курс на полицейский участок.

Однако у меня в ушах зашуршали сухими крыльями мертвые канарейки.

Они рвались на волю. И только я мог их спасти.

И еще я почувствовал, как вокруг меня тихо плещутся воды Нила, поднимая ил со дна, и он, того и гляди, поглотит и сотрет с лица земли древнюю Никотрис — дочь египетского фараона, которой уже две тысячи лет.

Только я мог не дать черным водам Нила унести ее вниз по течению и засыпать песком.

И я побежал к своему «Ундервуду».

Начал печатать и спас птиц.

Напечатал еще пару страниц и спас старые высохшие кости.

Чувствуя свою вину и в то же время торжествуя, торжествуя и чувствуя вину, я вынул листы из машинки, расправил и уложил в ящик, где из птичьих клеток и речного песчаника слагался мой роман, где птицы начинали петь, только когда вы читали напечатанное, а шепот со дна слышался, лишь когда переворачивали страницы.

И, воодушевленный тем, что спас всех, вышел из дому.

Я шел в полицейский участок, обуреваемый грандиозными фантазиями, безумными идеями, вооруженный невероятными уликами, совершенно очевидными решениями возможных загадок.

Я прибыл туда, чувствуя себя сверхловким акробатом, выделывающим сверхсложные трюки на сверхненадежной трапеции, подвешенной к огромному воздушному шару.

Откуда мне было знать, что сыщик — лейтенант Элмо Крамли — вооружен длинными иглами и духовым ружьем?

Когда я появился, он как раз выходил из участка.

Видно, выражение моего лица подсказало ему, что я готов обрушить на него свои наблюдения, фантазии, концепции, улики. Он поспешно вытер лицо, чуть не нырнул обратно в участок и осторожно пошел по дорожке, словно приближался к бомбе.

— Вы-то что тут делаете?

— А разве от граждан не ждут, что они явятся, если могут разгадать убийство?

— Где вы нашли убийство? — Крамли обозрел окрестный пейзаж и убедился, что трупов не видно. — Что имеете сказать еще?

— Вы не хотите выслушать то, что мне известно?

— Все это я уже слышал.— Крамли прошел мимо меня и направился к стоящей у поребрика машине.— Стоит кому-нибудь у нас в Венеции отдать концы от сердечного приступа или оттого, что наступил на свои же шнурки, на следующий день ко мне являются доброхоты с советами, как распутать загадку, отчего остановилось сердце или запутались шнурки. И у вас на лице написано, что вас одолевают эти сердечно-шнурочные заботы. А я не спал всю ночь.

Крамли говорил на ходу, и мне приходилось бежать за ним, так как, подобно Гарри Трумэну, он делал сто двадцать шагов в минуту.

Услышав, что я следую за ним, Крамли бросил через плечо:

— Вот что я вам скажу, юный папа Хемингуэй...

— Вы знаете, как я зарабатываю на жизнь?

— Все в Венеции это знают. Вы же вопите на весь город, стоит вам напечатать рассказ в «Дешевом детективном журнале» или в «Детективах Флина», и ты-чете пальцем в эти журналы у газетной стойки.

— Ой! — воскликнул я: из моего воздушного шара вытекли остатки горячего воздуха. Приземлившись, я остановился возле автомобиля Крамли напротив сыщика, закусив нижнюю губу.

Крамли это заметил, и у него сделался отечески виноватый вид.

— Господи Иисусе! — вздохнул он.

— Что?

— Вы знаете, за что я не терплю сыщиков-любителей? Почему они у меня в печенках сидят? — спросил Крамли.

— Но я-то не сыщик-любитель. Я — профессиональный писатель, у меня, как у насекомого, усики-антенны, и они мне хорошо служат.

— Значит, вы просто кузнечик, умеющий печатать,— проговорил Крамли и подождал, пока я проглочу обиду.— А вот если бы вы поболтались с мое по Венеции, посидели бы в моей конторе и побегали в морг, вы бы знали, что у любого проходящего мимо бродяги, у любого еле стоящего на ногах пьяницы столько теорий, доказательств, откровений, что их хватило бы на целую Библию, под их тяжестью потонула бы лодка на баптистском воскресном пикнике. Если бы мы слушали каждого болтуна-проповедника, прошедшего через тюремные двери, так полмира оказалось бы под подозрением, треть — под арестом, а остальных пришлось бы сжечь или повесить. А раз так, чего ради мне слушать какого-то юного писаку, который даже еще не зарекомендовал себя в литературе?

Я снова моргнул от обиды, он снова сделал паузу.

— Писаку, который, найдя львиную клетку со случайно утонувшим стариком, уже вообразил, будто наткнулся на «Преступление и наказание», и мнит себя сыном Раскольникова. Все. Речь закончена. Жду реакции.

— Вы знаете про Раскольникова? — изумился я.

— Знал еще до вашего рождения. Но на это овса не купишь. Защищайте вашу версию.

— Я — писатель. О чувствах я знаю больше, чем вы.

— Вздор. Я — детектив. И о фактах знаю больше, чем вы. Боитесь, что факты собьют вас с толку?

— Я...

— Малыш, скажите мне вот что. Когда-нибудь что-нибудь с вами случалось?

— Что-нибудь?

— Ну да. Что-нибудь. Важное, или не очень, или незначительное. Ну что-нибудь вроде болезней, насилия, смертей, войны, революции, убийства?

— У меня умерли отец и мать...

— Естественной смертью?

— Да. Но одного моего дядю застрелили во время налета...

— Вы видели, как его застрелили?

— Нет, но...

— Ну так вот. Если не видели, не считается. Я хочу спросить: а прежде вам случалось находить людей в львиных клетках?

— Нет, — признался я, помолчав.

— Ну вот видите. Вы до сих пор в шоке. Вы еще не знаете жизни. А я родился и вырос в морге. Вы же сейчас впервые столкнулись с мраморным столом. Так, может быть, успокоитесь и пойдете домой?

Он понял, что его голос стал звучать слишком громко, покачал головой и закончил:

— Почему бы и мне не успокоиться и не поехать домой?

Так он и сделал. Открыл дверцу, прыгнул на сиденье, и не успел я снова надуть свой воздушный шар, как его и след простыл.

Чертыхаясь, я с силой захлопнул за собой дверь телефонной будки, бросил в прорезь монету в десять центов и набрал номер телефона, находящегося за пять миль от меня, в Лос-Анджелесе. Когда на другом конце провода сняли трубку, я услышал, что по радио звучит итальянская песенка, услышал, как хлопнула дверь, как спустили воду в уборной. Но при этом я знал, что там меня ждет солнце, в котором я так нуждался.

Леди, проживающая в этом многоквартирном доме на углу Темпла и улицы Фигуэроя, вспугнутая телефонным звонком, откашлялась и проговорила:

— Que?*

— Миссис Гутьеррес! — заорал я.— Миссис Гутьеррес! Это Чокнутый.

— О,— выдохнула она и засмеялась.— *Si, si***. Хотите говорить с Фанни?

— Нет, нет, просто покричите ей. Пожалуйста, миссис Гутьеррес!

— Кричу.

Я услышал, как она отошла от телефона, как накренилось ветхое, дышащее на ладан здание. Когда-нибудь ему на крышу сядет черный дрозд и оно рухнет. Услышал, как маленькая собачонка чихуахуа, похожая на веселого шмеля, затопотала по линолеуму вслед за хозяйкой, словно отплясывала чечетку, и залаяла.

Услышал, как открылась дверь на галерею,— это миссис Гутьеррес вышла, чтобы со своего этажа, перегнувшись через перила в солнечный колодец, крикнуть второму этажу:

---

* *Здесь:* алло *(исп.).*
** Да *(исп.).*

— Эй, Фанни! Эй! Там Чокнутый.

Я закричал в трубку:

— Скажите, мне нужно нанести визит!

Миссис Гутьеррес подождала. Я услышал, как на галерее второго этажа заскрипели половицы, как будто могучий капитан вышел на мостик обозреть окрестности.

— Эй, Фанни! Чокнутый говорит, что хочет нанести визит.

Долгое молчание. Потом над двором прозвенел чистый голос. Слов я не разобрал.

— Скажите, мне нужна «То́ска»!

— «То́ска»! — прокричала миссис Гутьеррес во двор.

Снова долгое молчание.

Весь дом опять накренился, теперь в другую сторону, словно земля повернулась в полуденной дремоте.

Снизу мимо миссис Гутьеррес проплыло несколько тактов из первого действия «Флории Тоски». Миссис Гутьеррес вернулась к трубке:

— Фанни говорит...

— Слышу, миссис Гутьеррес. Эта музыка означает согласие.

Я повесил трубку. В то же мгновение в нескольких ярдах от меня удивительно вовремя на берег обрушилось до ста тысяч тонн соленой воды. Я склонил голову перед пунктуальностью Господа Бога.

Убедившись, что в кармане завалялось двадцать центов, я бегом бросился к трамваю.

———

Она была необъятна.

По-настоящему ее звали Кора Смит, но она нарекла себя Фанни Флорианной, и никто не обращался к ней иначе. Я знал ее с давних пор, когда сам жил в этом доме, и не порывал дружбы с ней после того, как переехал к морю. Фанни была такая тучная, что даже спала сидя, не ложилась никогда. Днем и ночью она сидела в огромном капитанском кресле, чье место на палубе ее квартиры было навсегда обозначено царапинами и выбоинами на линолеуме, возникшими под чудовищным весом хозяйки. Фанни старалась как можно меньше двигаться: выплывая в холл и протискиваясь к тесному ватерклозету, она задыхалась, в легких и горле у нее клокотало; она боялась, что когда-нибудь позорно застрянет в уборной.

— Боже мой, — часто говорила она, — какой ужас, если придется вызывать пожарных и вызволять меня оттуда.

Она возвращалась в свое кресло, к радиоприемнику, к патефону и холодильнику, до которого можно было дотянуться не вставая, — он ломился от мороженого, майонеза, масла и прочей убийственной еды, поглощаемой ею в убийственных количествах. Фанни все время ела и все время слушала музыку. Рядом с холодильником висели книжные полки без книг, но уставленные тысячами пластинок с записями Карузо, Галли-Курчи, Суартхаут и всех остальных. Когда в полночь последняя ария была спета и последняя пластинка, шипя, останавливалась, Фанни погружалась в себя, словно застигнутый темнотой слон. Большие кости удобно устраивались в необъятном теле. Круглое лицо, как полная луна, обозревало обширные пространства требовательной плоти. Опираясь спиной на подушки, Фанни тихо выдыхала воздух, шумно вдыхала его, опять выдыхала. Она боялась погибнуть под собственным весом, как под лавиной. Ведь если она случайно откинется слишком далеко, ее телеса поглотят и сокрушат ее легкие, навеки заглушат голос, навсегда погасят свет. Фанни никогда об этом не говорила. Но однажды, когда кто-то спросил, почему в комнате нет кровати, ее глаза так испуганно блеснули, что больше о кровати никто не заикался. Страх перед собственным весом-убийцей всегда был рядом. Фанни боялась засыпать под тяжестью своей плоти. А утром просыпалась, радуясь, что еще одна ночь миновала и она благополучно пережила ее.

В переулке возле дома ждал своего часа ящик от рояля.

— Слушай, — говорила Фанни, — когда я умру, притащи этот ящик наверх, засунь меня в него и спусти вниз. И раз уж ты здесь, добрая душа, достань-ка мне банку майонеза и большую ложку.

У входной двери в дом я постоял и прислушался.

Голос Фанни лился с этажа на этаж. Прозрачный, как вода горного потока, он каскадами струился со второго этажа на первый и заполнял вестибюль. Этот голос хотелось пить, такой он был чистый.

Фанни.

Когда я поднимался на первый этаж, она выводила трели из «Травиаты». Поднимаясь на второй, я остановился и заслушался, прикрыв глаза. Мадам Баттерфляй приветствовала входящий в гавань белоснежный корабль и лейтенанта, тоже во всем белом.

То был голос хрупкой японской девушки, лившийся с холма, куда она поднялась весенним вечером. Фотография этой девушки стояла на столике возле окна, выходившего на галерею второго этажа. Тогда ей было семнадцать лет, и она весила от силы сто двадцать фунтов, но с тех пор прошло много времени. Голос вел меня наверх по старой темной лестнице и сулил близкое счастье.

Я знал, что стоит мне подойти к дверям, и пение прекратится.

— Фанни,— говорил я обычно,— по-моему, здесь только что кто-то пел.

— Неужели?

— Что-то из «Баттерфляй».

— Как странно. Интересно, кто бы это мог быть?

Мы играли в эту игру годами, говорили о музыке, обсуждали симфонии, балеты и оперы, слушали музыку по радио, заводили старенький, растрескавшийся эдисоновский патефон и ставили пластинки, но никогда, ни разу за три тысячи дней Фанни не пела при мне.

Однако сегодня все было иначе.

Я поднялся на второй этаж, и пение прекратилось. Наверно, она задумалась, решая, что делать дальше. Может быть, выглянув в окно, увидела, как медленно я бреду по улице к дому. Может быть, угадала мои тайные мысли. Может быть, когда я звонил с другого конца города, мой голос (но это невозможно!) донес до нее печаль и шум дождя прошлой ночи. Но как бы то ни было, в цветущем, необъятном теле Фанни Флорианны всколыхнулась мощная интуиция, и Фанни вознамерилась удивить меня.

Я стоял у ее дверей и прислушивался.

Что-то заскрипело, словно большой корабль с трудом прокладывал себе путь по волнам. За дверью насторожилась чуткая совесть.

Тихо зашипел патефон!

Я постучал.

— Фанни! — крикнул я.— Это Чокнутый!

— *Voila!**

Она открыла дверь, и на меня, как раскаты грома, обрушилась музыка. Эта необыкновенная женщина сперва поставила тонко заточенную деревянную иголку на шипящую пластинку, придвинулась к двери и, схватившись за ручку, выжидала. Как только палочка дирижера метнулась вниз, она распахнула дверь во всю ширь. Из комнаты вырвалась музыка Пуччини, обволокла меня, повлекла за собой. Фанни Флорианна помогала ей.

Звучала первая сторона пластинки «Флория Тоска». Фанни усадила меня на шаткий стул, взяла мою пятерню и сунула в нее стакан хорошего вина.

— Я же не пью, Фанни.

— Глупости. Ты посмотри на себя. Пей!

Она вытанцовывала вокруг меня, как те диковинные гиппопотамы, что легче пушинок молочая порхали в «Фантазии», и опустилась, как поразительно странная перина, на свое безответное кресло.

---

* *Здесь:* Прошу! *(фр.)*

К концу пластинки я залился слезами.

— Ну, ну, — зашептала Фанни. — Ну, ну!

— Я всегда плачу, когда слушаю Пуччини, Фанни.

— Да, дорогой, но не так горько.

— Это правда, не так горько.

Я отпил половину второго стакана. Это был «Сент-Эмильон» 1933 года из хорошего виноградника, его привез и оставил Фанни кто-то из ее богатых друзей. Они приезжали сюда через весь город, рассчитывая душевно поболтать, весело посмеяться, вспомнить лучшие для них времена, не думая о том, чей доход выше. Однажды вечером я увидел, как к ней поднимаются какие-то родственники Тосканини, и остался ждать внизу. Видел, как от нее спускается Лоуренс Тиббет, — проходя мимо меня, он кивнул. Приезжая поболтать, они всегда привозили лучшие вина и уходили, улыбаясь. Центр мира может быть где угодно. Здесь он находился на втором этаже дома, где сдаются квартиры, расположенного не в лучшем районе Лос-Анджелеса.

Я смахнул слезы рукавом.

— Выкладывай, — приказала великая толстуха.

— Я нашел мертвеца, Фанни. И никто не желает меня выслушать.

— Господи! — У Фанни открылся рот, и круглое лицо стало еще круглее. Глаза тоже округлились и потеплели от сочувствия.

— Бедный мальчик. Кто это был?

— Один из тех милых стариков, что собираются в билетной кассе на трамвайной остановке в Венеции, они сидят там с тех пор, как Билл Санди рассуждал о Библии, а Уильям Дженнингс Брайан выступил со своей знаменитой речью о золотом кресте. Этих стариков я видел там еще мальчишкой. Их четверо. Такое ощущение, будто они приклеились к деревянным скамьям и будут сидеть там вечно. Ни разу не видел никого из них в городе, они нигде мне не встречались. Сидят в кассе целыми днями, неделями, годами, курят трубки или сигары, рассуждают о политике, разбирая всех по косточкам, решают, что делать со страной. Когда мне было пятнадцать, один из них посмотрел на меня и сказал: «Вот вырастешь, мальчик, и, наверно, постараешься изменить мир к лучшему, правда?» — «Да, сэр!» — ответил я. «Думаю, у тебя получится, — сказал он. — Как по-вашему, джентльмены?» — «Еще бы», — ответили старики и улыбнулись мне. И вот как раз этого старика, что задавал мне вопросы, я и нашел вчера ночью в львиной клетке.

— В клетке?

— Под водой в клетке.

— Ну, знаешь, я вижу, без второй стороны «Тоски» тут не обойтись!

Фанни, как смерч, поднялась с кресла, стремительно, как огромная приливная волна, подкатилась к патефону, с силой покрутила ручку и, как Божье благословение, осторожно опустила иголку на перевернутую пластинку.

Под звуки первых аккордов она вернулась в кресло, словно корабль-призрак, царственная и бледная, спокойная и сосредоточенная.

— Я знаю, почему ты так тяжело это переживаешь, — сказала она. — Из-за Пег. Она все еще в Мехико? Учится?

— Уехала три месяца назад. Все равно что три года,— ответил я.— Господи, я такой одинокий!

— И все тебя задевает,— добавила Фанни.— Может, позвонишь ей?

— Да что ты, Фанни! Я не могу себе этого позволить. И не хочу, чтобы она платила за мой звонок. Остается надеяться, что она сама на днях позвонит.

— Бедный мальчик! Болен от любви!

— Болен от смерти! И что отвратительно, Фанни, я даже не знал, как звали этого старика. Позор, правда?

Вторая часть «Тоски» меня доконала. Я сидел, опустив голову, слезы струились по лицу и с кончика носа капали в стакан с вином.

— Ты испортил свой «Сент-Эмильон»,— мягко упрекнула меня Фанни, когда пластинка закончилась.

— Я просто бешусь от злости,— признался я.

— Почему? — удивилась Фанни. Она, словно большое гранатовое дерево, отягощенное плодами, склонилась над патефоном, подтачивала новую иголку и искала пластинку повеселее.— Почему?

— Фанни, старика кто-то убил. Кто-то засунул его в эту клетку. Как бы он сам туда попал?

— О боже! — простонала Фанни.

— Когда мне было двенадцать, моего дядю — он жил на Востоке — поздно ночью застрелили во время налета, прямо в машине. На похоронах мы с братом поклялись, что найдем убийцу и разделаемся с ним. Но убийца до сих пор гуляет на свободе. Это было давно и в другом городе. А сейчас убийство произошло здесь. Кто бы ни утопил старика, он живет в

Венеции, в нескольких кварталах от меня. И когда я найду его...

— Ты передашь его полиции,— перебила меня Фанни и с тяжеловесной плавностью подалась вперед.— Тебе надо хорошенько выспаться, сразу почувствуешь себя лучше.

Она внимательно изучала мое лицо.

— Нет,— вынесла она окончательный приговор.— Лучше ты себя не почувствуешь. Ладно, делай что хочешь. Будь дураком, как все мужчины. Господи, каково нам, женщинам, наблюдать, как вы, идиоты, убиваете друг друга, как убийцы убивают убийц. А мы стоим рядом, умоляем прекратить это, и никто нас не слышит. Почему ты-то не хочешь меня послушаться, любовь моя?

Она поставила другую пластинку и осторожно, словно даря поцелуй, опустила на нее иголку, а потом добралась до меня и потрепала по щеке своими длинными розовыми, как хризантема, пальцами.

— Пожалуйста, будь осторожен. Не нравится мне ваша Венеция. Улицы там плохо освещены. И эти проклятые насосы! Все ночи напролет качают нефть, качают не переставая. От их стонов нет спасения.

— Венеции я не боюсь, и того, кто там рыскает, тоже,— сказал я.

А сам подумал: «Того, кто стоит в холлах у дверей стариков и старух и ждет».

Возвышавшаяся надо мной Фанни сразу стала похожа на огромный ледник.

Наверно, она снова вгляделась в мое лицо, по которому можно читать, как по книге. Я ничего не могу скрыть. Инстинктивно она бросила взгляд на дверь, как будто за ней мелькнула чья-то тень. Ее интуиция ошеломила меня.

— Что бы ты ни делал, — голос Фанни звучал глухо, затерявшись в глубинах ее многопудового, вдруг насторожившегося тела, — сюда приносить не вздумай.

— Смерть нельзя принести, Фанни.

— Еще как можно. Вот и вытри ноги, когда будешь входить в дом. У тебя есть деньги, чтобы отдать костюм в чистку? Могу немного дать. Доведи до блеска ботинки. Почисти зубы, никогда не оглядывайся. Глаза могут убить. Если на кого-нибудь посмотришь и он увидит, что ты хочешь, чтобы тебя убили, он пойдет за тобой. Приходи ко мне, дорогой мальчик, но сначала вымойся и, когда пойдешь сюда, смотри только вперед.

— Ерунда, Фанни, бред собачий. Это смерть не остановит, ты и сама прекрасно знаешь. Но все равно я ничего не притащу к тебе, кроме самого себя, Фанни, и моей любви, как все эти годы.

Мои слова растопили гималайские льды.

Фанни медленно повернулась, как большая карусель, и тут мы оба вдруг услышали музыку: пластинка, оказывается, уже не шипела, а давно играла.

«Кармен».

Фанни Флорианна запустила пальцы за пазуху и извлекла черный кружевной веер: легкое движение — и он раскрылся, как распустившийся цветок. Фанни кокетливо повела им перед лицом, и глаза ее зажглись азартным огнем фламенко, она скромно опустила веки и запела, ее пропавший голос возродился вновь, свежий, как прохладный горный ручей, молодой, каким был я сам всего неделю назад.

Она пела. Пела и двигалась в такт.

Мне казалось, будто я вижу, как медленно поднимается тяжелый занавес «Метрополитен-опера» и окутывает Гибралтарскую скалу, вижу, как он колышется и кружится, подчиняясь движениям одержимого дирижера, способного зажечь энтузиазмом танцующих слонов или вызвать из океанских глубин стадо белых китов, пускающих фонтаны воды.

К концу первой арии у меня снова полились слезы.

На этот раз от смеха.

Только потом я подумал: «Господи боже мой! Впервые! У себя в комнате! Она пела!»

Для меня.

Внизу на улице день был в разгаре.

Я стоял на залитом солнцем тротуаре, покачиваясь, смакуя оставшийся во рту вкус вина, и смотрел на второй этаж.

Оттуда неслась прощальная ария. Мадам Баттерфляй расставалась с молодым лейтенантом — весь в белом, он покидал ее навсегда.

Мощная фигура Фанни возвышалась на балконе; она смотрела вниз, ее маленький, похожий на розовый бутон рот печально улыбался: юная девушка, томившаяся за круглым, словно полная луна, расплывшимся лицом, давала мне понять, что музыка, звучащая в комнате за ее спиной, говорит о нашей дружбе, о том, что на какое-то время расстаемся и мы.

Глядя на Фанни, я вдруг подумал о Констанции Раттиган, запертой в мавританской крепости на берегу океана. Мне захотелось вернуться и расспросить Фанни, что между ними общего. Но она, прощаясь, помахала рукой. И мне ничего не оставалось, как помахать в ответ.

Теперь погода наладилась, и я был готов вернуться в Венецию.

«Ну, держись, лысеющий коротышка, ты и на детектива-то не похож, — мысленно пригрозил я. — Держись, Элмо Крамли, я еду!»

Но кончилось все тем, что я, как безвольная тряпка, переминался с ноги на ногу перед венецианским полицейским участком.

И ломал себе голову: кто же этот Крамли, скрывающийся за его стенами, — Красавица или Чудовище?

Я слонялся по тротуару, пока из верхнего зарешеченного окошка не выглянул кто-то, похожий на Крамли.

И я смылся.

От одной мысли, что он снова раскроет пасть и, как паяльной лампой, опалит персиковый пушок на моих щеках, сердце у меня уходило в пятки.

«Господи, — думал я, — ну когда наконец я решусь встретиться с ним лицом к лицу и выложить свои мрачные догадки, которые копятся у меня в ящике для рукописей, словно пыль на могильной плите? Когда?»

Скоро.

Это случилось той же ночью.

Около двух часов перед моим домом разразился небольшой ливень.

«Глупости! — думал я, не вылезая из постели и прислушиваясь.— Что значит "небольшой ливень"? Насколько "небольшой"? Три фута в ширину, шесть — в высоту, и пролился он всего в одном месте? Дождь промочил только коврик у двери и тут же кончился? Нигде больше не выпало ни капли?»

Вот черт!

Соскочив с кровати, я широко распахнул дверь.

На небе ни облачка. Яркие звезды, ни дымки, ни тумана. Дождю неоткуда было взяться.

Но возле двери поблескивала лужица.

И виднелась цепочка следов, ведущих к дверям, и другая — уходящие следы босых ног.

Наверно, я простоял секунд десять, пока меня не прорвало: «Ну хватит!»

Кто-то стоял возле дверей, мокрый, стоял не меньше чем полминуты, гадал, сплю я или нет, хотел постучать и ушел в сторону океана.

«Нет,— прищурился я.— Не в сторону океана. Океан справа от меня, на западе».

А следы босых ног уходили влево, на восток.

И я последовал за ними.

Я бежал так, словно мог догнать небольшой ливень.

Пока не добежал до канала.

Там следы оборвались на самой кромке берега...

Господи боже мой!

Я уставился вниз на маслянистую воду.

Было видно, в каком месте кто-то вскарабкался на берег и по ночной улице пошел к моему дому, а потом побежал назад — шаги сделались шире. И что?..

Нырнул?

Господи, да кому взбредет в голову плавать в этой грязной воде?

Кому-то, кто ни о чем не думает и не боится заболеть? Кому-то, кто любит появляться по ночам и отбывать в ад то ли ради забавы, то ли в поисках смерти?

Я медленно шел вдоль канала, напрягая глаза, стараясь разглядеть, не нарушится ли где черная поверхность воды.

Приливная волна отхлынула, нахлынула снова, в проржавевшем открытом шлюзе плескалась вода. Проплыла стая мелких тюленей, но оказалось, что это всего лишь плавающие на поверхности водоросли.

«Ты все еще там? — шептал я.— Зачем приходил? Почему ко мне?»

Я втянул в себя воздух и затаил дыхание.

Мне почудилось, будто в выдолбленном в бетоне тайнике, под небольшим цементным бункером, по другую сторону ветхого моста...

Я вижу вихор сальных волос, а пониже лоснящийся лоб. На меня глядели глаза. Это могла быть морская выдра или черный дельфин, почему-то заблудившийся и застрявший в канале.

Голова, наполовину торчавшая из воды, долго оставалась на поверхности.

И я вспомнил, как еще мальчиком читал романы про Африку. Там рассказывалось о крокодилах, обосновавшихся в подводных пещерах по берегам реки Конго. Эти твари забивались в пещеры на дне и лежали там. Они прятались в своих тайных убежищах, выжидая, когда какой-нибудь идиот рискнет проплыть мимо. Тогда рептилии стремительно покидали свои подводные укрытия и пожирали жертву.

Неужели передо мной такой же зверь?

Он любит ночные приливы, прячется в тайниках под берегом, а потом выбирается на сушу и идет, оставляя после себя мокрые следы.

Я следил за черной головой в воде. А она, поблескивая глазами, следила за мной.

Нет. Не может быть, что это человек.

Меня передернуло. Я бросился вперед, как бросаются на что-то страшное, желая его прогнать, как пугают пауков, крыс, змей. И не от храбрости — от страха я затопал ногами.

Черная голова скрылась под водой. По воде побежала рябь.

Больше голова не показывалась.

Весь дрожа, я пошел назад по цепочке темных следов ливня, который наведался к моим дверям.

Маленькая лужица по-прежнему блестела у порога.

Я наклонился и выудил из нее горсточку морских водорослей.

И только тут сообразил, что бегал к каналу и возвращался назад в одних трусах.

Ахнув, я быстро огляделся, улица была пуста. Я вбежал в квартиру и с силой захлопнул дверь.

«Завтра, — думал я, — завтра я потрясу кулаками перед носом у Элмо Крамли.

В правом будут обрывки трамвайных билетов.

В левом — комок мокрых водорослей.

Но в участок я не пойду!

В тюрьмах и больницах я готов сразу грохнуться в обморок.

Но где-то же Крамли живет!

Найду где и потрясу кулаками».

Почти сто пятьдесят дней в году солнце в Венеции не может пробиться сквозь туман до самого полудня.

Почти шестьдесят дней в году оно вообще не может выйти из тумана до четырех-пяти часов, когда ему приходит пора садиться на западе.

Дней сорок оно не показывается вовсе.

В остальное же время, если, конечно, вам повезет, солнце, как в других районах Лос-Анджелеса и во всей Калифорнии, восходит в пять тридцать утра и светит весь день.

Но мрачные сорок или шестьдесят дней выматывают душу, и тогда любители пострелять начинают чистить оружие. Если солнце не выходит на двенадцатый день, старушки отправляются покупать отраву для крыс. Однако если на тринадцатый день, когда они уже готовы высыпать мышьяк себе в утренний чай, вдруг появляется солнце, недоумевая, чего это все так расстроены, старушки морят крыс у каналов и возвращаются к своему бренди.

Во время сорокадневного цикла туманная сирена, затерянная где-то в заливе, безостановочно воет и воет, пока всем не начинает мерещиться, будто на местном кладбище зашевелились покойники. А поздно ночью под неумолчный вой сирены ваше подсознание посылает вам образ какого-то древнего земноводного существа — оно плавает далеко в океане, тоскуя, быть может, только о солнце. Все умные животные перемещаются на юг. А ты остаешься на холодном песке с молчащей пишущей машинкой, с пустым счетом в банке и с постелью, теплой лишь с одной стороны. Ты ждешь, что земноводный зверь всплывет когда-нибудь ночью, пока ты спишь. Чтобы от него отделаться, ты встаешь в три часа ночи и пишешь о нем рассказ, но он лежит у тебя годами, в журналы его не посылаешь, боишься. Не «Смерть в Венеции» следовало назвать свой роман Томасу Манну, а «Невостребованность в Венеции».

Правда все это или игра воображения, но умные люди предпочитают селиться как можно дальше от океана. Территория, контролируемая венецианской полицией, кончается там же, где кончается туман,— где-то в районе Линкольн-авеню.

У самой границы района, подвластного венецианской полиции и венецианской непогоде, находится сад, который я видел всего один или два раза.

С улицы невозможно было судить, есть ли в этом саду дом. Сад так густо зарос кустами, деревьями, тропическими растениями, пальмами, тростником и папирусами, что прокладывать себе путь через эти заросли пришлось бы с помощью топора. В глубь сада вела не мощеная дорожка, а лишь протоптанная тропинка. Однако дом там все-таки был, он тонул в доходящей до подбородка траве, которую никто никогда не косил, и стоял так далеко от улицы, что казался барахтающимся в нефтяной яме слоном, конец которого близок. Почтового ящика здесь не было. Почтальону приходилось бросать газеты прямо в сад и удирать, пока никто не выскочил из джунглей и не напал на него.

Летом из этого зеленого заповедника доносился запах апельсинов и абрикосов. А если не апельсинов и абрикосов, то кактусов, эпифиллюмов или цветущего жасмина. Здесь никогда не стрекотала газонокосилка. Не свистела коса. Сюда не добирался туман. Здесь, на границе с вечными в Венеции сырыми сумерками, дом благоденствовал среди лимонов, которые сияли, как свечки на рождественской елке.

Временами, когда вы проходили мимо, вам чудилось, будто вы слышите, как в саду, словно по равнине Серенгети, топая, бегает окапи; казалось, что на закате в небо взмывают тучи фламинго и кружатся над садом живым огнем.

Вот это-то место, где природа так мудро распоряжается погодой, и облюбовал себе, ублажая свою всегда наполненную солнцем душу, человек лет сорока с небольшим, рано начавший лысеть, со скрипучим голосом. А работал он у океана, вдыхая туман, и по роду работы ему приходилось разбираться с нарушением законов и таможенных правил, а иногда и со смертями, которые могли обернуться убийствами.

И звали этого человека Элмо Крамли.

Я нашел его и его дом благодаря прохожим, которые, выслушав мои вопросы, кивали и показывали, куда идти.

Все как один они сходились на том, что каждый вечер, довольно поздно, приземистый детектив легкими шагами вступает в эти зеленые джунгли и скрывается там под шум крыльев слетающих вниз фламинго и тяжело поднимающихся на ноги гиппопотамов.

«Как мне быть? — думал я. — Встать на краю этих диких зарослей и выкрикивать его имя?»

Но Крамли окликнул меня сам:

— Господи помилуй, неужто вы?

Когда я появился у его ворот, он как раз выходил из своих райских кущ по тропинке, заросшей сорняками.

— Я.

Пока детектив продвигался по едва заметной тропинке, мне казалось, я слышу те же звуки, которые мне чудились, когда я проходил мимо: вот скачут газели Сетон-Томпсона, вот в панике разбегаются полосатые, как кроссворд, зебры, а вот ветер приносит запах золотистой мочи — это львы.

— Сдается мне, — проворчал Крамли, — мы сыграли эту сцену еще вчера. Пришли извиниться? Раздобыли материалы похлеще и посмешней?

— Если вы остановитесь и выслушаете... — начал я.

— Ну и голос у вас, доложу я вам! Недаром одна моя знакомая, что живет в трех кварталах от места, где вы нашли труп, говорит, что ее кошки до сих пор не вернулись домой — так вы напугали их в ту ночь своими воплями. Ладно. Я стою. И что?

При каждом его слове мои кулаки все глубже уходили в карманы спортивной куртки. Почему-то я никак не мог их вытащить. Уткнув подбородок в грудь, отведя глаза, я старался собраться с духом.

Крамли посмотрел на часы.

— В ту ночь у меня за спиной в трамвае кто-то стоял! — внезапно закричал я.— Это он засунул старика в львиную клетку.

— Тише, тише! С чего вы так решили?

Кулаки задвигались у меня в карманах, сжались еще сильнее.

— Я чувствовал, как он протягивает ко мне руки. Чувствовал, как шевелятся его пальцы, словно умоляют. Он хотел, чтобы я обернулся и увидел его. Ведь убийцы все хотят, чтобы их обнаружили?

— Да, по мнению халтурщиков, выдающих себя за психологов. Чего ж вы на него не поглядели?

— С пьяными стараешься не встречаться глазами. Еще усядутся рядом, начнут дышать на тебя.

— Верно.— Крамли позволил себе проявить некоторую заинтересованность. Он вытащил кисет, бумагу и стал сворачивать сигарету, намеренно не глядя на меня.— И что?

— Слышали бы вы его голос! Тогда поверили бы. Господи, да он был точь-в-точь тень отца Гамлета, взывающая из могилы: «Помни обо мне!» Но этот-то просто молил: «Посмотри на меня! Узнай меня! Арестуй!»

Крамли закурил и сквозь дым взглянул на меня.

— Да от его голоса я за несколько секунд состарился на десять лет,— продолжал я.— В жизни не был так уверен, что моя интуиция меня не обманывает.

— Интуиция есть у всех.— Крамли изучал свою сигарету, словно не мог решить, нравится она ему или нет.— И бабушки у всех сочиняют рекламные стишки к пшеничным и прочим хлопьям и долдонят их целыми днями, так что руки чешутся прибить старушек. Каждый дурак воображает, будто он может с успехом совмещать в себе поэта, сочинителя песенок и сыщика-любителя. Знаете, о чем вы напомнили мне, сынок? О том, как целое скопище идиотов атаковало Александра Попа, размахивая своими поэмами, романами, очерками и требуя у него совета. Поп в конце концов разъярился и написал «Опыт о критике».

— Вы знаете Попа?

Крамли сокрушенно вздохнул, бросил сигарету и наступил на нее.

— А по-вашему, детективы — это легавые и мозги у них как замазка? Что же до Попа... Господи! Да я еще юнцом читал его по ночам под одеялом, чтобы мои не подумали, будто я спятил. А теперь прочь с дороги!

— Вы хотите сказать, что я зря стараюсь? — воскликнул я.— И даже не попытаетесь спасти старика?

И сам вспыхнул, услышав свои слова.

— Я имею в виду...

— Знаю, что вы имеете в виду,— терпеливо проговорил Крамли.

Он смотрел вдоль улицы, словно видел там, вдалеке, мой дом, письменный стол и машинку на нем.

— Вы зациклились на какой-то удачной мысли, вернее, вообразили, что она удачная. И вас залихорадило. Наверно, вам сейчас хочется только одного: вскочить в большой красный трамвай, поймать этого пьяницу и задержать его. Но если вы и вскочите туда, его там не окажется, а если окажется, то выяснится, что это не тот пьяница или вы его просто не узнаете. Вот вы и сбиваете пальцы в кровь, колотя по клавишам своего «Ундервуда», ведь материал «идет здорово», как говорит Хемингуэй, а ваша интуиция отрастила такие щупальца — чувствительней не бывает! Но все это бредни, и я не дам за них даже трех центов.

Крамли стал обходить свою машину, в точности как во время нашей вчерашней катастрофической встречи.

— Нет-нет, постойте! — закричал я.— Не вздумайте снова удрать! Да вы... знаете... что с вами? Вы просто ревнуете!

Крамли так круто повернул голову, что она чуть не оторвалась.

— Я... что?!

Мне показалось даже, что его рука дернулась к револьверу, которого не было.

— И... и...— совсем запутался я.— У вас все равно ничего не выйдет!

Моя наглость потрясла его. Он вытянул шею и уставился на меня поверх машины.

— Не выйдет что?

— Что бы вы ни затеяли! Ничего не получится! — выкрикнул я.

И сам онемел от изумления. Не помню, чтобы я когда-нибудь так орал на кого-то. В школе я был пай-мальчиком и тихоней. Стоило кому-то из учительниц нахмурить брови, и я замирал. А тут пожалуйста...

— Пока вы не научитесь,— начал я, запинаясь и заливаясь краской,— пока не научитесь прислушиваться к желудку, а не к голове...

— Смотри «Философские советы своенравным сыщикам».— Крамли прислонился к машине, словно без нее он тут же грохнулся бы наземь. Фыркнув, он прикрыл рот ладонью и, давясь от смеха, пробормотал: — Продолжайте.

— Да вы же не хотите слушать.

— Давненько мне не приходилось смеяться от души, малыш.

Губы у меня снова склеились, я закрыл глаза.

— Продолжайте,— уже мягче сказал Крамли.

— Просто,— медленно начал я,— я уже давно понял, что чем больше думаю, тем хуже у меня идет работа. Все считают, что нужно думать целыми днями. А я целыми днями чувствую и запоминаю, пропускаю через себя и записываю, а обдумываю все это в конце дня. Обдумывать надо потом.

Лицо Крамли как-то странно засветилось. Он склонил голову набок, поглядел на меня, потом склонил ее на другой бок — точь-в-точь обезьяна в зоопарке, когда она смотрит на вас сквозь прутья клетки и гадает, что это за диковинный зверь там, снаружи?

Затем, ни слова не говоря, не засмеявшись, даже не улыбнувшись, Крамли уселся в машину, спокойно включил зажигание, мягко нажал на газ и медленно, очень медленно тронулся с места.

Проехав ярдов двадцать, он затормозил, немного подумал, дал задний ход, повернулся, чтобы посмотреть на меня, и закричал:

— Святый Боже Иисусе! А доказательства? Черт вас побери! Доказательства где?

И я с такой поспешностью вытащил из кармана правый кулак, что чуть не разорвал куртку.

Я выставил кулак вперед и наконец-то разжал дрожащие пальцы.

— Вот одно, — сказал я. — Вам известно что-нибудь про это? Нет. А мне известно? Да. Знаю я, кто этот старик? Знаю. А вы знаете его фамилию? Нет!

Крамли положил голову на скрещенные на руле руки и вздохнул.

— Ладно. Выкладывайте.

— Это, — начал я, глядя на комочки мусора в руке, — это маленькие А, крошечные Б и тоненькие В. Целый алфавит, буквы, выбитые компостером из трамвайных билетов... Вы ездите на машине и давно всего этого не видели. А я, бросив ролики, только и делаю, что хожу пешком или езжу на трамвае. Я в этих бумажках по самые уши!

Крамли медленно поднял голову, стараясь не выказывать своего интереса и нетерпения.

Я продолжал:

— Этот старик всегда набивал такими бумажками свои карманы на трамвайной остановке. Он разбрасывал их, как конфетти, в канун Нового года и в июле и кричал: «Счастливого Четвертого июля!» Когда я увидел, как вы выворачиваете карманы этого бедняги, я сразу понял, что знаю, кто это. Ну, что скажете?

Наступило долгое молчание.

— Черт! — Казалось, Крамли молится про себя: глаза у него закрылись, как мои всего минуту назад. — Помоги мне, Господи! Садитесь.

— Что?

— Садитесь, черт побери! Придется вам доказать то, что вы сейчас сказали. Вы думаете, я идиот?

— Да. То есть, я хочу сказать, нет.— Я с трудом открыл дверцу, так как все еще прятал левый кулак в кармане.— А вот эти водоросли сегодня ночью кто-то оставил возле моих дверей и...

— Заткнитесь и возьмите карту.

Машина рванулась вперед.

Я вскочил в нее в последний момент и порадовался, что успел застегнуть ремень.

Мы с Элмо Крамли вошли в пропахшее табаком помещение, где днем всегда было темно, как на чердаке.

Крамли взглянул на пустующее место между стариками — они клонились друг к другу, словно высохшие плетеные стулья.

Крамли шагнул вперед и, протянув руку, показал им слипшиеся буквы-конфетти.

У стариков было уже два дня, чтобы собраться с мыслями и подумать о пустующем между ними месте.

— Сукин сын,— прошептал кто-то из них.

— Если коп,— проговорил другой, блеснув глазами на бумажную массу в руке Крамли,— если коп показывает мне это — значит, он нашел это в карманах Уилли. Хотите, чтобы я его опознал?

Двое других стариков отвернулись от говорившего, как будто он сказал что-то неприличное.

Крамли кивнул.

Старик трясущимися руками оперся о трость и стал подниматься. Крамли попытался было ему помочь, но старик наградил его таким яростным взглядом, что детектив отступил.

— Обойдусь!

Старик с силой застучал палкой по деревянному полу, словно хотел наказать его за плохие новости, и скрылся за дверью.

Последовав за ним, мы очутились в дымке, дожде и тумане, то бишь в Венеции, на юге Калифорнии, где Бог только что выключил свет.

Старику, когда мы входили в морг, было восемьдесят два года, когда выходили — не меньше ста десяти, он даже не мог больше опираться на трость. Глаза погасли, и он не стал отбиваться, когда мы помогали ему добраться до машины. Не умолкая, он причитал:

— Боже мой, боже мой, кто же это его так безобразно обстриг? И когда? — Он нес чепуху, чтобы хоть как-то отвлечься. — Это вы умудрились? — восклицал он, ни к кому не обращаясь. — Кто это сделал? Кто?

Я знал, но ничего не сказал. Мы вытащили старика из машины и подвели к тому месту на холодной скамье, где он сидел всегда и где его ждали другие старики, делая вид, будто не заметили нашего возвращения. Они сидели, устремив глаза кто в потолок, кто в пол, им не терпелось, чтобы мы ушли, а они смогли бы решить, как поступить — отвернуться от изменника, каким стал для них их старый друг, или придвинуться к нему поближе и согреть своим теплом.

Мы с Крамли пребывали в глубоком молчании, пока ехали к дому, где продавались канарейки. К дому все равно что пустому.

Я остался за дверью, а Крамли зашел в комнату старика взглянуть на голые стены и прочесть бесконечно повторявшееся имя «Уильям, Уилли, Уилл, Билл,

Смит, Смит, Смит», нацарапанное стариком в надежде обрести бессмертие.

Выйдя, Крамли оглянулся на удручающе пустую комнату.

— Господи боже, — пробормотал он.

— Вы прочли, что написано на стене?

— Прочел все. — Крамли огляделся и с неудовольствием осознал, что так и не отошел от двери и смотрит в комнату. — «Он стоит в холле». Кто там стоял? — Крамли обернулся и смерил меня взглядом. — Вы?

— Вы же знаете, что не я, — сказал я, попятившись.

— Полагаю, я мог бы арестовать вас за взлом и проникновение.

— Но вы этого не сделаете, — нервно ответил я. — Эта дверь и все двери в доме не запираются годами. Любой может войти. Кто-то и вошел.

— Откуда я знаю, что это не вы нацарапали своим собственным ногтем эти чертовы слова на стене для того только, чтобы у меня волосы встали дыбом и чтобы я поверил в вашу абракадабру?

— Почерк на стене дрожащий — ясно, что царапал старик.

— Вы могли подумать об этом заранее и подделать каракули.

— Мог, но не подделал. Боже мой, что нужно, чтобы убедить вас?

— Больше, чем мурашки у меня на коже, вот что я вам скажу.

— Тогда, — я снова засунул руки в карманы и сжал кулаки, водоросли все еще были спрятаны и ждали своего часа, — тогда остальное наверху. Поднимитесь. Посмотрите сами. А когда спуститесь, расскажете, что увидели.

Крамли склонил голову набок, снова по-обезьяньи посмотрел на меня, вздохнул и стал медленно подниматься по лестнице, словно старый продавец обуви, несущий по сапожной лапе в каждой руке.

На площадке он долго стоял, как лорд Карнарвон перед гробницей Тутанхамона. Потом вошел. Мне казалось, я слышу, как призраки старых птиц шелестят крыльями, рассматривая его. Слышу шепот мумии, встающей из речного песка. Но это встрепенулась у меня в душе старая подружка — муза, жаждущая сенсаций.

На самом же деле я слышал, как Крамли ступает по песку, покрывавшему пол в комнате старухи и заглушавшему его шаги. Вот он дотронулся до клетки — раздался металлический звон. Потом я услышал, как он наклоняется, чтобы ухом уловить ветер времени, доносящийся из пересохшего изболевшегося рта.

И под конец я услышал произнесенное шепотом имя, нацарапанное на стене, произнесенное дважды, трижды, как будто старушка с канарейками иероглиф за иероглифом разбирала египетские письмена.

Когда Крамли с усталым лицом спустился, он выглядел так, будто сапожные лапы переместились ему в желудок.

— Бросаю это дело! — заявил он.

Я ждал.

— «Восшествие Хирохито на престол», — процитировал Крамли старую газету, которую только что увидел на дне клетки.

— Аддис-Абеба? — добавил я.

— Неужели это и впрямь было так давно?

— Теперь вы все видели своими глазами,— сказал я.— Что же вы думаете?

— Что я могу думать?

— А вы не прочитали по ее лицу? Не заметили?

— Чего?

— Она следующая.

— Что?

— Да это же ясно по ее глазам. Она знает, что кто-то стоит в холле. Он поднимается к ее комнате, но не входит, а она просто ждет и молит, чтобы вошел. Меня холод пробирает, не могу согреться.

— То, что вы оказались правы насчет бумажного мусора и трамвайных билетов, то, что нашли, где жил старик, и установили, кто он, еще не делает вас чемпионом по гаданию на картах Таро. Вас, значит, холод пробирает? Меня тоже. Только из ваших подозрений и моего озноба каши не сваришь, особенно если крупа отсутствует!

— Вы не пришлете сюда полицейского? Ведь через два дня ее не станет.

— Если мы начнем приставлять полицейского к каждому, кому суждено умереть через два дня, у нас больше не будет полиции. Вы хотите, чтобы я учил моего шефа, как ему распоряжаться своими людьми? Да он спустит меня с лестницы и мой жетон отправит следом. Поймите же — она никто, мне противно это говорить, но так считает закон. Будь она хоть кем-то, может, мы и поставили бы охрану...

— Тогда я сам.

— Думайте, что говорите. Вам ведь когда-то понадобится поесть или поспать. Вы не сможете торчать здесь неотлучно. В первый же раз, когда вы побежите за сосиской, он, кто бы это ни был, если действительно он существует, войдет. Она чихнет, и ей конец. Да не приходит сюда никто! Просто ветер по ночам гоняет комки шерсти и волос. Сначала это услышал старик, теперь — миссис Канарейка.

Крамли перевел взгляд на длинную темную лестницу, туда, где уже не пели птицы, не было весны в горах, бездарный органист в незапамятном году не аккомпанировал своим маленьким желтым певцам.

— Дайте мне время подумать, малыш,— сказал Крамли.

— И дать вам время стать соучастником убийства.

— Опять вы за свое.— Крамли с такой силой распахнул дверь, что петли взвыли.— И как это получается, что вы мне почти что нравитесь и тут же я злюсь на вас, как черт?

— Кто же в этом виноват?

Но Крамли уже ушел.

Крамли не звонил двадцать четыре часа.

Стиснув зубы так, что они чуть не начали крошиться, я взнуздал свой «Ундервуд» и стремительно загнал Крамли в каретку.

«Говори!» — напечатал я.

— Как получилось,— отозвался Крамли откуда-то изнутри моей чудесной машинки,— что вы мне то нравитесь, то я злюсь на вас, как черт?

Потом машинка напечатала: «Я позвоню вам, когда старушка с канарейками умрет».

Как вы понимаете, я еще много лет тому назад липкой лентой приладил к своему «Ундервуду» две бумажки.

На одной значилось: «ПРИЕМ СПИРИТИЧЕСКИХ ПОСЛАНИЙ», на другой крупными буквами было выведено: «НЕ ДУМАЙ!»

Я и не думал. Я просто давал возможность приспособлению для приема спиритических посланий стучать и клацать.

«Сколько еще мы вместе будем биться над этой загадкой?»

«Загадка? — ответил Крамли. — Загадка — это вы».

«Согласны вы стать персонажем моего романа?»

«Уже стал».

«Тогда помогите мне».

«И не рассчитывайте. Дохлое дело».

«Черт побери!»

Я вытащил лист из машинки. И тут зазвонил мой личный телефон на заправочной станции.

Мне показалось, что до будки я бежал миль десять, думая: «Это Пег!»

Все женщины, с которыми меня сводила жизнь, были либо библиотекаршами, либо учительницами, либо писательницами, либо продавали книги. Пег совмещала по крайней мере три из этих профессий, но сейчас она была далеко, и это приводило меня в отчаяние.

Живя все лето в Мехико, она занималась испанской литературой, учила язык, ездила в поездах с коварными пеонами и в автобусах с безмятежными нахалами, писала мне пылающие любовью письма из Тамазунхале и скучающие — из Акапулько, где солнце было яркое, а умы местных жиголо яркостью отнюдь не поражали, во всяком случае не поражали Пег — поклонницу Генри Джеймса и консультантшу по Вольтеру и Бенджамину Франклину. Она повсюду таскала корзинку для завтрака, набитую книгами. Я часто думал, что, наверно, за ужином вместо сэндвичей она закусывает братьями Гонкур.

Пег.

Раз в неделю она звонила мне из какого-нибудь заброшенного городка, славного своей церковью, или из большого города, то только что выбравшись из катакомб с мумиями в Гуанахуато, то едва успев отдышаться после спуска с Теотихуакана, и мы в течение трех быстро проносящихся минут слушали, как бьются наши сердца, и твердили друг другу все те же глупости — это была своего рода литания, всегда сладостная, сколько бы раз мы ее ни повторяли и как бы долго она ни тянулась.

Каждую неделю, когда Пег звонила мне, над телефонной будкой сияло солнце.

И каждую неделю, как только разговор заканчивался, солнце скрывалось, наползал туман. Мне хотелось бежать и скорее натянуть на голову одеяло. А вместо этого я насиловал свою машинку, выстукивая на ней скверные поэмы или рассказы — например, про марсианскую жену, тоскующую по любви и воображающую, как с неба сваливается землянин, чтобы увезти ее с собой, а его, перенесшего ради нее столько злоключений, убивают.

Пег.

Несколько недель, учитывая мою бедность, мы разыгрывали с ней старый телефонный трюк. Телефонистка, звонившая из Мехико, вызывала меня по имени.

— Кого? — спрашивал я.— Что, опять? Оператор, говорите громче!

Я слышал, как где-то далеко дышит Пег. Чем больше я нес всякую чепуху, тем дольше длился разговор.

— Минуточку, оператор, повторите, кто нужен.

Телефонистка повторяла мое имя.

— Сейчас посмотрю, здесь ли он. А кто его спрашивает?

Из-за двух тысяч миль быстро откликался голос Пег:

— Скажите, это Пег. Пег.

Я делал вид, будто ухожу и возвращаюсь.

— Его нет. Перезвоните через час.

— Через час! — эхом отзывалась Пег.

Щелчок, гудок, шум, она исчезала.

Пег.

Я вскочил в будку, сорвал трубку с крючка.

— Да? — завопил я.

Но это была не Пег.

Молчание.

— Кто это? — спросил я.

Молчание. Но кто-то там был, и вовсе не за две тысячи миль от меня, а совсем близко. Я ясно слышал, как у кого-то, кто молчал на другом конце провода, воздух посвистывает в ноздрях и во рту.

— Ну? — потребовал я.

Молчание. И звук, который слышишь, когда кто-то ждет у телефона. Кто бы там ни ждал, рот у него был открыт, он дышал в самую трубку. Шепот, шелест.

«Господи,— подумал я.— Ведь не мог же тот хриплый из трамвая вызвать меня в телефонную будку. В телефонные будки не звонят. Никто не знает, что эта будка служит мне личным телефоном».

Молчание. Вдох. Молчание. Выдох.

Клянусь, холодный воздух от шелеста из трубки заморозил мне ухо.

— Ну спасибо,— сказал я.

И повесил трубку.

Не успел я перейти через дорогу, а я бежал, закрыв глаза, как телефон зазвонил снова.

Я застыл посреди улицы, уставившись на будку, боясь дотронуться до трубки, боясь снова услышать лишь чье-то дыхание.

Но чем дольше я стоял, рискуя, что меня задавят, тем больше звонки из телефонной будки казались мне звонками с кладбища, похоронными звонками, сулившими плохие вести, как зловещие телеграммы. Пришлось вернуться и снять трубку.

— Она еще жива,— услышал я чей-то голос.

— Кто? Пег? — взвыл я.

— Спокойнее,— сказал Элмо Крамли.

Я привалился к стене будки, ловя ртом воздух. Наконец успокоился, но разозлился.

— Это вы только что звонили? — задыхаясь, спросил я.— Откуда вы знаете этот номер?

— Да каждый в этом проклятом городе слышал, как заливается этот телефон, и видел, как вы к нему несетесь.

— Ну и кто же еще жив?

— Старушка с канарейками. Я проверил вчера поздно вечером.

У меня еще оставалось время до того, как нужно будет идти к Крамли.

Да и Кэл не был самой соблазнительной приманкой.

Грохоча и гремя железом, слоны, сотрясая землю, двигались по пирсу, чтобы пожрать аттракционы и лошадок с карусели.

Ощущая себя старым русским писателем, неизлечимо влюбленным в свирепые зимы и бешеные метели, как я мог поступить? Только последовать за машинами.

К тому времени, как я дошел до пирса, часть грузовиков уже сгрудилась на песке, готовая двинуться к самой воде и подбирать там мусор, который будут перебрасывать через ограждение. Другие по гниющим доскам направились в сторону Китайского квартала, поднимая тучи древесной пыли.

Я шел за ними, чихал и вытирал нос бумажным платком. С моей простудой следовало бы остаться дома, но перспектива лежать в постели, думая только о дожде, мороси и тумане, пугала меня.

Дойдя до середины пирса, я остановился, меня вдруг поразила собственная слепота: здесь собралось столько людей, которых я постоянно видел, но, оказывается, совсем не знал. Половина аттракционов уже была заколочена свежеоструганными сосновыми досками. Кое-какие еще оставались открытыми и ждали непогоды, когда посетители снова примутся швырять обручи и сбивать молочные бутылки. Возле нескольких киосков толпились молодые люди, казавшиеся постаревшими, и старики, которые выглядели старше своих лет. Все они не сводили глаз с грузовиков, рычавших в конце пирса у самой воды, готовых добросовестно и с полным рвением уничтожить шестьдесят лет прошедшей жизни.

Я смотрел по сторонам и ловил себя на мысли, что редко заглядывал за теперь уже упавшие и валявшиеся на земле двери и не заходил в скатанные палатки, прикрытые досками.

У меня снова возникло ощущение, будто за мной следят, и я обернулся.

Большой завиток тумана плыл вдоль пирса, он проигнорировал меня и поплыл дальше.

Верь после этого своим ощущениям!

Здесь, на середине пирса, стоял потемневший домишко, мимо которого я ходил лет десять, но ни разу не видел, чтобы шторы на окнах были подняты.

Сегодня впервые за все время окна оказались не занавешены.

Я заглянул внутрь.

«Боже, — изумился я, — да тут целая библиотека!»

Я быстро подошел к окну, думая о том, сколько еще таких библиотек прячется на пирсе или затерялось на старых улочках Венеции.

Остановившись под окном, я вспоминал вечера, когда за шторами горел свет и мне чудились призрачные очертания чьей-то руки, листающей страницы невидимой книги, слышался голос, шепчущий какие-то слова, читающий стихи, рассуждающий о тайнах Вселенной. Мне казалось, что это писатель, боящийся сказать все, что думает, или актер, докатившийся до амплуа привидений, король Лир, почти выживший из ума, но зато имеющий двойной комплект подлых дочек.

Но сейчас, в полдень, шторы были подняты. В комнате еще горел слабый свет, в ней никого не было, я разглядел письменный стол, кресло и старомодную, довольно большую кожаную кушетку. Вокруг кушетки, со всех сторон, до самого потолка громоздились горы, башни, бастионы книг. Наверно, их было здесь не меньше тысячи, распиханных и наваленных повсюду, где только можно.

Я отступил от окна и стал рассматривать вывески на дверях и вокруг дверей. Я видел их и раньше, но лишь скользил по ним глазами.

«КАРТЫ ТАРО», — гласила выцветшая надпись.

Вывеска ниже извещала: «ХИРОМАНТИЯ».

На третьей печатными буквами было выведено: «ФРЕНОЛОГИЯ».

А под ней: «АНАЛИЗ ПОЧЕРКА».

И рядом: «ГИПНОЗ».

Я осторожно приблизился к самой двери, там висела совсем маленькая визитная карточка, прикрепленная чертежной кнопкой над дверной ручкой.

На карточке значилась фамилия владельца: «А. Л. ЧУЖАК».

А под фамилией карандашом, более четко, чем о продаже канареек, была нацарапана приписка: «Практикующий психолог».

Ничего себе! Специалист сразу в шести областях!

Я приложил ухо к дверям и прислушался.

Вдруг до меня донесется, как между отвесными, покрытыми пылью книжными полками Зигмунд Фрейд шепчет, что, мол, пенис — это всего лишь пенис, а вот сигара — это дело стоящее? Или вдруг я услышу, как умирает Гамлет, увлекая всех за собой, как Вирджиния Вулф, словно утопившаяся Офелия, растянувшись на кушетке, чтобы обсохнуть, рассказывает свою печальную историю? Услышу, как шелестят карты Таро? Как скрипят перья? Увижу, как ощупывают головы, словно дыни-канталупы?

«Загляну-ка еще раз», — решился я.

И снова посмотрел в окно, но увидел только пустую кушетку с вмятиной посредине, оставшейся от множества тел. Это было единственное ложе. Значит, ночью на нем спал А. Л. Чужак. А днем, выходит, на него ложились посетители, оберегающие свои души, словно хрупкое стекло? В моей голове это не укладывалось.

Однако прежде всего меня занимали книги. От них не только полки ломились, ими была битком набита даже ванна, которую я смог разглядеть за полуоткрытой боковой дверью. Кухни не было. А если и была, то в холодильнике, без сомнения, хранились бы «Пири на Северном полюсе» или «Бэрд: Один в Антарктиде». Видно, А. Л. Чужак мылся в океане, как многие в наших краях, а пировал в сосисочной Германа, находившейся поблизости.

Поражало меня, правда, не столько это скопище книг — девятьсот, а то и тысяча томов, — сколько их названия, их темы, мрачные, роковые, устрашающие имена их авторов.

На верхних полках, где всегда царила полнощная тьма, угрюмый Томас Харди соседствовал с «Закатом и падением Римской империи» Гиббона, злобный

Ницше — с не оставляющим надежду Шопенгауэром, а бок о бок с ними стояли «Анатомия меланхолии», Эдгар Аллан По, Мэри Шелли, Фрейд, трагедии Шекспира (комедий видно не было), маркиз де Сад, Томас де Куинси, «Майн кампф» Гитлера, «Закат Европы» Шпенглера и так далее, и тому подобное...

Был здесь и Юджин О'Нил, и Оскар Уайльд — но только его горькие воспоминания о тюрьме: ни тебе благоухания сирени, ни соловьиного пения. Чингисхан и Муссолини подпирали друг друга. А на снежных вершинах этих книжных Гималаев теснились книги с такими названиями: «Самоубийство как ответ», «Темная ночь Гамлета», «Лемминги в море». На полу лежала «Вторая мировая война», а рядом — «Кракатау — взрыв, прогремевший на весь мир». Тут же я увидел «Голодающую Индию» и «Встает багровое солнце».

Если пробежать глазами все эти названия, задуматься над ними и, не веря себе, перечитать их еще раз, то выход остается только один. Как в случае с плохой экранизацией пьесы «Траур к лицу Электре», где самоубийство нанизывается на самоубийство, убийство — на убийство, инцест — на инцест, на смену шантажу приходят отравленные яблоки, герои падают с лестниц или наступают на гвозди, смазанные стрихнином, а вы, наглядевшись на все это, в конце концов фыркаете, закидываете голову и разражаетесь...

Хохотом!

— Что вас так рассмешило? — раздался голос у меня за спиной.

Я обернулся.

— Я спрашиваю, что вас так рассмешило?

Он стоял позади меня, его узкое бледное лицо оказалось дюймах в шести от кончика моего носа.

Человек, спящий на кушетке психоаналитика.

Владелец всех этих книг, предрекающих конец света.

А. Л. Чужак.

— Ну? — потребовал он.

— Это ваша библиотека? — запинаясь, пробормотал я.

А. Л. Чужак выжидательно смотрел на меня.

К счастью, я чихнул — это стерло с моего лица смех и позволило скрыть замешательство за бумажным носовым платком.

— Простите меня, простите, — заторопился я.— У меня самого всего четырнадцать книг. Не часто доводится увидеть на пирсе в Венеции Нью-Йоркскую публичную библиотеку.

В маленьких ярко-желтых лисьих глазах А. Л. Чужака погас гневный огонь. Тощие, словно проволочная вешалка, плечи обмякли. Жалкие кулачки разжались. Моя похвала подтолкнула его заглянуть в собственную комнату, он увидел ее чужими глазами, рот раскрылся.

— Ну и что? — удивленно произнес он.— Да, это мои книги.

Я смотрел сверху вниз на этого человечка, росту в нем было не больше пяти футов, а без башмаков, наверно, и того меньше. Мной овладело ужасное искушение проверить, не носит ли он ботинки на трехдюймовых каблуках, но я удержался и, не опуская глаз, глядел на его макушку. А он даже не заметил моего взгляда — так возгордился множеством литературных чудовищ, расплодившихся на его мрачных полках.

— У меня пять тысяч девятьсот десять книг,— объявил он.

— Вы уверены, что не пять тысяч девятьсот одиннадцать?

Не отводя внимательного взгляда от своей библиотеки, он холодно спросил:

— А почему вы смеетесь?

— Названия...

— Названия? — Он снова подался к окну и окинул взглядом полки, стараясь обнаружить веселого предателя, затесавшегося в это собрание книг-душегубов.

— Скажите,— нерешительно начал я,— а нет ли в вашей библиотеке чего-нибудь летнего, чего-нибудь о ясной погоде, свежем ветерке? Нет ли у вас каких-нибудь веселых книг, счастливых находок? Ну, скажем, «Солнечные скетчи о маленьком городке» Ликока или, например, «Солнце — погибель моя», «Добрым старым летом» или «Июньский смех»?

— Нет! — воскликнул Чужак и даже привстал на цыпочки, потом спохватился и опустился на всю ступню.— Нет...

— А как насчет «Усадьбы Гриль» Пикока, «Гека Финна», «Троих в лодке», «Как зелен был мой отец», «Записок Пиквикского клуба»? Нет ли Джеймса Бенчли, Джеймса Тёрбера, С. Дж. Перельмана?..

Я выпаливал эти названия и фамилии, как пулемет. Чужак слушал и как-то съеживался от моего веселого перечня. Но не прерывал меня.

— А как насчет «Шуток Савонаролы» или «Анекдотов Джека Потрошителя»?.. — Я осекся.

Черный как туча и холодный как лед А. Л. Чужак отвернулся.

— Простите, — сказал я и впрямь почувствовал себя виноватым. — Чего бы мне, по правде сказать, хотелось, так это как-нибудь заглянуть к вам, полистать ваши книги. Если вы, конечно, позволите.

А. Л. Чужак взвесил мои слова, решил, что я раскаиваюсь, сделал шаг и взялся за ручку двери своего заведения. Дверь мягко подалась. Он повернулся, оглядел меня своими узкими и блестящими янтарными глазками, его тонкие пальцы судорожно подергивались.

— А почему бы не сейчас? — предложил он.

— Не могу. А вот позже, мистер...

— Чужак. А. Л. Чужак — консультирующий психолог. Нет, не Чудак, как вы могли бы подумать и как у нас называют психиатров. Просто Чужак, добрый доктор, лечу заблудших.

Он подражал моей дурашливой интонации, только его жалкая усмешка по сравнению с моей была как жидкий чай. Я понимал, что она тут же исчезнет, стоит мне, в свою очередь, замолкнуть. Я посмотрел поверх его головы.

— Скажите, чего ради вы оставили на дверях старую вывеску насчет карт Таро? И еще ту, насчет френологии и гипноза?..

— А мою вывеску насчет анализа почерка вы почему не упомянули? Кстати, знаете, за дверью у меня еще одна, о нумерологии. Хотите взглянуть? Будьте моим гостем.

Я уже шагнул вперед, но остановился.

— Заходите,— сказал А. Л. Чужак.— Заходите.— Теперь он улыбался во все лицо, только улыбка была холодная, как у рыбы, а не дружелюбная, как у собаки.— Входите!

При каждом из этих мягких приказов я делал маленький шажок вперед, не сводя иронического взгляда с вывески о сеансах гипноза, висевшей над головой тщедушного человечка, и не скрывая своей иронии. Чужак смотрел на меня не мигая.

— Входите,— повторил он, кивая на свои книги, но не глядя на них.

Я чувствовал, что устоять не в силах, хотя и знал, что каждый из томов повествует об автомобильных авариях, горящих дирижаблях, взрывающихся минах и умственных расстройствах.

— Иду,— отозвался я.

И в этот самый момент весь пирс содрогнулся. Вдали, там, где конец его тонул в тумане, по нему ударило какое-то громадное чудовище, будто кит столкнулся с кораблем или «Куин Мэри» напоролась на старые сваи. Притаившиеся у самого океана железные твари принялись отдирать доски.

Пирс трясло, тряска, круша доски, вгрызалась в наши тела — в мое и А. Л. Чужака,— напоминая о бренности и обреченности. Толчки проникали в кровь, сотрясали кости. Мы оба дергали головами, ста-

95

раясь сквозь туман рассмотреть вершащееся вдали разрушение. Мощные удары чуть оттеснили меня от двери. Вокруг все тряслось и колыхалось. А. Л. Чужака подкидывало на его пороге, как забытую игрушку. И без того бледное лицо сделалось еще бледнее. Он выглядел как человек, застигнутый землетрясением или обрушившейся на него приливной волной. Гигантские машины в сотне ярдов от нас снова и снова наносили сокрушительные удары по пирсу, и на молочно-матовом лбу и щеках А. Л. Чужака, казалось, множились невидимые глазу трещины. Война началась! Скоро черные танки с грохотом двинутся по пирсу, уничтожая на своем пути толпу спешащих на сушу беженцев с карнавала, и А. Л. Чужак не успеет оглянуться, как окажется среди них, когда рухнет его домик, сложенный из зловещих карт Таро.

Мне улыбнулась возможность скрыться, но я не сумел ею воспользоваться.

Чужак снова обратил на меня свой взор, словно я мог спасти его от этой атаки на пирс. Казалось, он, того и гляди, даже схватит меня за локоть, ища поддержки.

Пирс ходил ходуном. Я закрыл глаза.

Мне почудилось, будто я слышу, как звонит мой заветный телефон. Я чуть не закричал: «Телефон! Мне звонят!»

Но тут на нас набежала компания мужчин и женщин, с ними было и несколько детей, все они мчались к берегу, торопились к упиравшемуся в море концу пирса. Бегущих возглавлял крупный мужчина в черном плаще и честертоновской шляпе.

— Последний полет! В последний день! В последний раз! — выкрикивал он.— Последняя возможность! Вперед!

— Формтень! — прошептал А. Л. Чужак.

Это действительно был он, собственной персоной — Формтень, единоличный владелец и управляющий старым венецианским кинотеатром, стоявшим в самом конце пирса. Не пройдет и недели, как его театр сотрут с лица земли и останется от него только целлулоидное крошево.

— За мной! — донесся до нас из тумана голос Формтеня.

Я взглянул на А. Л. Чужака.

Он пожал плечами и кивнул, отпуская меня.

Я бросился в туман.

Несмолкающий рев, гром, грохот, медленно нарастающий лязг, скрип, скрежет, будто чудовищная сороконожка-робот в кошмаре взбирается на гору, на вершине чуть медлит, переводит дух и тут же, извиваясь, стремительно низвергается вниз под крики, вопли, визг перепуганных пассажиров, летит в бездну и сразу, еще стремительней, приступом берет новую гору, потом еще одну и еще, чтобы снова в истерике ринуться в пропасть.

Вот они какие, «русские горки».

Я стоял, задрав голову, и глядел на них сквозь туман.

Говорят, через час их уже не будет.

А ведь они составляли часть моей жизни с тех пор, как я себя помнил. Почти каждый вечер отсюда неслись смех и визг, когда люди взлетали вверх на так называемую вершину жизни и стремительно падали вниз навстречу воображаемой гибели.

А теперь, значит, предстоял последний взлет, перед тем как взрывники прикрепят заряды к ногам гигантского динозавра и он рухнет на колени.

— Прыгайте! — крикнул какой-то мальчишка.— Прыгайте! Это бесплатно!

— Да пусть бы мне хоть приплатили — по-моему, это сущая пытка!

— Эй, да вы только взгляните, кто здесь сидит впереди! — крикнул кто-то еще.— И сзади!

Впереди, натянув большую черную шляпу на самые уши, заливался смехом мистер Формтень. За ним сидела Энни Оукли, хозяйка тира.

Дальше я увидел владельца одного из здешних аттракционов. Рядом с ним — старушку, она продавала накрученную на палочку сладкую розовую вату — эту иллюзию конфет, которая таяла во рту и насыщала еще меньше, чем китайская еда.

Там же восседали те, кто работал в аттракционах «Сбей молочную бутылку» и «Брось обруч», и вид у них был такой, словно они позируют для фотографии на пропуск в вечность.

Только мистер Формтень, взявший на себя роль рулевого, ликовал от души.

— Как говорил капитан Ахав, не дрейфить! — крикнул он.

Во мне проснулся стадный инстинкт.

Контролер, обычно проверявший билеты на «русских горках», помог мне взгромоздиться на место для трусливых — в задний ряд.

— В первый раз едете? — засмеялся он.

— И в последний.

— Ну, ну! Все готовы визжать?

— А как же! — заорал Формтень.

«Выпустите меня отсюда, — готов был взмолиться я. — Мы же все погибнем».

— Ну, поехали! — завопил контролер. — Прямиком в тартарары!

Мы возносились в небеса и низвергались в ад. Когда мы ухали вниз, у меня возникало жуткое ощущение, что у динозавра уже взорвали ноги.

Мы достигли дна, и я оглянулся. На пирсе стоял А. Л. Чужак и, задрав голову, глазел на нас — психов, добровольно взошедших на борт «Титаника». А. Л. Чужак попятился в туман.

А мы уже летели вверх, все визжали, визжал и я. «Господи, — думал я, — кричим так, будто и впрямь погибаем!»

Когда все закончилось, участники побрели в тумане, вытирая глаза, стараясь не отставать друг от друга.

Мистер Формтень стоял рядом со мной, когда прибежали взрывники и стали прикреплять взрывчатку к опорам и фермам «русских горок».

— Хотите остаться посмотреть? — участливо спросил Формтень.

— Боюсь, не выдержу, — признался я. — Когда-то видел фильм, в нем прямо на экране убивали слона. Наблюдать, как он свалился, перевернулся, обмяк, было невыносимо. Будто на моих глазах разбомбили собор Святого Петра. Мне страсть как хотелось убить охотников. Нет уж, спасибо, не стану я смотреть на кончину «русских горок».

Но распорядитель с флажком и так нас всех разогнал.

Мы с Формтеном повернули назад, в туман. Он взял меня за локоть, словно добрый европейский дядюшка, наставляющий на путь истинный любимого племянника.

— Сегодня вечером. Никаких взрывов. Никаких разрушений. Одни удовольствия. Одни развлечения. Вспомним добрые старые времена. В моем кинотеатре. Может быть, сегодня — наш последний просмотр. Может, завтра. Бесплатно. Вход свободный. Приходите, дорогой.

Он обнял меня и поплыл в тумане, как большой черный буксир.

Проходя мимо дома А. Л. Чужака, я увидел, что дверь по-прежнему широко открыта. Но я не вошел.

Мне хотелось бежать, ведь, наверно, мне звонят на мою заправочную станцию, но было страшно — вдруг две тысячи молчаливых миль прошепчут мне в ответ о смертях на залитых солнцем улицах, о красных кусках мяса в витринах *carneceria** и об одиночестве, ужасном, как зияющая рана.

Волосы мои поседели.

И отросли на дюйм.

«Кэл, — подумал я, — милый, никуда не годный брадобрей! Я иду к тебе!»

Парикмахерская Кэла находилась как раз напротив муниципалитета и рядом с заведением, где брали на поруки. Там в окнах уже лет десять красовались

---

* Мясная лавка *(исп.)*.

спирали клейкой ленты, на которой, как цирковые артисты на трапеции, висели дохлые мухи. Туда из расположенной напротив тюрьмы входили похожие на тени мужчины и женщины, а когда они выходили оттуда, казалось, костюмы двигаются сами, под ними никого нет. С этим заведением соседствовала бакалейная лавка. Раньше она принадлежала мамочке и папочке, но они умерли, и теперь их сыночек целыми днями просиживал штаны у окна, принимая по телефону ставки на бега. Иногда ему удавалось продать жестянку консервированного супа.

Что же касается парикмахерской, то хотя там тоже можно было увидеть на подоконнике дохлых мух, больше десяти дней они здесь никогда не залеживались. И вообще, уж раз-то в месяц Кэл непременно сам мыл всю свою парикмахерскую, где, неуклюже двигая руками, словно не смазанными в локтевых суставах, орудовал густо смазанными маслом ножницами, не закрывая розового рта, откуда лился поток отдающих мятной жвачкой сплетен. Вел он себя как на пасеке — в вечном страхе, что не справится с большим серебристым, жужжащим, как шмель, электрическим насекомым, которым водил вокруг ваших ушей. Иногда насекомое и впрямь вдруг выходило из повиновения, больно вас жалило и вцеплялось вам в волосы, тогда Кэл, изрыгая проклятия, дергал и тащил к себе машинку, словно вырывал зуб.

Вот поэтому, а также из соображений экономии я стригся у Кэла всего дважды в год.

Дважды в год еще и потому, что из всех парикмахеров на свете никто столько не болтал, как Кэл, никто так щедро не поливал одеколоном, никто так не злословил, не давал с таким рвением советы и не буб-нил без остановки, отчего голова шла кругом. О чем бы вы ни заговорили, он знал любую тему досконально, вдоль и поперек, а объясняя вам, скажем, бездарность теории Эйнштейна, бывало, вдруг останавливался на полуслове, прикрывал один глаз, склонял голову набок и задавал свой Великий Вопрос, на который не могло быть Безопасного Ответа.

— Слушай, а я рассказывал тебе про себя и про Скотта Джоплина? Да-да, господи боже, про нас со стариной Скоттом? Ну так послушай, ради бога, про тот день в девятьсот пятнадцатом году. Как Скотт учил меня играть регтайм «Кленовый лист».

На стене висела фотография Скотта Джоплина, подписанная им в незапамятные времена, чернила выцвели, как на объявлении в окне леди с канарейками. На снимке можно было разглядеть очень юного Кэла: он сидел на табурете за роялем, а склонившийся над ним Джоплин накрыл своими большими черными ладонями руки счастливого мальчишки.

Этот веселый мальчуган, навсегда запечатленный на фотографии, пригнулся, стараясь охватить руками клавиатуру, готовый прыгнуть навстречу жизни, миру, Вселенной, готовый проглотить их с потрохами. На его детском лице было такое выражение, что при взгляде на фотографию у меня каждый раз щемило сердце. И я старался пореже на нее смотреть. Слишком больно было наблюдать, как на нее глядит сам Кэл, готовясь задать свой извечный Великий Вопрос, как без всяких просьб и уговоров он кидался к пианино, чтобы отбарабанить свой кленовый регтайм.

Кэл.

Он был похож на ковбоя, который теперь ездит верхом на парикмахерских креслах. Представьте техасских пастухов — жилистых, обветренных, всегда загорелых, засыпающих, не снимая стетсоновских шляп, словно приклеенных к ним на всю жизнь, и душ принимающих в тех же дурацких шляпах. Таким же был и Кэл, когда он ходил кругами вокруг недругов-клиентов с оружием в руках, пожирая волосы, подрезая баки, прислушиваясь к стуку ножниц, восхищаясь своей жужжащей, как шмель, электрической машинкой для стрижки, и говорил, говорил, а я в это время воображал, будто он пляшет вокруг моего кресла, полуголый, словно техасский ковбой в нахлобученной на уши шляпе, и знал, что его обуревает одно страстное желание — рвануть к пианино и пробежать пальцами по улыбающейся клавиатуре.

Иногда я делал вид, будто не замечаю безумных, обожающих взглядов, которые Кэл бросал на ждущие его черные и белые, белые и черные клавиши. Но в конце концов, испустив мазохистский стон, я восклицал:

— Ладно, Кэл, действуй!

И Кэл действовал.

Словно его ударило током, он, неуклюже, по-ковбойски ступая, шел к пианино, причем ковбоев было сразу двое — один в зеркале, более шустрый, более бравый, чем Кэл. Оба рывком поднимали крышку пианино, открывая желтоватую зубастую пасть, горящую нетерпением запеть.

— Послушай вот это, сынок. Ты когда-нибудь, хоть когда-нибудь слышал что-нибудь подобное?

— Нет, Кэл, — отвечал я, сидя в кресле с недостриженной изуродованной головой. — Нет, — отвечал я вполне чистосердечно. — Никогда.

«Боже мой, кто же это его так безобразно обстриг?» — в последний раз прозвучало у меня в ушах восклицание старика, выбирающегося из морга.

И вот я увидел виновника: он маячил в окне парикмахерской, вглядываясь в туман, напоминая кого-то из персонажей с картин Хоппера — обитателей пустых комнат, одиноких посетителей кафе или застывших в ожидании на углу улицы прохожих.

Кэл.

Пришлось заставить себя открыть дверь, и я нерешительно вошел в парикмахерскую, глядя под ноги.

Весь пол был засыпан завитками каштановых, черных, седых волос.

— Привет! — с наигранной веселостью сказал я. — Похоже, у тебя был удачный день!

— Знаешь, — ответил Кэл, не отрываясь от окна, — эти волосы валяются здесь уже пять, а то и шесть недель. И все это время никто в здравом уме не входил в эту дверь, если не считать бродяг, что к тебе не относится, идиотов, что тоже не про тебя, или лысых — это тоже не про тебя. А если кто и входил, то лишь затем, чтобы спросить дорогу в психушку. Или приходили бедняки, а это уж точно про тебя, так что садись в кресло, на мой электрический стул, и готовься к казни. Электромашинка уже два месяца как отказала, а у меня наличных нет, не могу привести ее, проклятую, в порядок. Садись.

Подчиняясь приказу своего палача, я направился к креслу, сел и поглядел на устилавшие пол волосы — свидетельства молчащего прошлого, которые должны были что-то означать, но ни о чем не говорили. Даже глядя на них сбоку, я не мог различить в этом мусоре никаких загадочных знаков, предупреждающих об опасности, никаких вещих предзнаменований.

Наконец Кэл обернулся и стал вброд переходить море никому не нужных отрезанных прядей. Его руки, как будто сами по себе, без его ведома, взяли расческу и ножницы. Он помедлил у меня за спиной, словно палач, опечаленный тем, что ему предстоит отрубить голову молодому королю.

Спросил, какую я хочу длину, точнее говоря, предложил мне самому выбрать масштабы разрушения, но я отвлекся, уставившись в дальний угол ослепительно белой, арктически пустой парикмахерской...

Я глядел на пианино Кэла.

Впервые за пятнадцать лет это пианино было занавешено. Его желто-серая восточная улыбка скрывалась под белой погребальной простыней.

— Кэл. — Я не сводил глаз с простыни. На какое-то время я забыл про мертвого, безобразно остриженного старика с конфетти от трамвайных билетов. — Кэл, — повторил я, — ты что, перестал играть старый кленовый регтайм?

Кэл пощелкал ножницами — щелк-щелк! — снова пощелкал ими у меня возле шеи — щелк-щелк!

— Кэл, — повторил я, — что-то не так?

— Когда наконец прекратятся эти смерти? — произнес он глухо.

И тут же зажужжал шмель, покусывая мне уши, отчего у меня по спине пробежал знакомый холодок, а Кэл, поругиваясь сквозь зубы, уже начал стричь меня тупыми ножницами, как будто косил брошенное пшеничное поле. До меня донесся слабый запах виски, но я смотрел прямо перед собой.

— Кэл? — окликнул я его снова.

— Да? Нет, я хотел сказать — дрянь! Дрянь дело.

Он швырнул на полку ножницы, расческу и дохлого шмеля и, тяжело ступая по океану старых волос, прошел по комнате и сдернул простыню с пианино, а оно заулыбалось, словно большое бессмысленное существо, едва Кэл сел и положил на клавиши вялые руки, похожие на кисти живописца, готового изобразить бог знает что.

А дальше последовал взрыв, словно вырвали сломанный зуб из размозженной челюсти.

— К черту все! Гады! Сволочи! Я же играл, выжимал из этой штуки все, чему научил меня Скотт. Старина Скотт... Скотт.

Его голос замер.

Кэл бросил взгляд на стену над пианино. И, заметив, что я тоже посмотрел туда, отвел глаза. Но было поздно.

Впервые за двадцать лет я не обнаружил на месте фотографии Скотта Джоплина.

Открыв рот от удивления, я подался вперед в кресле.

А Кэл тем временем, сделав над собой усилие, натянул простыню на черно-белую улыбку и вернулся ко мне с видом плакальщика на собственных поминках. Он остановился у меня за спиной и снова взял в руки орудия пытки.

— В общем, Скотту Джоплину девяносто семь очков, а Кэлу-парикмахеру — ноль, — подвел он итоги проигранной игры, на которую ушла вся жизнь.

Дрожащими пальцами он провел по моей голове.

— Боже милостивый, ты только глянь, что я с тобой сделал! Господи! Ну и поганая же вышла стрижка! А я еще и до половины не дошел. Мне бы надо заплатить тебе — ведь по моей милости ты разгуливал все эти годы как запаршивевший эрдельтерьер! И уж раз на то пошло, дай-ка я расскажу, что сотворил с одним клиентом три дня назад. Ужас! Может, из-за того, что я так изуродовал несчастного, кто-то не выдержал, пожалел его и отправил на тот свет, чтобы избавить от страданий.

Я снова дернулся в кресле, но Кэл мягко придержал меня.

— Надо бы тебе ввести новокаин, но не буду. Так вот, слушай об этом старике.

— Да-да, я слушаю, Кэл, — заверил я его, ведь затем я сюда и пришел.

— Сидел точно там, где ты сейчас, — начал Кэл. — Прямо на этом самом месте, посмотрел в зеркало и говорит: «Стриги на всю катушку!» Так и сказал. «Кэл, говорит, стриги на всю катушку. Самый, говорит, важный вечер в моей жизни. Иду в Майроновский танцзал в Лос-Анджелесе. Не был там уже столько лет! Позвонили мне, говорит, и сказали, что я выиграл большую премию. За что? — спрашиваю. Сказали — самый, мол, почтенный, старейший житель Венеции. Разве, говорю, это повод для праздника? Молчи, говорят, да приоденься. Вот я и пришел, Кэл. Подстриги покороче, только чтобы голова не стала как бильярдный шар. И каким-нибудь там "Тигровым тоником" побрызгай». Ну я и давай стричь. Старик, наверно, года два не стригся, отрастил целую снежную гору волос. Поливал его одеколоном, пока мухи не стали дохнуть. Ушел счастливый, оставил два бакса, наверно последние. Я не удивился. А сидел он, где ты сейчас. И теперь вот, — закончил Кэл, — он умер.

— Умер? — чуть не закричал я.

— Кто-то нашел его в львиной клетке, потопленной в канале. Мертвым.

— Кто-то... — повторил я, но не добавил, что я.

— Наверно, старик никогда не пил шампанского или давно не пил, вот и перебрал. И свалился. «Кэл, — сказал он мне тогда, — давай на всю катушку». Ты вот насчет чего пошевели мозгами: ведь и я, и ты свободно могли оказаться в том канале, а теперь, разрази меня гром и пропади все пропадом, там он один, навсегда. Поневоле задумаешься, правда? Слушай-ка, сынок, что-то вид у тебя неважный. Я слишком разболтался, да?

— А он не сказал, кто его подвезет, куда, когда и почему? — спросил я.

— Ничего такого не сказал, насколько я помню. Кто-то, наверно, подъехал на трамвае, забрал его и довез прямо до дверей Майроновского танцзала. Ты когда-нибудь проезжал там на трамвае в субботу вечером? Старые дамы и старые джентльмены так и вываливаются оттуда в своих мехах, побитых молью, да в зеленых смокингах. Пахнет от них одеколоном «Бен Гур» и тонкими сигарами. Небось радуются, что не переломали ноги во время танцев, лысины блестят от пота, тушь течет с ресниц и в чернобурках им уже невмоготу. Я там как-то был, в этом танцзале. Посмотрел, посмотрел и ушел. Думаю, этому трамваю по дороге к морю следовало бы делать остановку возле кладбища «Лужайка Роз» и почти всех высаживать. Нет, спасибо. Что-то я совсем разболтался, правда? Скажи, если так... Что ни говори, — продолжал он тут же, вернувшись наконец к старику, — а он умер, и самое плохое, что теперь он будет лежать в могиле и еще тысячу лет вспоминать того гада, что так безобразно обкромсал его напоследок. А ведь гад этот — я... И так по одному в неделю. Люди с плохой стрижкой исчезают, и, глянь, их уже вытаскивают — они, оказывается, утонули, а до меня наконец начинает доходить, что мои руки ни к черту не годятся, и...

— Ты не знаешь, кто хотел его забрать и отвезти на эти танцы?

— Откуда мне знать? Да и какая разница? Старик сказал — кто-то, не знаю кто, назначил ему встречу возле венецианского кинотеатра в семь: они, мол, посмотрят часть шоу, поужинают у Модести — это последнее еще не закрытое кафе на пирсе. А потом — наше вам с кисточкой — он проводит его в центр города, в танцзал. На быстрый вальс с какой-нибудь столетней Королевой Роз. Ну чем не праздник, а? А потом домой, в постельку, навеки. Только зачем тебе все это, сынок? Ты...

Зазвонил телефон.

Кэл смотрел на него и бледнел на глазах.

Прозвучало три звонка.

— Ты не ответишь, Кэл? — удивился я.

Кэл смотрел на телефон точно так, как я смотрел на мой телефон на заправочной станции, когда кто-то за две тысячи миль от меня молчал и только натужно дышал. Кэл покачал головой.

— С какой стати я буду снимать трубку, если, кроме плохих новостей, ничего не услышишь? — ответил он.

— Да, в иные дни так и думаешь.

Я медленно стащил с шеи простыню и встал.

Кэл машинально протянул руку ладонью вверх за наличными. А когда сам это заметил, чертыхнулся, убрал руку и застучал по кнопкам кассового аппарата.

Выскользнул чек с надписью «БЕСПЛАТНО».

Я взглянул на себя в зеркало и чуть не фыркнул, как тюлень, от того, что там увидел.

— Потрясающая стрижка, Кэл,— сказал я.

— Убирайся вон!

Идя к выходу, я поднял руку и коснулся того места, где обычно висела фотография Скотта Джоплина, исполняющего веселую музыку пальцами, похожими на две грозди крупных черных бананов.

Если Кэл и заметил мой жест, он виду не подал.

Выходя, я поскользнулся на старых волосах.

Я шел и шел, пока не оказался в сиянии солнца у спрятавшегося в высокой траве бунгало Крамли.

Остановился у входа.

Видно, Крамли почувствовал, что я пришел. Он распахнул дверь и сказал:

— Опять вы за свое?

— Да я сюда и не приближался! Я не из тех, кто пугает людей в три часа ночи,— ответил я.

Крамли поглядел на свою левую руку и, вытянув ее, показал мне.

На ладони лежал маленький комочек маслянистых зеленых водорослей с вмятинами от его пальцев.

Я протянул свою руку и разжал кулак — с таким видом открывают козырного туза.

На моей ладони лежал точно такой же комочек, только подсохший и ломкий.

Крамли перевел взгляд с наших рук на мое лицо, осмотрел лоб, щеки, подбородок, поглядел в глаза и глубоко вздохнул.

— Ну и личико у вас! Абрикосовый пирог, хеллоуинские тыквы, помидоры в огороде, последние летние персики — все вспомнишь, когда на вас поглядишь! Истинный сын санта-клаусовской Калифорнии. Могу ли я, глядя на такое лицо, объявить вас виновным?

Он опустил руку и отступил в сторону.

— Вы любите пиво?

— Не очень,— признался я.

— Предпочитаете, чтобы я приготовил вам шоколадный напиток?

— А можете?

— Нет, черт возьми. Будете пить пиво и извольте его полюбить. Входите! — Крамли, качая головой, пошел в дом.

Я последовал за ним, закрыл дверь, чувствуя себя как студент, приехавший навестить школьного учителя.

Крамли стоял в гостиной у окна и щурился на сухую грязную тропинку, по которой я только что шел.

— Подумать только! В три часа ночи, — пробормотал он. — В три! Прямо там. Под окном. Я услышал, что кто-то всхлипывает. Как вам это понравится? Кто-то плачет! Меня прямо пот прошиб. Словно привидение рыдает. Черт знает что! Дайте-ка я еще раз взгляну на ваше лицо.

Я подставил ему свою физиономию.

— Боже, — удивился он, — вы всегда так легко краснеете?

— Ничего не могу поделать.

— Господи, да если бы вы вырезали чуть ли не целую индийскую деревню, все равно смотрелись бы этаким невинным Кроликом Питером. Чем вы питаетесь?

— Плитками шоколада. А в холодильнике, когда могу себе позволить, держу шесть сортов мороженого.

— Наверняка покупаете все это вместо хлеба.

Я хотел возразить, но он поймал бы меня на лжи.

— Ну, в ногах правды нету. Какое пиво вы ненавидите больше всего? У меня есть «Будвайзер» — вполне отвратительный. Есть другой «Будвайзер» — просто ужасный. И есть «Буд» — хуже некуда. Выбирайте! Впрочем, нет. Позвольте мне. — Крамли не торопясь отправился на кухню и вернулся с двумя банками. — Еще можно захватить немного солнца. Пошли отсюда.

И повел меня в сад за домом.

Оказавшись в саду, я не мог поверить своим глазам.

— Да что тут такого? — Крамли вывел меня через заднюю дверь в сверкающее зеленое благоухание тысяч растений — плющей, папирусов, кактусов. Над ними порхали райские птицы. Крамли сиял. — Здесь у меня шесть дюжин разных эпифиллюмов, у забора — кукуруза из Айовы, там — слива, это — абрикос, а вон апельсиновое дерево. Хотите знать, для чего мне это?

— Каждому надо иметь два или три занятия, — не задумываясь, ответил я. — Одного дела так же мало, как одной жизни. Я бы хотел дюжину жизней и дюжину работ.

— Бьете точно в цель! Врач должен копать канавы. Землекоп раз в неделю дежурить в детском саду. Философы дважды в десять дней мыть грязную и жирную посуду. Математики пусть руководят занятиями в школьных гимнастических залах. Поэты для разнообразия пусть водят грузовики. А полицейские детективы...

— ...должны разводить собственные райские сады, — тихо закончил я.

— Господи, — засмеялся Крамли, потряс головой и поглядел на комочек зеленых водорослей, который все еще держал в руке. — Несносный вы всезнайка! Думаете, озадачили меня? А вот сюрприз! — Он нагнулся и повернул какой-то кран. — Внимайте, как говорили когда-то. Тс-с!

Фонтанчики воды, словно мягкий дождик, забили среди ярких цветов, и весь Рай зашелестел, зашептал: «Тише. Успокойся. Оставь заботы. Остановись. Живи вечно».

Мне показалось, что у меня расслабились мышцы, как будто кости уменьшились в размерах. Со спины словно черная шкура свалилась.

Крамли склонил голову набок, всматриваясь мне в лицо.

— Ну как?

Я пожал плечами:

— Вы видите столько гадости изо дня в день, вам без этого нельзя.

— Беда в том, что парни из участка ни к чему такому и стремиться не станут. Печально, правда? Всю жизнь трубить просто копом, и ничего больше? Да, ей-богу, я бы удавился! Знаете, жаль, что нельзя собрать всю грязь, с которой приходится возиться каждую неделю, притащить ее сюда и использовать как удобрение. Я бы такие розы развел!

— Или венерины мухоловки.

Крамли подумал и кивнул:

— Заслужили пиво.

Он двинулся в кухню, а я стоял, любовался джунглями, впитывающими дождик, и глубоко вдыхал прохладный воздух, но из-за насморка запахов не чувствовал.

— Надо же, сколько лет проходил мимо,— сказал я,— и все гадал, кто же это живет в таком огромном рукотворном лесу. А теперь, когда встретился с вами, понял, что жить здесь должны именно вы.

Крамли пришлось сдержать себя, он не упал на пол от такого комплимента и не стал корчиться от радости. Взяв себя в руки, он открыл две банки и впрямь ужасного пива, и одну из них я заставил себя пригубить.

— Ну не делайте такую физиономию,— взмолился Крамли.— Вы что, на самом деле предпочитаете шоколадный напиток?

— Ну да.— Я отхлебнул большой глоток пива и, набравшись храбрости, задал вопрос: — Хочу узнать, зачем я тут? Вы пригласили меня зайти из-за этих водорослей, которые нашли перед домом? Ну я зашел, осматриваю ваши джунгли, пью ваше плохое пиво. Так что, подозрения с меня сняты?

— Да бросьте вы, ради бога.— Крамли потягивал свое пиво и щурился на меня.— Если бы я считал, что вы этакий спятивший укротитель львов, маньяк, доверху набивающий клетки трупами, вы бы уже два дня сидели у меня на параше. Неужели вы не понимаете, что я знаю вас как облупленного?

— Да что уж такого можно узнать про меня? — заметил я сконфуженно.

— Предостаточно, черт побери! Вот слушайте.— Крамли сделал еще глоток, закрыл глаза, прочел что-то на внутренней стороне век.— В квартале от вашей квартиры есть винная лавка, там же кафе-мороженое, а рядом китайская бакалея. И все в них считают, что вы не в себе. Они так вас и зовут — Псих. А иногда просто Дурак. Вы слишком много и громко болтаете. Они это слышат. Стоит вам продать рассказец в «Потусторонние истории», и вы распахиваете окно и орете на весь пирс. На черта это вам? Но главное, малыш, в итоге все они вас любят. Будущего у вас, ясное дело, нет, с этим они все согласны, ведь какому идиоту взбредет в голову отправиться на Луну и осесть там? Да и когда? В наше время на Марс всем плевать! До двухтысячного года никто и думать не будет, что там и как. Кого это интересует? Только героев комиксов да вас, межпланетный вы наш скиталец

Флэш Гордон! Только чокнутых, дорогой мой Бак Роджерс!

Я залился краской, вспыхнул до корней волос и опустил голову, меня и рассердили, и смутили слова Крамли, но при этом подобное внимание мне льстило. Меня часто называли именами героев межпланетных комиксов, но почему-то в устах Крамли это прозвучало нисколько не обидно.

Крамли открыл глаза, увидел, как я покраснел, и сказал:

— Ну хватит пылать!

— Почему вы все это разузнавали обо мне еще до того, как старика...— Я осекся и договорил: — До того, как он умер?

— Я человек любознательный.

— А про большинство людей такого не скажешь. Я с этим в первый раз столкнулся, когда мне было четырнадцать. В этом возрасте все отказываются от игрушек. Я заявил своим: никакого Рождества, никаких больше игрушек. Но мне все равно дарили игрушки каждый год. Другие мальчишки получали рубашки и галстуки. А я пристрастился к астрономии. В колледже нас было четыре тысячи студентов. Так из них только пятнадцать мальчишек и четырнадцать девчонок вместе со мной наблюдали звезды. Остальные бегали по дорожкам и наблюдали за собственными ногами. Из чего следует...

Я инстинктивно обернулся, так как что-то меня словно толкнуло, и поймал себя на том, что уже иду по кухне.

— Меня вдруг осенило,— объяснил я.— Можно мне...

— Что? — спросил Крамли.

— У вас есть кабинет?

— Разумеется. А что? — Крамли сдвинул брови и слегка встревожился.

Это еще больше заинтриговало меня и заставило проявить настойчивость.

— Не возражаете, если я в него загляну?

— Ну...

Я пошел туда, куда Крамли бросил взгляд.

Кабинет находился сразу за кухней. Когда-то эта комната служила спальней, а теперь в ней не было ничего, кроме письменного стола, стула и пишущей машинки.

— Так я и знал! — воскликнул я.

Я остановился за стулом и посмотрел на машинку. Мой старый, видавший виды «Ундервуд» ей и в подметки не годился. Это была почти новенькая «Корона» со свежей лентой, а рядом дожидалась своей очереди стопка желтой бумаги.

— Господи! Так вот почему вы так испытующе на меня смотрите, — сказал я. — Все склоняете голову то в одну сторону, то в другую, хмуритесь, прищуриваетесь.

— Стараюсь просветить вашу башку рентгеном, узнать, есть ли в ней мозги, как они работают и что получается. — Крамли склонял голову то направо, то налево.

— Никому не известно, как работают мозги, писатели этого тоже не знают, никто не знает. Я делаю только одно: утром набрасываю, днем вычищаю.

— Враки! — мягко сказал Крамли.

— Истинная правда.

Я оглядел стол, с каждой стороны было по три ящика, под столом стояла плетеная корзина.

Я протянул руку к нижнему ящику слева.

Крамли покачал головой.

Я потянулся к нижнему ящику справа.

Крамли кивнул.

Я медленно выдвинул ящик.

Крамли вздохнул.

В ящике, в открытой коробке, лежала рукопись. На глаз в ней было страниц сто пятьдесят — двести. Начиналась она с первой страницы, титульного листа не было.

— И сколько же она лежит в ящике? — спросил я.— Простите меня, конечно.

— Да ладно,— ответил Крамли.— Пять лет.

— А теперь вы ее закончите,— сказал я.

— Черта с два! С чего вдруг?

— Потому что я так сказал. Я знаю.

— Закройте ящик,— сказал Крамли.

— Не сейчас.— Я выдвинул стул, сел, вставил в машинку лист желтой бумаги.

Напечатал три слова в одну строчку, сделал интервал и напечатал еще три.

Крамли, косясь из-за моего плеча, тихо прочитал:

— «Смерть — дело одинокое».— Он перевел дыхание и дочитал: — «Автор — Элмо Крамли».— Ему пришлось прочитать еще раз: — «Автор — Элмо Крамли». Господи помилуй!

— Ну вот.— Я положил свой титульный лист на его ждущую, когда о ней вспомнят, рукопись и задвинул ящик.— Это вам подарок. Для своей книги я найду другое название. Теперь уж вам придется завершить роман.

Я вставил в машинку еще один лист и спросил:

— На какой странице закончилась ваша рукопись?

— На сто шестьдесят второй, — ответил Крамли. Напечатав цифру 163, я оставил лист в машинке.

— Вот и все, — проговорил я. — Страница ждет, завтра утром встанете, подойдете к машинке, никаких звонков по телефону, никаких газет, не пойдете даже в ванную, а сядете и начнете печатать. И Элмо Крамли обеспечит себе бессмертие.

— Наглец, — проговорил Крамли, но вполне спокойно.

— Бог вам поможет. Но и самому постараться придется.

Я поднялся, и мы с Крамли постояли, глядя на «Корону» так, будто это был его единственный ребенок и других больше не будет.

— Отдаете мне распоряжения, малыш? — спросил Крамли.

— Нет, это ваш мозг распоряжается, вы только прислушайтесь.

Крамли попятился и вышел в кухню взять еще пива. Я остался возле письменного стола и ждал, но вдруг услышал, как хлопнула задняя дверь. Я нашел Крамли в саду: он подставил лицо под разбрызгиватель, и оно все покрылось освежающими каплями. К этому времени потеплело, солнце здесь, на границе с державой туманов, сияло в полную силу.

— Сколько же вы за это время продали рассказов? Сорок?

— Да, сорок, по тридцать баксов за штуку. Так что автор я богатый.

— Вы и впрямь богаты. Вчера я постоял возле стойки с журналами в винном магазине Абе и прочел один ваш рассказ. Про человека, который обнаружил, что у него внутри скелет, и это его страшно перепугало. Здорово написано, ничего не скажешь. Где, черт побери, вы берете такие идеи?

— Просто у меня внутри тоже скелет,— ответил я.

— Большинство этого даже не замечает.— Крамли вручил мне пиво и наблюдал, какую гримасу я сделаю на этот раз.— Этот старик...

— Уильям Смит?

— Ну да, Уильям Смит. Утром пришло заключение о вскрытии. В легких воды не оказалось.

— Значит, он не утонул! Значит, его убили на берегу канала и уже мертвого затолкали в клетку. А это доказывает...

— Не бегите впереди паровоза, а то вас задавят. И не говорите, что я вам это сообщил, иначе пиво отберу.

Я с радостью протянул ему банку. Но он оттолкнул мою руку.

— А что вы думаете насчет стрижки?

— Какой стрижки?

— В день его смерти, незадолго до нее, мистера Смита действительно безобразно подстригли. Помните, как сокрушался его приятель, выходя из морга? Я сразу понял, что сделать это мог только один никуда не годный парикмахер.

Я рассказал Крамли про Кэла, про премию, которую посулили Уильяму Смиту, про Майроновский танцзал, про кафе Модести и про большой красный трамвай.

Крамли терпеливо меня выслушал и сказал:

— Неубедительно.

— Это все, что нам известно,— возразил я.— Хотите, я проверю венецианский кинотеатр — может, кто и вспомнит, что видел старика перед входом в тот вечер, когда он исчез?

— Нет,— отрезал Крамли.

— Может, мне проверить кафе Модести, трамвай, Майроновский танцзал?

— Нет,— повторил Крамли.

— Что же тогда вы от меня хотите?

— Чтобы вы держались от этого подальше.

— Почему?

— Потому,— сказал Крамли и замолчал. Он взглянул на заднюю дверь.— Если с вами что-нибудь случится, мой дурацкий роман так и не будет дописан. Кто-то должен прочитать это сочинение. А никого другого я не знаю.

— Вы забываете,— возразил я,— ведь кто бы вчера ночью ни стоял возле вашего дома, сейчас он уже стоит возле моего. Я не могу ему этого позволить, правда? Не желаю, чтобы этот тип продолжал за мной следить. Это он подсказал мне название, которое я только что напечатал на вашей машинке. Согласны?

Крамли смотрел мне в лицо, и я понимал, о чем он думает: об абрикосовом пироге, о банановом пирожном и мороженом с клубникой.

— Только будьте осторожны,— проговорил он наконец.— Старик мог поскользнуться, разбить голову и умереть до того, как попал в канал. Поэтому в легких и нет воды.

— А после этого он доплыл до клетки и залез туда. Ясное дело.

Крамли покосился на меня, словно старался оценить, чего от меня ждать.

Не сказав ни слова, он углубился в заросли. Его не было около минуты. Я ждал.

Потом откуда-то издалека до меня донесся трубный рев слона. Я медленно повернулся и, попав под садовый дождик, прислушался. Где-то уже поближе лев открыл огромную, как улей, пасть, издал мощный рык и словно изрыгнул рой убийц. Стадо антилоп и газелей пронеслось мимо, как порыв летнего ветра; поднимая пыль, они стучали копытами по высохшей земле, и мое сердце устремлялось вслед за ними.

Внезапно на тропинке появился Крамли; он широко улыбался, как мальчишка, который то ли гордится, то ли смущен своей безумной выдумкой, до этой минуты не известной никому. Он покряхтывал и двумя новыми банками пива показывал вверх на шесть звуковых систем в виде рожков лилий, подвешенных в кронах деревьев, словно большие темные цветы. Оттуда-то антилопы, газели и зебры защищали нас от безымянных зверей, обитающих за забором бунгало. Слон громко протрубил еще раз, и это меня доконало.

— Африканские записи,— объяснил Крамли, а мог бы и не объяснять.

— Потрясающе! — воскликнул я.— А это что?

Мне почудились десять тысяч африканских фламинго, которых пять тысяч дней назад, когда я был еще школьником, Мартин и Оса Джонсоны перево-

зили с пресноводной лагуны, возвращаясь на само-
лете к нам в Калифорнию, чтобы рассказать простым
людям невероятные истории об африканских гну и
о своих приключениях в Африке.

И тут я вспомнил.

В тот день, когда мне пришлось бежать со всех ног,
чтобы успеть послушать Мартина Джонсона, он погиб в авиакатастрофе возле самого Лос-Анджелеса.

А сейчас в этих райских кущах, в убежище Элмо
Крамли, я увидел птиц Мартина Джонсона.

И мое сердце взмыло вместе с ними.

Я посмотрел на небо и спросил:

— Что вы собираетесь делать, Крамли?

— Ничего,— ответил он.— Старушка с канарейками будет жить вечно. Можете держать пари.

— Денег нет,— ответил я.

Когда в тот день, ближе к вечеру, появились утопленники, это, конечно, многим испортило пикники,
которые устраивались на пляже. Люди негодовали,
складывали свои корзины и уходили домой. Разгне-
ванные женщины и раздраженные мужчины призы-
вали назад собак, упрямо стремившихся к берегу
смотреть на странных людей, неподвижно лежавших
у самой воды. Детей уводили с пляжа и отсылали домой, категорически запрещая впредь даже прибли-
жаться к таким своеобразным незнакомцам.

Ведь утопленники — тема запретная. Как о сек-
се, говорить о них не принято. Поэтому, если утоп-
ленник осмеливался прибиться к берегу, он сразу,
будь то мужчина или женщина, становился *persona*

non grata*. Дети еще могли кинуться к утонувшему, замышляя какие-то свои мрачные церемонии, но леди, остававшиеся на берегу, после того как семьи, собрав свои пожитки, поспешно удалялись, раскрывали зонтики от солнца и демонстративно поворачивались к океану спиной, словно кто-то, запыхавшись в волнах, окликал их. И ничто из почерпнутого в статьях Эмили Пост не могло помочь бедным леди в этой ситуации. Все обстояло очень просто: погибший любитель серфинга появлялся без приглашения, без разрешения и даже без предупреждения, как незваный родственник, и его приходилось быстрой трусцой поспешно перетаскивать в таинственные ледники подальше от пляжа.

Но не успевали унести одного неожиданно появившегося из воды незнакомца, как раздавались детские крики:

— Мамочка, смотри! О, только посмотри!

— Уходи! Сейчас же убирайся оттуда!

И вы слышали топот ног, убегавших от выброшенных на берег еще теплых фугасных бомб.

Возвращаясь от Крамли, я слышал об этих незваных визитерах — об утопленниках.

Мне очень не хотелось уходить с солнца, которое, казалось, всегда светило в саду у Крамли.

Возвращение на берег напоминало переезд в другую страну. Приполз туман, как будто радуясь любым плохим новостям, распространявшимся на пляже. Утопленники не интересовали полицию: они не бы-

---

* Нежелательная особа *(лат.)*.

ли связаны с ночными происшествиями или неожиданными мрачными находками в каналах, чмокающих деснами всю ночь напролет. Это был просто мусор, выброшенный приливной волной.

Сейчас берег опустел. И ощущение пустоты еще усилилось, когда я окинул взглядом старый венецианский пирс.

— Плохой рис! — услышал я чей-то шепот.

Это прошептал я.

Прошептал старое китайское заклинание, которое выкрикивают на полях, чтобы обеспечить хороший урожай, защитить его от разрушительной воли злых, завистливых богов.

— Плохой рис...

Потому что на длинную змею все-таки наступили.

Ее все-таки растоптали.

«Русские горки» навсегда исчезли с дальнего конца пирса.

То, что осталось от них, теперь усеивало берег, словно гигантские бирюльки. Но играл в них сейчас только большой паровой экскаватор — он фыркал, наклонялся, опускал ковш, подхватывал кости. Игра ему нравилась.

«Когда прекратятся эти смерти?» — всплыли у меня в памяти слова Кэла, которые я услышал всего несколько часов назад.

Глядя на опустевший конец пирса, на его скелет, с которого содрали шкуру, на быстро наступающий на берег туман, я почувствовал, как в мою спину впились холодные дротики. За мной снова кто-то следил. Я резко обернулся.

Но это преследовали не меня.

На противоположной стороне улицы я увидел А. Л. Чужака. Он бежал, глубоко засунув руки в карманы пальто, голова ушла в темный воротник, он все время оглядывался, как крыса, убегающая от собак.

«Господи, — подумал я, — наконец-то я понял, кого он мне напоминает».

По!

Известные фотографии и угрюмые портреты Эдгара Аллана с его высоченным матово-светящимся лбом, задумчивыми, горящими мрачным огнем глазами, обреченным скорбным ртом, прячущимся под темными усами; галстук под несвежим воротничком сбился набок на всегда судорожно напряженном горле.

Эдгар Аллан По.

Бежал По, бежал Чужак, оглядываясь на настигающий его бесформенный туман.

«Господи, — подумал я, — да этот туман гонится за всеми нами!»

К тому времени, как я дошел до венецианского кинотеатра, потерявший терпение туман уже заполз и туда.

Старый венецианский кинотеатр мистера Формтеня был замечателен тем, что оказался последним в мире построенным над водой и раскачивающимся на волнах, как речное судно.

Его фасад стоял на бетонной дорожке, ведущей от Венеции к Океанскому парку и дальше, к Санта-Монике.

Задняя половина кинотеатра выдавалась с пирса, так что под ней плескались волны.

В конце дня я остановился перед входом, и, когда поднял глаза, сердце у меня упало.

Обычного списка идущих фильмов не было. Я увидел только одно слово, выведенное огромными буквами высотой фута в два:

«ПРОЩАЙТЕ».

Меня словно в живот пырнули.

Я шагнул к кассе.

Там сидел Формтень, улыбался мне и, старательно демонстрируя приветливость, махал рукой.

— Прощаетесь? — произнес я скорбно.

— Именно! — расхохотался Формтень.— Та-та-та, тра-та-та! Прощайте! Сегодня бесплатно! Входите! Все друзья Дугласа Фербенкса, Томаса Мейхана, Милтона Силса и Чарльза Рэя — мои друзья!

Услышав знакомые с детства имена, я растаял: этих актеров я видел на допотопных экранах, когда мне было два, три, четыре года и я сидел на коленях у матери в прохладном кинозале; мы тогда жили в Северном Иллинойсе, пока для нас и впрямь не настали времена «плохого риса» и не пришлось, опережая переселенцев из Оклахомы, двинуться в старом потрепанном автомобиле на запад, где отец стал искать такое место, чтобы платили двенадцать баксов в неделю.

— Я не могу, мистер Формтень.

— Нет, вы посмотрите на него, он не хочет! — Мистер Формтень воздел руки и выкатил глаза, словно Манджафоко, который, разозлившись на Пиноккио, пригрозил, что перережет его нитки.— Это почему же?

— Стоит мне выйти из кино при дневном свете, на меня наваливается тоска. Ни на что глаза не глядят.

— Ну и где вы видите солнце? — закричал Формтень. — Да когда вы выйдете, уже ночь настанет.

— Все равно. Я хотел расспросить вас кое о чем, что было три дня назад, — сказал я. — Вы случайно не помните старика из трамвайной билетной кассы — Билла, Уилли, Уильяма Смита? Он в тот вечер кого-то ждал у входа в кинотеатр.

— Как же! Я еще окликнул его. «Что это у тебя на голове? — крикнул я. — Тебя что, гризли грыз?» У него с волосами было что-то несусветное, смех, да и только. Кто-то прошелся по ним газонокосилкой. Уж не этот ли чертов Кэл?

— Ну да. А вы не видели, с кем встретился Уильям Смит и с кем он ушел?

— Нет, я занят был. Вдруг за билетами явились сразу шесть человек. Подумайте только — шесть! Когда я огляделся, мистер Смит, Уилли, уже исчез. А что?

Руки у меня опустились. Наверно, по моему лицу было видно, как я разочарован. Обдавая меня запахом сен-сена через окошко в стеклянной стене кассы, Формтень поспешил меня приободрить:

— Угадайте-ка, кто появится на старом, проеденном молью серебряном экране в фильмах двадцать второго года? Фербенкс! В «Черном пирате», Гиш в «Сломанной лилии», Лон Чейни в «Призраке оперы». Что может быть лучше?

— Господи, мистер Формтень, это же все немые картины!

— Ну и что? А в двадцать восьмом году вы где были? Чем больше звука, тем меньше настоящего кино! Статуи, но зато как играли! У них только губы шевелились, а вы шевельнуться боялись. Так что на этих прощальных сеансах будет царить молчание. Гмм. Тишина, да? А улыбки и жесты во весь экран? Безмолвные призраки. Молчаливые пираты. А за горгульий и горбунов, что подвывают дождю и ветру, пусть говорит орган. Ну как? Свободных мест полно. Идите!

Он ткнул большим пальцем в кнопку кассы.

Машина выбросила мне красивый новенький оранжевый билет.

— Ладно.— Я взял билет и взглянул в лицо этого пожилого чудака, лет сорок не бывавшего на солнце, безумно влюбленного в кино и предпочитавшего журнал «Серебряный экран» энциклопедии «Британика». От любви к старым лицам на старых афишах в его глазах светилась легкая сумасшедшинка.

— А Формтень — это ваша настоящая фамилия? — спросил я в конце концов.

— Понимаете, моя фамилия означает такое место, как этот кинотеатр, где тени обретают форму, а формы предстают в виде теней. Можете предложить мне фамилию получше?

— Нет, сэр... мистер Формтень,— сказал я. И действительно не мог.— А что...— начал было я.

Но Формтень сразу догадался и расплылся в улыбке.

— Что будет со мной завтра, когда мой кинотеатр снесут? Не волнуйтесь. У меня есть покровитель. И у моих фильмов тоже. Сейчас они, все три тысячи, сложены в кинобудке, а скоро, на рассвете, окажутся в миле отсюда, в нижнем этаже дома на берегу, куда я хожу крутить фильмы и смеяться от души.

— У Констанции Раттиган! — воскликнул я.— То-то я часто видел какой-то странный мигающий свет в окне нижнего этажа или поздно вечером наверху в гостиной. Значит, это вы у нее были?

— А кто же еще? — заулыбался Формтень.— Уже много лет, закончив здесь, я трушу по берегу к ней, волоку с собой по двадцать фунтов кинолент. Эта Констанция целыми днями спит, а ночи напролет мы с ней смотрим кино и грызем воздушную кукурузу, то есть грызет-то она — Раттиган. Мы сидим и держимся за руки, как два ненормальных ребенка, грабим вместе с героями фильмов склепы, а иногда рыдаем так, что не можем перемотать бобину — от слез ничего не видим.

Я выглянул на берег, тянувшийся за фасадом кинотеатра, и мне представилось, как мистер Формтень трусит рысцой вдоль линии прибоя, тащит воздушную кукурузу, а вместе с ней и Мэри Пикфорд, и леденцы, и Фербенкса, спешит к престарелой королеве — ее верный рыцарь, как и она, влюбленный в бесконечную смену света и тьмы, воспроизводящую на экране грез столь же бесконечную смену закатов и восходов.

А на рассвете Формтень наблюдает, как Констанция Раттиган, подтверждая ходящие о ней слухи, бежит обнаженная к океану, ныряет в холодные соленые волны и выплывает, зажав в крепких белоснежных зубах целебные морские водоросли, царственными движениями расчесывает и заплетает волосы, а Формтень, еле волоча ноги, возвращается домой в лучах восходящего солнца, опьяненный воспоминаниями, бурча и урча себе под нос мощные органные мелодии «вурлитцера», въевшиеся в его душу, сердце, костный мозг и услаждающие нёбо.

— Послушайте,— Формтень подался ко мне, совсем как Эрнст Тессиджер в «Старом темном доме» или как зловещий доктор Преториус в «Невесте Франкенштейна»,— когда войдете, сразу поднимайтесь наверх, за экран. Были там когда-нибудь? Нет! Поднимайтесь по темной лестнице, что за экраном. Вот это переживание! Все равно что побывать в таинственном кабинете доктора Калигари. Век будете меня благодарить.

Пожимая ему руку, я воззрился на него в изумлении.

— Бог мой! — воскликнул я.— Ну и ручища у вас! Не та ли это лапа, что высунулась в темноте из-за книжных полок в «Коте и канарейке», схватила и утащила адвоката, пока он не прочел завещание?

Формтень посмотрел на свою руку, зажатую в моей, и рассмеялся.

— А вы славный мальчик! — сказал он.

— Стараюсь, мистер Формтень,— ответил я.— Стараюсь.

Войдя в зал, я вслепую пробрался по проходу, нащупал металлические поручни, по ступеням просцениума поднялся к вечно погруженной во тьму сцене и нырнул за экран, чтобы взглянуть на великих призраков.

Иначе как призраками их и нельзя было назвать. Высокие, бледные, темноглазые — герои иллюзий своего времени. Мне они казались скрученными, словно мягкие белые конфеты, так как я смотрел на них под углом. В полном безмолвии они жестикулировали и шевелили губами, дожидаясь, когда заиграет орган, но музыка все не начиналась. А на экране быстро мелькали кадр за кадром, и то появлялся Фербенкс с перекошенным лицом, то таяла, словно воск, Гиш, то толстяк Арбакль, похудевший из-за того, что я смотрел на него сбоку, бился усохшей головой о верхний край экрана и соскальзывал в темноту, а я смотрел на них и чувствовал, как у меня под ногами, под полом, мечутся волны, как колышется пирс и кинотеатр, тонущий во вздымающейся воде, кренится, потрескивает, дрожит, сквозь щели в досках проникает запах соли. Все новые картины, светлые, как сливки, темные, как чернила, мелькали на экране, а кинотеатр поднимался и опускался, будто кузнечные мехи, и я опускался вместе с ним.

И тут взревел орган.

Точно такой же рев раздался несколько часов назад, когда огромный невидимый паровой молот принялся сокрушать пирс.

Кинотеатр накренился, выпрямился и снова качнулся, словно на ушедших под воду «русских горках».

Орган ревел, истошно вопил, прелюд Баха отскакивал от стен так, что со старых люстр сыпалась пыль, занавески дрожали, словно траурные одежды на ветру, а я, стоя за экраном, уже протягивал руку, стараясь ухватиться за что-нибудь, но замирал от ужаса, как бы что-нибудь не ухватилось за меня.

Бледные тени надо мной быстро шевелили губами, страдали. Призрак в белой маске в виде черепа, в шляпе с плюмажем медленно спускался по лестнице Парижской оперы; наверно, так же медленно минутой раньше прошествовал по темному проходу Формтень, откинул короткую занавеску, закрывавшую орган,— зазвенели, задребежжали кольца, на которых она висела, Формтень, как неотвратимый рок, как сама судьба, сел за инструмент, закрыл глаза, открыл рот, пальцы, как пауки, разбежались по клавишам, и грянул Бах.

Боясь оглянуться, я сквозь тридцатифутовый экран, по которому бродили привидения, всматривался в зал, стараясь разглядеть невидимых в темноте зрителей: прикованные к своим местам, они вздрагивали от аккордов органа, не отводя глаз от жутких теней, приподнимались и опускались вместе с кинотеатром, который качался на волнах ночного прилива.

Интересно, он тоже здесь, среди этих едва различимых лиц, чьи глаза устремлены на скользящее по экрану прошлое? Этот плакальщик из трамвая, этот любитель шагать по берегу канала под дождем, покидающий дом в три часа ночи? Не его ли это лицо виднеется в зале? Там? Или вон там? В темноте подрагивают бледные луны, созвездие лиц в переднем ряду, еще созвездие подальше — пятьдесят — шестьдесят человек, и про каждого можно предположить, что он тоже совершит роковую вылазку в тумане, столкнется с кошмаром и без звука исчезнет в воде, только волны тяжело вздохнут, отбегая назад за подкреплением.

«Как угадать его среди этих полуночников? — думал я. — И что бы такое крикнуть, чтобы он в панике сорвался с места, бросился по проходу, а я за ним?»

С экрана улыбался гигантский череп, влюбленные укрылись на крыше Оперы, призрак преследовал их, распахивая плащ, подслушивал их испуганный любовный лепет и усмехался; орган гремел, кинотеатр покачивался на высоких волнах, готовый справить морские похороны в случае, если планки пола разойдутся и пучина поглотит нас.

Я быстро переводил глаза с одного едва различимого обращенного к экрану лица на другое, все выше и выше по рядам, пока не уперся взглядом в окошко киномеханика, где вдруг увидел часть лба и безумный глаз, устремленный вниз на восхитительные роковые страсти, бушующие в гейзерах света и тьмы.

Глаз Ворона из поэмы По. Или... Чужака!

Предсказателя по картам Таро, психолога, френолога, нумеролога и...

...киномеханика.

Кто-то же должен крутить фильм, пока Формтень терзает орган, заходясь от восторга. Обычно в другие вечера старик сам перебегал из кассы в будку киномеханика, оттуда к органу, прыгал из одного помещения в другое, будто под личиной беспокойного старца скрывался взбесившийся мальчишка.

А сейчас...

Кто еще мог увлечься этим поздним ночным меню из горбунов, разгуливающих скелетов и волосатых лап, срывающих жемчуга с шеи спящей женщины?

Чужак.

Музыка достигла апогея. Призрак исчез. На экране возник новый отрывок — дергающиеся кадры

«Джекила и Хайда» выпуска тысяча девятьсот двадцатого года.

Я соскочил со сцены и бросился бежать по проходу между злодеями и убийцами.

Глаз По в окошке исчез.

Когда я добежал до будки, в ней никого не оказалось, пленка сама по себе выползала из проектора, похожего на светящегося жука. Джекил, превращаясь в Хайда, спускался по лучу света на экран.

Музыка смолкла.

Внизу, выходя из кинотеатра, я увидел выдохшегося, но счастливого Формтеня. Он снова сидел в кассе, продавал билеты в тумане.

Я просунулся в окошко, схватил его за руку и крепко сжал.

— Неплохой рис для вас, а?

— Что? — воскликнул Формтень, он принял мои слова за комплимент, хотя и не понял их.

— Будете жить вечно! — сказал я.

— Откуда вы знаете то, чего не знает даже Бог? — спросил Формтень. — Приходите снова, попозже. В час ночи. Будет Вейдт в «Калигари». В два часа — Чейни в «Смейся, клоун, смейся». В три — «Горилла», в четыре — «Летучая мышь». Пусть кто-нибудь скажет, что этого мало.

— Только не я, мистер Формтень.

Я двинулся в туман.

— Не впали в депрессию? — крикнул он мне вслед.

— Думаю, что нет.

— Если способны думать, значит, не впали.

Наступила ночь.

Оказалось, что кафе Модести закрылось рано, а может быть, и навсегда, чего я знать не мог. Так что некого было спросить про Уильяма Смита, про парадную прическу и про ужин.

Пирс тонул в темноте. Светилось только окно в домишке специалиста по картам Таро А. Л. Чужака. Я прищурился.

Испугавшись, проклятый свет погас.

— Плохой рис? — переспросил Крамли по телефону. Но когда понял, что это я, голос у него повеселел.— О чем речь?

— Крамли,— с трудом выдавил из себя я,— появилось еще одно имя, его надо добавить к нашему списку.

— К какому списку?

— К леди с канарейками...

— Это не наш список, а ваш...

— Чужак,— сказал я.

— Что?

— А. Л. Чужак — психолог с пирса.

— Гадает на картах Таро, владелец странного собрания книг, нумеролог-любитель, пятый всадник Апокалипсиса?

— Вы его знаете?

— Малыш, я знаю весь пирс вдоль и поперек, всех и каждого на нем, рядом с ним, вокруг него, над и даже под ним. Знаю всех штангистов, топчущих песок на пляже, всех бродяг, что по ночам валяются на берегу мертвецки пьяными, а на рассвете воскресают от одного запаха семидесятицентового мускателя. А. Л. Чужак — этот плюгавый карлик? Не пойдет!

— Не вешайте трубку! Да ведь у него на лбу написано. Он просто напрашивается в жертвы. И будет следующим. Год назад я напечатал рассказ в «Дешевом детективном журнале» про два поезда, идущих в противоположных направлениях. На минуту они останавливаются на станции. Один пассажир смотрит на другого во встречном поезде, их глаза встречаются, и первый понимает, что напрасно посмотрел, что тот в окне напротив — убийца. А убийца смотрит на него и улыбается. Вот и все. Просто улыбается. И мой герой понимает, что обречен. Он отводит глаза, стараясь себя спасти. Но второй — убийца — продолжает смотреть на него. А когда мой герой снова поднимает глаза, в окне напротив уже никого нет. И он понимает, что убийца сошел с поезда; через минуту тот появился в поезде, где ехал мой герой, в его вагоне, прошелся по проходу и сел сзади. Ну что, страшно? Страшно.

— Идея шикарная, но так не бывает,— отрезал Крамли.

— Бывает, и чаще, чем вы думаете. В прошлом году мой приятель на «роллс-ройсе» пересекал страну. И его шесть раз чуть не сбросили с дороги. В разных штатах. На него нападали люди, которым не нравился его роскошный автомобиль. Если бы они преуспели, это было бы убийство, самое настоящее убийство, и ничего больше.

— Ну, это совсем другое дело. Роскошная машина есть роскошная машина. Им было все равно, кто в ней сидит. Убить, и все... А то, о чем вы говорите...

— Есть убийцы и убийцы. Старик из трамвайной кассы был настоящей жертвой. И леди с канарейками тоже. Их глаза так и говорили: «Возьми меня, сделай милость, прикончи навсегда...» Чужак будет следующим, — произнес я в заключение. — Могу прозакладывать жизнь.

— Не надо, — вдруг очень спокойно возразил Крамли. — Вы паренек хороший, но, видит бог, молоко у вас на губах не обсохло.

— Чужак, — повторил я. — Сейчас, когда гибнет пирс, он тоже погибнет. Если его никто не убьет, он привяжет себе на шею «Закат Запада» или «Анатомию меланхолии» и бросится в воду с остатков пирса. Так что добавьте Чужака в наш список.

И, словно соглашаясь со мной, в африканских владениях Крамли взревел жаждущий крови лев.

— Надо же! Только-только у нас пошел хороший разговор, — посетовал Крамли.

И повесил трубку.

Впервые за многие недели, месяцы, даже годы по всей Венеции стали поднимать шторы.

Как будто город у океана просыпался, перед тем как уснуть навеки.

Прямо напротив моего дома в маленьком бунгало, с которого хлопьями осыпалась белая краска, шторы подняли днем, и...

Когда вечером я пришел домой и выглянул в окно, я обомлел.

На меня смотрели глазки.

Не просто пара глаз, а дюжина, и даже не одна дюжина, а сотня, а то и больше.

Глазки были стеклянные, уложенные рядами. Они образовывали светящиеся дорожки, а некоторые покоились на небольших подставках.

Глазки были и голубые, и карие, и зеленые, и серые, и черные, и желтые.

Я перешел через узкую улицу и стал разглядывать эту сказочную модернистскую выставку.

— Вот бы обрадовались мальчишки! Вот поиграли бы на грязном школьном дворе! — сказал я самому себе.

Глазки ничего не сказали. Лежа на своих подставках или собранные небольшими кучками на белом бархате, они не мигая смотрели сквозь меня и дальше, в некое холодное будущее у меня за плечами. Я чувствовал, как их взгляд скользит по моей спине.

Кто сделал эти стеклянные глазки, кто положил их на окно и ждал, сидя внутри, когда их удастся продать и вставить кому-нибудь в глазницу, я не знал.

Кто бы это ни был, он принадлежал к невидимым венецианским умельцам, продающим свои изделия. Иногда в пещерной глубине этого бунгало я замечал острый язычок голубовато-белого пламени и видел, как чьи-то руки работали над похожими на слезы каплями расплавленного стекла. Но лицо старика (а в Венеции, штат Калифорния, все старики) пряталось за толстой защитной маской из металла и стекла. Издалека удавалось разглядеть только, как появляется на свет новый глаз, пока еще слепой, как его помещают в центр пламени, с тем чтобы на следующий день, словно яркую конфету, положить на подоконник.

Приходил ли кто покупать столь своеобразные украшения — этого я тоже не знал. Никогда не видел, чтобы кто-то ощупью входил в бунгало и выходил из него с обновленным взглядом. За весь год шторы поднимали всего раз или два раза в месяц.

Глядя на подоконник, я думал: «Странные глазки, не видели ли вы пропавших канареек? Не заметили, куда они делись?» И добавлял: «Следите за моей квартирой, ладно? Ночью будьте настороже. Погода может измениться. Может пойти дождь. И ко мне могут наведаться тени. Могут позвонить в дверь. Вы уж, пожалуйста, все примечайте и хорошенько запомните».

Но блестящие шарики, черные, как агат, и белые, как мрамор, — мои давние друзья по играм в школьном дворе — даже не моргнули в ответ.

В эту минуту чья-то рука, словно рука фокусника, высунулась из мрака и опустила на глазки штору.

Похоже, стеклодуву не понравилось, что я глазею на его глаза.

А может, он боялся, как бы я не расчихался так, что потеряю один глаз и приду к нему просить замену.

Покупатель! Я мог испортить его безупречный послужной список. Десять лет он выдувал глаза и ни одного не продал.

«Интересно, — подумал я, — а не продает ли он в качестве побочного промысла купальные костюмы тысяча девятьсот десятого года?»

Вернувшись к себе, я выглянул в окно.

Штора снова была поднята, ведь я уже не стоял за окном, словно инквизитор.

Глазки сияли, чего-то ожидая.

«Интересно, что они увидят ночью?» — подумал я.

«Я трепещу, чего-то ожидая».

Я мгновенно проснулся.

— Что это? — обратился я к пустому потолку.

Кто это сказал? Леди Макбет?

«Я трепещу, чего-то ожидая».

Бояться неизвестно чего без причины.

И с этим страхом дожить до рассвета.

Я прислушался.

Не туман ли это бьется в мою дверь, оставляя на ней синяки? Не он ли проверяет на прочность мою замочную скважину? И не подкрадывается ли к моему коврику только мне предназначенный маленький шторм с дождем, чтобы оставить у дверей морские водоросли?

Пойти и посмотреть я боялся.

Я открыл глаза и взглянул на дверь в коридор, ведущий в мою крошечную кухню и еще более крошечную ванную.

Вечером я повесил на дверь свой старый и рваный белый халат. Но теперь, когда я был без очков — они лежали на полу возле кровати, а все врачи сходились на том, что зрение у меня препаршивое, — халат перестал быть халатом.

На двери висело Чудовище.

Когда мне было пять лет и мы жили на востоке, в Иллинойсе, мне приходилось среди ночи подниматься по темной лестнице в ванную. И если там не горел хотя бы тусклый свет, вверху на площадке всегда пряталось Чудовище. Иногда мать забывала включить свет. Поднимаясь по лестнице, я изо всех сил старался не смотреть вверх. Но страх одолевал меня, и я все же поднимал глаза. Чудовище неизменно было там, оно рычало голосом проносившихся мимо в ночи паровозов, траурных поездов, увозивших любимых сестер и дядей. Я останавливался у подножия лестницы...

И визжал.

Сейчас Чудовище висело здесь, на двери, ведущей в темноту, в коридор, на кухню, в ванную.

«Чудовище, — заклинал я, — уходи!»

«Чудовище, — убеждал я белое пятно на двери, — я знаю, тебя нет. Ты мой старый халат».

Беда в том, что я не мог как следует его разглядеть.

«Дотянуться бы до очков, — думал я, — надеть их, тогда я вскочу...»

А пока я лежал, мне снова было восемь, потом семь, потом пять лет, а потом и четыре года, я делался все меньше и меньше, а Чудовище на двери — все больше, все длиннее, все темнее.

Я боялся даже моргнуть. Боялся, что любое движение заставит его мягко спланировать вниз и...

— Ах! — вскрикнул кто-то.

Потому что на другой стороне улицы зазвонил телефон.

«Заткнись, — подумал я. — Ты вспугнешь Чудовище, оно прыгнет!»

А телефон звонил. В четыре часа ночи! В четыре! Господи, кто?..

Пег? Заблудилась в мексиканских катакомбах? Пропала?

Телефон звонил.

Крамли? С результатами вскрытия, которых я и знать не желаю?

Телефон все звонил.

Или то голос холодного дождя, бегущей ночи, бессвязный бред алкоголика, оплакивающего страшные события, в то время как длинный трамвай, мчась сквозь грозу, визжит на поворотах?

Звонки смолкли.

Крепко зажмурившись, сжав зубы, закутав голову простыней, я, отвернувшись к стене, прижался к влажной подушке. И мне показалось, будто я слышу неуверенный шепот. Я похолодел.

Затаил дыхание. Старался утишить сердцебиение.

Потому что именно сейчас, именно в это мгновение...

Разве не почувствовал я, как Нечто коснулось кровати, кто-то тяжело опустился на нее?

У меня в ногах?

Следующей жертвой стал не Чужак.

И не леди с канарейками испустила вдруг последний вздох, сделав прощальный круг по комнате.

Исчез кое-кто другой.

И вскоре после рассвета блестящие глазки напротив моей многострадальной квартиры увидели, как прибыло доказательство.

Перед моей дверью остановился грузовик.

Невыспавшийся, измученный, я услышал его и насторожился.

Кто-то постучался в дверь моего гроба.

Я заставил себя взлететь в воздух, проплыл, как воздушный шар, по комнате, с треском распахнул дверь и слипающимися глазами всмотрелся в морду огромного здоровенного быка. Бык произнес мою фамилию. Я признался, что это я. Он попросил подписать вот здесь, показал где. Я подписал что-то, похожее на квитанцию министерства транспорта, и стал смотреть, как грузчик потопал обратно к своему грузович-

ку, выволок из кузова какой-то знакомый упакованный объемистый предмет и покатил его по улице.

«Господи, — подумал я, — что это? От кого?..»

Но огромный узел на колесах задел дверной ко-
сяк, и раздался мелодичный звук. Я зашатался, пре-
дугадав ответ.

— Куда ставить? — спросил бык, оглядывая мои
заставленные роскошной мебелью королевские по-
кои. — Здесь сойдет?

Он с трудом подтащил упакованный предмет к стене, окинул презрительным взглядом мою дешевую
тахту, пол без ковра, мою пишущую машинку и потопал к выходу, оставив дверь открытой настежь.

А на другой стороне улицы я увидел десять дюжин блестящих голубых, карих, серых стеклянных
глазок, следящих за тем, как я срываю упаковку и
вижу...

Ту самую Улыбку.

— Мой бог! — вскричал я. — Да это же пианино,
я слышал, как оно играет...

Регтайм «Кленовый лист».

Хлоп! Закрылась дверца кабины, грузовик, тарах-
тя, укатил.

Я рухнул на свою уже почти рухнувшую тахту, не
в силах поверить, что передо мной эта широкая, без-
участная, сияющая слоновой костью улыбка.

«Крамли!» — мысленно воззвал я. Провел ладонью по омерзительной стрижке, слишком длинной
на затылке, слишком короткой на висках. Пальцы ничего не чувствовали.

«Да, малыш?» — отозвался Крамли.

«Я передумал, Крамли,— мысленно признавался я.— Исчезнет не Чужак и не старая леди с канарейками».

«Вот тебе раз! Кто же?» — спросил Крамли.

Кэл-брадобрей.

Молчание. Вздох. Затем...

Щелчок, гудки.

Вот почему, глядя на то, что осталось на память от встреч со Скоттом Джоплином, я не сорвался с места и не помчался звонить своему другу полицейскому детективу.

Все стеклянные глазки из бунгало напротив дружно изучали мою стрижку и наблюдали, как я закрываю дверь.

«Ладно,— подумал я.— Только ведь я даже собачьего вальса играть не умею».

Парикмахерская была открыта и пуста. Муравьи, пчелы, термиты и им подобные побывали здесь до полудня. Стоя в дверях, я глядел на полное опустошение. Как будто кто-то подкатил ко входу гигантский пылесос и высосал из помещения все.

Пианино, как известно, попало ко мне. Интересно, кто получил и кому могли понадобиться парикмахерское кресло, притирания, лосьоны, оставлявшие пятна и мазки на зеркалах, висевших на стенах? И еще интересно, кому достались волосы?

Посреди парикмахерской стоял человек. Как мне помнилось, это был хозяин, сдававший ее в аренду,— мужчина лет пятидесяти, он водил метлой по безволосому полу, без видимой цели гладил пустые половицы. Он поднял глаза и увидел меня.

— Кэла нет,— объявил он.

— Вижу,— ответил я.

— Подонок смылся, не заплатив мне за четыре месяца аренды.

— Дела у него шли плоховато, правда?

— Да никаких дел вообще не было. Только стрижки. Даже на два бакса они не тянули, никуда не годились, могли бы побить все рекорды в штате.

Пощупав свою макушку и затылок, я согласно кивнул.

— Мерзавец, унес ноги, а ведь задолжал мне за пять месяцев. Сосед-бакалейщик говорит, Кэл еще был здесь в семь утра. От агентства по продаже подержанных вещей в восемь явились за креслом. Остальное забрала Армия спасения. Не знаю, кому досталось пианино. А хотелось бы знать. Загнал бы его, хоть какие-то деньги выручил.— Хозяин взглянул на меня.

Я промолчал. Пианино есть пианино. По каким-то причинам Кэл отослал его мне.

— Как вы думаете, куда он подался? — спросил я.

— Вроде у него родственники в Оклахоме, в Канзасе, в Миссури. Сейчас кто-то заходил, сказал, будто слышал, как два дня назад Кэл заявил, что будет гнать машину, пока земля не кончится, а тогда кинется прямо в Атлантику.

— Кэл такого не сделает.

— Да нет, скорее осядет где-нибудь у ирокезов, и скатертью дорожка. Видит бог, стриг он хуже некуда.

Я прошел по чистым белым половицам, по очищенной от волос территории, сам не зная, чего ищу.

— А вы кто? — спросил хозяин, беря метлу наперевес.

— Писатель, — пояснил я. — Вы же меня знаете. Я — Чокнутый.

— Черт, а я вас не узнал. Это Кэл вас так изукрасил?

Он поглядел на мои волосы. Я почувствовал, как у меня кровь приливает к скальпу.

— Еще вчера.

— Расстрелять его за это мало.

Я прошел по комнате и завернул за тонкую деревянную перегородку, отделявшую заднюю часть парикмахерской. Там стояли мусорные ведра, там же была уборная.

Я уставился в мусорное ведро и обнаружил в нем то, что искал.

Фотографию Кэла со Скоттом Джоплином, прикрытую накопившимися за месяц волосами, которых оказалось не так уж много.

Я нагнулся и вытащил фотографию.

И меня словно обдало леденящим холодом.

Скотт Джоплин исчез!

Кэл был на месте, навсегда оставшись юным и сияющим от счастья, его тонкие пальцы лежали на клавишах.

А человек, нагнувшийся над ним и усмехавшийся...

Был вовсе не Джоплином.

Это был совсем другой парень, черный, более молодой, казавшийся более порочным.

Я поднес фотографию к самым глазам и внимательно всмотрелся в нее.

На том месте, где когда-то была голова Скотта Джоплина, виднелись следы засохшего клея.

«Господь был милостив к Кэлу, — подумал я. — Никому из нас и в голову не пришло как следует рассмотреть снимок. К тому же он был под стеклом и висел высоко, не так-то легко было его снять».

Видно, когда-то, давным-давно, Кэлу попалась фотография Скотта Джоплина, он бритвой вырезал голову и заклеил ею лицо этого другого парня. Налепил голову на голову. И подпись наверняка подделал. А мы все эти годы смотрели на снимок, вздыхали, прищелкивали языками и восторгались: «Ну, Кэл, вот здорово! Да тебе повезло! Взгляни только!»

И все годы Кэл глядел на фото, зная, что это обман, зная, что и сам он обманщик, и обрабатывал головы клиентов так, что казалось, будто над ними пронесся канзасский смерч, а потом их расчесал впавший в буйство жнец-маньяк.

Я перевернул снимок и снова полез в мусорное ведро, надеясь найти отрезанную голову Скотта Джоплина.

И знал, что не найду.

Кто-то ее забрал.

И тот, кто сорвал ее со снимка, тот и звонил Кэлу по телефону, угрожая: «Все про тебя знаю», «Ты теперь весь на виду», «Разоблачен». Я вспомнил, как у Кэла зазвонил телефон. А Кэл испугался и не снял трубку.

А однажды, два или три дня назад, пришел он в свою парикмахерскую, и что же? Взглянул случайно на снимок и чуть не упал. Голова Скотта Джоплина пропала. Значит, и Кэл пропал.

Все, что он успел, это распорядиться насчет парикмахерского кресла, оставить лосьоны Армии спасения и отправить мне пианино.

Я прекратил поиски. Сложил фотографию Кэла без Джоплина и вышел из-за перегородки посмотреть, как хозяин подметает половицы, на которых не осталось волос.

— Кэл, — начал я.

Хозяин перестал мести.

— Кэл не...— продолжил я. — Я хочу сказать... Ведь... Я имею в виду... ведь Кэл жив?

— Гад, — ответил хозяин, — жив-живехонек, удрал на восток, проехал уже, поди, миль четыреста и не заплатил мне за семь месяцев.

«Слава богу, — подумал я.— Значит, можно не рассказывать об этом Крамли. Во всяком случае, сейчас. Бегство — это не убийство, и Кэл — не жертва.

Нет?

Удрал на восток? А может, Кэл покойник, хоть и ведет машину?»

Я вышел из парикмахерской.

— Парень, — сказал хозяин, — ты плохо выглядишь, и когда пришел, плохо выглядел, и сейчас.

«Не так плохо, как некоторые», — подумал я.

Куда мне теперь идти? Что делать, если Улыбка заняла всю мою квартиру, где и спальня и гостиная в одной комнате, а я умею играть только на «Ундервуде»?

В ту ночь телефон на заправочной станции зазвонил в два тридцать. А я, вымотанный предшествующей бессонной ночью, как пришел, так и лег спать.

Лежал и прислушивался.

Телефон не умолкал.

Он звонил две минуты, потом три. Чем дольше он звонил, тем холоднее мне становилось. Когда я наконец соскочил с кровати, натянул купальные трусы и потащился через дорогу, у меня уже зуб на зуб не попадал, как в метель.

Сняв трубку, я сразу почувствовал, что это Крамли, там далеко, на другом конце провода, и он еще ничего не успел сказать, а я уже понял, что за новости он собирается сообщить.

— Все-таки случилось? Да? — спросил я.

— Откуда вы знаете? — Крамли говорил так, будто тоже не спал всю ночь.

— Почему вы туда пошли? — спросил я.

— Час назад я брился, и вдруг меня будто стукнуло. Возникли предчувствия, о каких, черт побери, вы обожаете рассказывать. Я еще здесь, жду следователя. Хотите подойти и сказать: «Ну я же говорил!»?

— Нет, не хочу. Но приду.

И повесил трубку.

Вернувшись к себе, я увидел свое «Нечто», оно все еще висело на двери ведущего в ванную коридора. Я сорвал его, швырнул на пол и стал топтать. Это было только справедливо, ведь ночью оно нанесло визит леди с канарейками, вернулось на рассвете и ничего мне не сказало.

«Господи, — думал я, тупо топчась на купальном халате. — Теперь все клетки опустели».

Крамли стоял на одном берегу Нижнего Нила, у сухого русла реки. Я встал на другом. Патрульная машина и фургон из морга ждали внизу.

— Вам это зрелище не понравится, — предупредил Крамли.

Он помедлил, дожидаясь, когда я кивну, чтобы откинуть простыню.

— Это вы звонили мне среди ночи? — спросил я.

Крамли покачал головой.

— Сколько прошло с тех пор, как она умерла?

— Мы считаем, часов одиннадцать.

Я мысленно вернулся назад. Четыре часа утра. В четыре утра зазвонил телефон. Звонило «Нечто», чтобы сказать мне. Если бы я побежал отвечать на звонок, холодный ветер в трубке рассказал бы мне — об этом.

Я кивнул, Крамли откинул простыню.

Под ней была леди с канарейками, и в то же время ее там не было. Какая-то часть ее витала в темноте, а на то, что осталось на кровати, смотреть было страшно.

Глаза ее неподвижно уставились на жуткое «Нечто», на ту дьявольщину, что висела на двери у меня в коридоре и невидимой тяжестью опустилась на мою постель. Рот, когда-то еще приоткрывавшийся, чтобы прошептать: «Подойди, подойди, я жду тебя!» — теперь был широко открыт от ужаса, протестовал, пытался отогнать что-то, оттолкнуть, выставить прочь из комнаты!

Придерживая пальцами простыню, Крамли взглянул на меня.

— Пожалуй, мне следует извиниться перед вами.

— За что?

Говорить было трудно: она лежала между нами, уставившись на нечто кошмарное на потолке.

— За правильную догадку. Догадались вы. За сомнения. Сомневался я.

— Догадаться было нетрудно. У меня умер брат, умер дед, умерли тетки. И мать с отцом тоже умерли. Все смерти одинаковы, правда ведь?

— Мм, да.— Крамли выпустил из рук простыню — на долину Нила упал осенью снег.— Только это — естественная смерть, малыш. Не убийство. Такой взгляд, как у нее, бывает у всех, кто чувствует, как во время приступа сердце рвется прочь из груди.

Я хотел выложить доказательства. Но прикусил язык. Краем глаза я кое-что заметил, и это заставило меня повернуться и отойти к пустым птичьим клеткам. Много времени мне не потребовалось: я сразу понял, что привлекло мое внимание.

— Боже мой,— прошептал я,— Хирохито. Аддис-Абеба. Они исчезли!

Обернувшись, я указал Крамли на клетки.

— Кто-то забрал из них обрывки старых газет. Тот, кто поднялся сюда, не только напугал ее до смерти, он прихватил газеты. Господи, да он коллекционер! Держу пари, карман у него набит трамвайными конфетти, и отклеенную голову Скотта Джоплина тоже он припрятал.

— Голову Скотта Джоплина? Это еще что такое?

Крамли не хотелось, но все же в конце концов он подошел взглянуть на дно клеток.

— Найдете эти газеты — и он у вас в руках.

— Просто, как дважды два! — вздохнул Крамли.

Он проводил меня вниз мимо повернутых к стене зеркал, которые не видели, как кто-то поднимался сюда ночью, не видели, как он уходил. Внизу на площадке на пыльном окне все еще висело объявление о продаже канареек. Сам не знаю почему я потянулся и вынул его из облезлой, скрепленной скотчем рамки. Крамли наблюдал за мной.

— Можно, я возьму? — спросил я.

— Вам будет тошно глядеть на него. Да черт с вами. Берите.

Я сложил объявление и сунул в карман.

Наверху в птичьих клетках песен не слышалось.

В дом, отдуваясь от выпитого днем пива и насвистывая, вошел следователь.

А между тем начался дождь, и когда мы с Крамли садились в машину, лило во всей Венеции. Мы уезжали из дома леди с канарейками, подальше от моей квартиры, подальше от телефонов, звонивших в неподобающее время, подальше от серого океана, от пустого пляжа, от воспоминаний об утопленниках. Лобовое стекло напоминало огромный глаз, плачущий, утирающий слезы, снова заливающийся слезами, а «дворники» сновали взад-вперед, взад-вперед, застывали, взвизгивали и снова двигались взад-вперед, снова останавливались и, взвизгнув, двигались опять. Я не отрываясь смотрел вперед.

Войдя в свое притаившееся в джунглях бунгало, Крамли взглянул на меня, понял, что тут нужно бренди, а не пиво, вручил мне стакан и кивком показал на телефон в спальне.

— У вас есть деньги позвонить в Мехико-Сити?

Я покачал головой.

— Считайте, что они у вас есть, — сказал он. — Позвоните, поговорите со своей девушкой. Закройте дверь и поговорите.

У меня перехватило горло, я сжал руку Крамли так, что чуть не переломал ему пальцы. И позвонил в Мехико.

— Пег!

— Кто это?

— Да я, я!

— Господи, у тебя такой странный голос, такой далекий.

— Я и впрямь далеко.

— Слава богу, ты хоть жив.

— Жив.

— У меня ночью было жуткое ощущение. Я не могла заснуть.

— Во сколько это было, Пег, во сколько?

— В четыре. А что?

— Господи Иисусе!

— Да что такое?

— Ничего. Я тоже не мог заснуть. А как там в Мехико-Сити?

— Полно смертей.

— Боже, я думал, это только у нас.

— Что?

— Да ничего. Господи, как хорошо услышать твой голос.

— Скажи что-нибудь.

Я сказал.

— Скажи еще раз!

— Почему ты кричишь, Пег?

— Не знаю. Нет, знаю. Когда, черт тебя возьми, ты предложишь мне выйти за тебя?

— Пег,— пробормотал я в замешательстве.

— Ну так все же когда?

— Но у меня тридцать долларов в неделю, сорок, если повезет, неделями вообще пусто, и месяцами тоже ни гроша.

— Я дам обет жить в бедности.

— Ну ясно.

— Дам обет. И буду дома через десять дней. И дам два обета.

— Десять дней что десять лет.

— Почему женщинам всегда приходится самим просить руки у мужчин?

— Потому что мы трусы и всего боимся больше, чем вы.

— Я буду тебя защищать.

— Ничего себе разговор. — Я вспомнил о своей двери ночью, о том, как на ней висело что-то страшное, как это «что-то» опустилось мне на постель. — Ты лучше поспеши.

— Ты помнишь мое лицо? — вдруг спросила Пег.

— Что?

— Помнишь ведь, правда? А то, знаешь, ровно час назад случился жуткий кошмар — я не могла вспомнить, как ты выглядишь, не могла вспомнить, какого цвета у тебя глаза, и подумала: какая я дура, что не захватила твою фотографию. Но все прошло. Меня ужасно испугало, что я могу забыть тебя. Ты ведь меня никогда не забываешь, правда?

Я не сказал ей, что всего лишь накануне забыл, какие у нее глаза, и целый час не мог прийти в себя — это было похоже на смерть, только я не мог сообразить, кто из нас умер — Пег или я.

— Легче тебе, когда ты слышишь мой голос?

— Да.

— Я теперь с тобой? Видишь мои глаза?

— Да.

— Ради бога, как только повесишь трубку, сразу отправь мне свое фото. Я не хочу больше так пугаться.

— Но у меня только паршивенькая фотка за двадцать пять центов, я...

— Вот и пришли ее. Нельзя мне было уезжать сюда и оставлять тебя одного, без всякой защиты.

— Говоришь так, будто я — твой ребенок.

— А кто же ты?

— Не знаю. А любовь может защитить людей, Пег?

— Должна. Если моя любовь тебя не защитит, я этого Богу никогда не прощу. Давай еще поговорим. Пока мы говорим, любовь с нами и ты в порядке.

— Я уже в порядке. Ты меня вылечила. Скверно мне было сегодня, Пег. Ничего серьезного. Что-то съел, наверно. Но сейчас все в норме.

— Вернусь и сразу перееду к тебе, что бы ты там ни говорил. Если поженимся — прекрасно. Тебе просто придется смириться с тем, что работать буду я, пока ты заканчиваешь свою Великую Американскую Эпопею. И хватит об этом, молчи! Когда-нибудь потом поможешь мне!

— Ты уже командуешь?

— Конечно, я же не хочу вешать трубку, а хочу, чтобы мы говорили весь день, но понимаю — тебе это влетит в копеечку. Скажи мне еще раз то, что я хочу услышать.

Я сказал.

И она исчезла. В трубке зажужжало, а я остался наедине с куском кабеля длиной две тысячи миль и миллиардом еле слышных шорохов и шепотков, стремящихся ко мне. Я повесил трубку, чтобы они не успели проникнуть мне в уши и заползти в мозг.

Когда, открыв дверь, я вышел из спальни, Крамли ждал меня возле холодильника — он искал, чем бы подкрепиться.

— Удивлены, откуда я взялся? — рассмеялся он.—Забыли, что вы у меня? Так увлеченно трепались?

— Забыл,— признался я.

И, чувствуя себя совершенно несчастным от своей простуды, взял все, что он протянул мне, вынув из холодильника. Из носа у меня текло.

— Возьмите бумажный платок, малыш,— сказал Крамли.— Забирайте всю коробку. И пока вы здесь,— добавил он,— напомните-ка мне, кто следующий в вашем списке.

— В нашем списке,— поправил его я.

Крамли сузил глаза, нервно провел рукой по лысине и кивнул.

— Список тех, кому еще предстоит умереть в порядке очередности.— Он закрыл глаза, вид у него был подавленный.— Наш список,— повторил он.

Я не стал сразу рассказывать ему про Кэла.

— И заодно,— Крамли отхлебнул пива,— напишите имя убийцы.

— Это должен быть кто-то, кто знает в Венеции, штат Калифорния, всех.

— Тогда это я,— заметил Крамли.

— Не надо так говорить.

— Почему?

— Потому, — ответил я, — что мне делается страшно.

Я составил список.

Составил второй список.

А потом вдруг поймал себя на том, что составляю третий.

Первый список получился короткий — это был перечень возможных убийц, и ни в одну из версий я не верил.

Второй назывался «Жертвы на выбор» и вышел довольно длинный, туда входили те, кто исчезнет в ближайшее время.

Дойдя до середины, я вдруг сообразил, что включаю в него всех венецианских бродяг. Тогда я отвел отдельную страницу для Кэла-парикмахера, пока он не испарился из моей памяти, и еще одну — для Чужака, бегающего по улицам. Еще одну страницу я посвятил всем тем, кто вместе со мной камнем летел в преисподнюю на «русских горках», и еще одну — тому историческому вечеру, когда плавучий кинотеатр мистера Формтеня переплывал Стикс, чтобы бросить якорь на Острове Мертвых и (подумать только!) утопить самого владельца серебряного экрана.

Я отдал последний долг миссис Канарейке, написал целую страницу о стеклянных глазках, собрал все и сложил в свою Говорящую коробку. Эту коробку я держал возле пишущей машинки, там накапливались мои идеи, по утрам они разговаривали со мной, рассказывая, куда бы им хотелось податься и что они намерены учинить. Я лежал в полусне и слушал, а потом вставал, садился за машинку и помогал им отправиться туда, куда им не терпелось попасть, и там они совершали бог знает что; так рождались мои рассказы. То про собаку, которая жаждала разрыть могилу. То про машину времени, мечтающую отправиться в прошлое. То про человека с зелеными крыльями, которому хотелось летать по ночам, когда его никто не видит. То про самого себя, как я скучаю без Пег в своей холодной, будто гроб, кровати.

Один из списков я отвез показать Крамли.

— А чего вы не напечатали их сразу на моей машинке? — удивился он.

— Ваша ко мне еще не привыкла и будет только мешать. А моя меня опережает, так что я едва за ней поспеваю. Вот, взгляните.

Крамли прочел мой список возможных жертв.

— Черт возьми,— пробормотал он,— да вы всунули сюда половину здешней торговой палаты, чуть ли не всех членов «Клуба Львов», владельцев наших прославленных аттракционов на пирсе и блошиного цирка.

Он сложил список и спрятал в карман.

— А почему вы обошли вниманием кое-кого из своих давних друзей, живущих в Лос-Анджелесе?

В груди у меня словно запрыгала ледяная лягушка.

Я тут же представил себе большой дом с комнатами, сдающимися внаем, его темные коридоры, приветливую миссис Гутьеррес и милую Фанни.

Лягушка в груди затрепыхалась еще сильнее.

— Не говорите так,— сказал я.

— А где другой список, с убийцами? Там тоже вся торговая палата?

Я покачал головой.

— Боитесь показать его мне, потому что я и сам из них, — усмехнулся Крамли.

Я вынул из кармана второй лист, взглянул на него и разорвал.

— Где у вас мусорная корзина? — спросил я.

Пока мы разговаривали, на улице напротив владений Крамли появился туман. Он немного помедлил, словно искал меня, а потом, подтверждая мои параноидальные подозрения, проник в сад, накрыл его, словно одеялом, притушил рождественские огни на апельсиновых и лимонных деревьях и окутал цветы, так что им пришлось закрыть чашечки.

— Как он посмел сюда явиться? — возмутился я.

— Как все, — ответил Крамли.

— *Que?* Это Чокнутый?

— *Si*, миссис Гутьеррес.

— Я звоню в офис?

— *Si*, миссис Гутьеррес.

— Фанни зовет вас с балкона.

— Я слышу, миссис Гутьеррес.

Далеко отсюда, в солнечном уголке, там, где не бывает ни мороси, ни тумана, ни дождя и прибой не выбрасывает на берег незваных гостей, в многоквартирном доме, где комнаты сдавались внаем, словно пение сирены, раздавалось сопрано Фанни.

— Скажи ему,— услышал я, как она пропела,— скажи, у меня есть новая запись «Волшебной флейты» Моцарта!

— Она говорит...

— Я слышу ее, миссис Гутьеррес. Передайте ей — слава богу, это благостная музыка.

— Она хочет, чтобы вы ее навестили, соскучилась, говорит, надеется, вы простили ее, так сказала.

За что? — силился я вспомнить.

— Говорит...

Голос Фанни парил в теплом чистом воздухе.

— Скажи, пусть приходит, но никого с собой не приводит.

Эти слова нокаутировали меня. Призраки некогда съеденного мороженого зашевелились и подняли головы у меня в крови. Разве я когда-нибудь приходил к ней не один? Я задумался. Интересно, кого, по ее мнению, я могу привести к ней без приглашения?

И тут я понял.

Халат, что по ночам висит у меня на двери. Пусть там и висит. Канарейки на продажу. Нечего тащить к Фанни их опустевшие клетки. Львиная клетка в канале. Не кати ее перед собой по улицам. Призрак Оперы. Не сдирай его с серебряного экрана, не прячь в карман. Не надо.

«Господи, Фанни,— подумал я.— Неужели туман дополз и до тебя? Неужели добрался до вашего дома? Неужели дождь коснулся твоих дверей?»

Я так громко закричал в телефон, что, наверно, Фанни услышала меня этажом ниже.

— Передайте ей, миссис Гутьеррес, я приду один. Один. Но скажите, что я не знаю, смогу ли прийти.

У меня денег нет даже на трамвай. Может быть, я приду завтра...

— Фанни говорит — если придете, она денег даст.

— Здорово! Но пока в карманах пусто.

И тут я вдруг увидел, что дорогу переходит почтальон и кладет конверт в мой почтовый ящик.

— Не вешайте трубку! — завопил я и побежал.

Письмо было из Нью-Йорка, в конверте лежал чек на тридцать долларов за рассказ, который я только что продал в журнал «Странные истории» (рассказ про человека, который боялся ветра, а тот преследовал его повсюду, от самых Гималаев, и теперь по ночам сотрясал его дом, жаждал забрать его душу).

Бегом я вернулся к телефону и закричал:

— Я иду в банк, если получу деньги, вечером приеду!

Фанни передали мои слова, и прежде, чем наша посредница повесила трубку, Фанни пропела три такта «Арии с колокольчиками» из «Лакме».

Я бросился в банк.

«Кладбищенский туман! — думал я.— Не вздумай пролезть передо мной в трамвай, когда я поеду к Фанни!»

Если пирс был большим «Титаником», плывущим ночью навстречу айсбергу, в то время как пассажиры переставляли стулья на его палубе, а кто-то пел: «Ближе к Тебе, мой Боже!» — и норовил при этом ударить по взрывателю с тротилом...

...то дом с комнатами, сдающимися внаем, на углу Темпла и улицы Фигуэроя, со всеми своими занавесками, жильцами, с нижним бельем, сохнущим на веревках почти во всех окнах, со стиральными машинами, крутящимися как безумные в прачечной на заднем дворе, с запахом мексиканских лепешек и закусок из соленого мяса, пропитавшим все коридоры, — этот многоквартирный дом просто безмятежно плавал посреди пригорода Лос-Анджелеса.

Сам по себе это был маленький остров Эллис, плывущий без руля и без ветрил, населенный людьми из шестнадцати стран. Субботними вечерами на верхних этажах устраивались праздники энчилады и в коридорах танцевали конгу, но в будние дни все двери были закрыты. Люди уходили к себе рано, они работали в центре города на складах готового платья, в дешевых магазинах или в долине на предприятиях, оставшихся от оборонной промышленности, или продавали дешевую бижутерию на Олвера-стрит.

О самом доме никто не заботился. Хозяйка миссис О'Брайен старалась появляться здесь как можно реже: она панически боялась карманников и свято берегла свое семидесятидвухлетнее целомудрие. Если кто и опекал дом, то это Фанни Флорианна, только она умела со своего балкона на втором этаже, словно с балкона оперного театра, так нежно пропеть свои распоряжения, что даже мальчишки в бильярдной через дорогу переставали галдеть и задираться, словно петухи или голуби, подходили к балкону с киями в руках, махали ими и кричали ей «ole!».

На первом этаже жили трое китайцев, ну и, конечно, вездесущие чикано, на третьем — японский джентльмен и шесть молодых людей из Мехико-Сити, у которых был один белый, как мороженое, костюм на всех, и они по очереди щеголяли в нем раз в неделю по вечерам. Там же жили несколько португальцев, ночной сторож с Гаити, два торговца с Филиппин и еще несколько чикано. На последнем этаже жила миссис Гутьеррес — обладательница единственного в доме телефона.

Второй этаж почти весь занимала Фанни и ее триста восемьдесят фунтов. Здесь же жили две сестры — старые девы из Испании, торговец ювелирными изделиями из Египта и две леди из Монтеррей, про которых судачили, будто они за скромную плату продают свои милости проигравшимся и сластолюбивым игрокам в пул, если тем поздними вечерами по пятницам удается без посторонней помощи вскарабкаться по лестнице. «Каждая мышка в свою норку», — говорила Фанни.

Мне доставляло удовольствие постоять в сумерках возле дома, послушать доносящиеся из всех окон веселые звуки радио и смех, вдохнуть запахи приготовляемой еды.

Я рад был войти в этот дом и встретиться с его обитателями.

Подвести итог жизни некоторых людей очень просто — эта жизнь все равно что стук хлопнувшей двери или кашель, раздавшийся на темной улице.

Вы выглядываете в окно, а улица пуста. Тот, кто кашлянул, уже исчез.

Есть люди, доживающие до тридцати, до сорока лет, но они ничем не привлекают к себе внимания, их жизни проходят незаметно, невидимо, догорают быстро, как свечи.

В доме и вокруг него ютилось немало таких незаметных, почти невидимых людей разного рода, которые хоть и жили там, но их словно и вовсе не было.

Например, там обитали Сэм, Джимми и Пьетро Массинелло и еще один весьма примечательный слепец Генри, черный, как темные коридоры, по которым он шествовал, преисполненный своей негритянской гордости.

Всем или большинству из них суждено было в течение нескольких дней исчезнуть, причем все исчезали по-разному, один за другим. И поскольку это произошло быстро и так неодинаково, никто не придал этому значения, и даже я мог бы не обратить внимания на их последнее прости.

Сэм.

Сэм был мексиканец, нелегально перебравшийся в Америку, чтобы мыть посуду, побираться, покупать дешевое вино, пропадать где-то по нескольку дней, а потом снова появляться, как блуждающий по ночам мертвец, снова мыть посуду, снова попрошайничать, надуваться дешевым контрабандным вином. По-испански он говорил плохо, по-английски еще хуже, так как еле ворочал языком, переставшим его слушаться из-за пристрастия к мускателю. Никто не понимал, что он хочет сказать, да никого это и не интересовало. Спал он в подвальном этаже и никому не мешал.

Вот и все про Сэма.

Понять, что хочет сказать Джимми, тоже было невозможно, но не из-за вина, а потому, что кто-то украл у него челюсти. Зубы, бесплатно сделанные для него городским управлением здравоохранения, кто-то похитил ночью, когда он довольно опрометчиво решил переночевать в ночлежке на Мейн-стрит. Их украли из стакана с водой, который стоял возле его подушки. Когда Джимми проснулся, его широкая белозубая улыбка исчезла навсегда. Джимми, беззубый, но подбодренный джином, вернулся в дом навеселе, демонстрировал всем свои розовые десны и хохотал. Потеря зубных протезов и чешский акцент иммигранта делали его речь такой же нечленораздельной, как у Сэма. Он спал в пустых ваннах, ложился в три ночи, а днем выполнял самую разную работу вокруг дома и много смеялся без всяких на то причин.

Это все про Джимми.

Пьетро Массинелло заменял собой целый цирк, ему, как и другим, разрешали в декабре переселять всех его веселых артистов — собак, кошек, гусей и попугаев — с крыши, где они жили летом, в кладовку в подвальном этаже. Там они уже много лет пережидали зиму под попурри из лая и гоготания, то ссорясь друг с другом, то погружаясь в дремоту. Пьетро можно было встретить на улицах Лос-Анджелеса; он шагал, сопровождаемый стадом обожающих его животных, собаки виляли хвостами, на каждом плече Пьетро восседал попугай, утки переваливались следом, он носил с собой портативный заводной патефон, ставил его на углу улицы, и под звуки вальса «Сказки Венского леса» собаки танцевали, а прохожие бросали Пьетро кто сколько мог. Это был маленький человек с колокольчиками на шляпе, с подведенными черным большими наивными безумными глазами, к его обшлагам и петлицам были пришиты бубенчики. Он не говорил с людьми. Он пел.

На двери его, примыкавшей к подвалу каморки, красовалась вывеска «КОРМУШКА», там все дышало любовью — животные обожали своего чудаковатого хозяина, который преданно за ними ухаживал, ласкал и баловал.

Это все про Пьетро Массинелло.

Генри — слепой негр — был еще более своеобразен, не только потому, что в отличие от Сэма и Джимми отчетливо и понятно говорил, но и потому, что, сколько мы его помнили, никогда не пользовался тростью и сумел выжить, когда другие незаметно, без похоронных маршей, однажды ночью покинули этот мир навсегда.

Когда я вошел в дом, Генри ждал меня.

Ждал в темноте, притаившись у стены, лицо у него было такое черное, что я его даже не заметил.

И обомлел, увидев его глаза, незрячие, но с яркими белками.

Я подошел к нему, от удивления раскрыв рот.

— Генри? Это ты?

— Испугал тебя, да? — Генри улыбнулся, потом вспомнил, зачем он здесь.— Тебя жду,— сказал он, понизив голос и оглядываясь, словно мог увидеть какие-то тени.

— Что-то не так, Генри?

— Да. Нет. Не знаю. Все изменилось. Наш дом уже не тот. Люди нервничают, даже я.

Я увидел, как он пошарил правой рукой в темноте, нащупал полосатую, как мятная конфета, трость и крепко сжал ее. Раньше я не замечал, чтобы он пользовался тростью. Я пристально всмотрелся в нее: закругленный конец казался тяжелым — похоже, туда залили немало свинца. Это была не трость слепого. Это было оружие.

— Генри! — удивленно прошептал я.

Некоторое время мы стояли молча, я внимательно вглядывался в него, но ничего необычного не заметил.

Слепой Генри.

Он все держал в памяти. Гордясь собой, он высчитал и заучил, сколькими шагами измеряется его квартал, сколькими следующий и следующий за ним. Знал, сколько шагов требуется, чтобы перейти улицу на одном перекрестке, сколько — на другом. С надменной уверенностью он мог перечислить названия улиц, по которым проходил, определить, что проходит мимо мясника или мимо чистильщика сапог, мимо аптеки или бильярдной — он узнавал их по запаху. Даже если лавки были закрыты, он слышал запахи кошерных блюд, различал сорта табака в запечатанных коробках, узнавал по запаху африканской слоновой кости бильярдные шары, убранные в свои гнезда и запертые там, ощущал, как возбуждающе потягивало с заправочной станции, когда там наполняли бак, а Генри шел своей дорогой, глядел прямо перед собой, без черных очков, без трости, только слегка шевелил губами, отсчитывая шаги, сворачивал в пивную Эла, уверенно проходил между занятыми столиками прямо к свободному стулу у рояля, садился, протягивал руку к кружке пива, которую Эл перед его приходом неизменно ставил на определенное место, исполнял на рояле ровно три мелодии, в том числе регтайм «Кленовый лист», — и, увы, куда лучше, чем брадобрей Кэл,— допивал пиво и удалялся в темноту, где чувствовал себя хозяином, снова отсчитывал шаги и повороты, направляясь домой, окликал невидимых знакомых, называя их по именам, гордый своими скрытыми талантами; путь ему указывали чуткий на запахи нос да ноги, крепкие и мускулистые благодаря ежедневным десяти милям, которые он проходил по городу.

Если вы пытались помочь ему перейти через дорогу, что я однажды опрометчиво сделал, он отдергивал локоть и обращал к вам такое гневное лицо, что вы сразу заливались краской.

— Не трогайте,— шипел он.— Не путайте меня. Я из-за вас сбился. Где я был? — Он, словно щелкая костяшками счетов, скрывавшихся у него в голове, производил в уме какие-то вычисления, пересчитывал свои косички.— Ага! Значит, так. Тридцать пять поперек улицы, тридцать семь на той стороне.— И он двигался дальше, один, оставив вас на тротуаре, шел, как на параде,— тридцать шагов через Темпл в одну сторону, тридцать семь — в другую, через Фигуэроя. Несуществующая трость отбивала ритм. Он маршировал, ей-богу, он по-настоящему маршировал!

И это он — Генри, не имевший фамилии, Генри-слепец, прислушивавшийся к ветру, знавший все трещины на тротуаре, изучивший запах пыли в своем большом доме, это он первый предупреждал, если что-то было не так на лестницах, если ночь слишком тяжело наваливалась на крышу, если в холлах пахло незнакомым потом.

И сейчас, поздним вечером, когда улицы и коридоры дома погрузились в полную темноту, Генри стоял в вестибюле, прижавшись к потрескавшейся стене. Глаза у него были закрыты, глазные яблоки двигались под веками, ноздри раздувались, колени слегка согнулись, словно кто-то стукнул его по голове. Темные пальцы сжимали трость. Он к чему-то прислушивался, так напряженно прислушивался, что я невольно обернулся и стал вглядываться в длинный глухой коридор, ведущий в дальний конец дома, где была настежь распахнута задняя дверь и чего-то ждала еще более темная ночь.

— Что случилось, Генри? — снова спросил я.

— Обещаешь, что не скажешь Флорианне? Фанни теряет голову, если расскажешь ей что-то нехорошее. Обещаешь?

— Конечно, Генри, я не стану расстраивать ее.

— Куда ты подевался в последние дни?

— У меня были свои заботы, Генри. И я совсем обнищал. Мог, конечно, доехать на попутках, но... да ладно.

— Тут столько случилось всего за сорок восемь часов. Пьетро, он сам, его собаки, и птички, и гуси, а ты знаешь, какие у него кошки?

— Так что же с Пьетро?

— Кто-то заложил его. Позвонил в полицию. Сказал — он мешает. Пришли полицейские, забрали всех его любимцев, увели его. Ему удалось кое-кого пристроить. Я получил его кошку, живет теперь у меня в комнате. Миссис Гутьеррес взяла еще одну собаку. Когда его уводили, Пьетро плакал. Никогда не слышал, чтобы мужчина так плакал. Ужас просто.

— Кто же на него донес? — Я и сам расстроился. Я видел, как собаки обожали Пьетро, видел, с какой любовью за ним хвостом ходили кошки и гуси, вспомнил, как на его шляпе с колокольчиками сидели канарейки и как сам он половину моей жизни плясал на улицах.

— Кто же заложил его, Генри?

— В том-то и беда, что никто не знает. Просто явились копы и сказали: «Давай!» — и все его любимцы исчезли навсегда, а Пьетро посадили: то ли он мешал кому-то, то ли затеял скандал перед домом, ударил кого-то, набросился на полицейского. Никто не знает, в чем дело. Но кто-то на него донес. Только это еще не все...

— Что же еще? — спросил я, прислоняясь к стене.

— Сэм.

— А с ним что?

— Он в больнице. Напился вдрызг. Кто-то поднес ему две кварты чего-то сильно крепкого. Этот идиот сразу все выпил. Ну и как это называется? Острый алкоголизм. Будет Божья воля, так доживет до завтра. Никто не знает, кто его угостил. Но самое-то плохое — Джимми, вот это хуже всего!

— Господи! — прошептал я.— Дай-ка я присяду.— Я сел на ступеньку лестницы, ведущей на второй этаж.— Вот уж поистине «Ничего новенького, или Отчего собака сдохла»!

— Что?

— Старая пластинка на семьдесят восемь оборотов. Пользовалась успехом, когда я был мальчишкой. Называлась «Ничего новенького, или Отчего собака сдохла». Собака наелась горелого овса в сгоревшем амбаре. Почему сгорел амбар? Из дома долетели искры, вот он и сгорел. Искры из дома? В доме стоял гроб, вокруг свечи. Свечи вокруг гроба? Умер чей-то дядя... И так далее, и так далее. А все кончилось тем, что собака наелась горелого овса и сдохла. В общем, «ничего новенького». Это твои рассказы так на меня подействовали, Генри. Ты уж прости. Мне очень жаль.

— Вот именно, жаль. Так вот, про Джимми. Знаешь, где он спит по ночам? То на одном этаже, то на другом. А раз в неделю раздевается и залезает в ванну на третьем этаже мыться. Или на первом, в умывальной. Ну, сам знаешь. И вот как раз вчера он забрался в полную ванну, перевернулся и утонул.

— Утонул!

— Утонул. Глупо, верно? И какой позор, если об этом напишут на могильной плите, хотя никакой плиты у него, ясное дело, не будет. Похоронят на кладбище для бродяг. Найден в ванне, полной грязной воды. Перевернулся. Был такой пьяный, что заснул в ванне и захлебнулся. И ведь как раз на этой неделе он получил новые зубы. А зубы-то исчезли, что ты на это скажешь? Его нашли в ванне, утонувшего. А зубов-то нет.

— О господи! — воскликнул я, подавив не то смех, не то рыдание.

— Вот именно. Помянем Господа. Он нас всех спасет. — У Генри задрожал голос. — Теперь ты понимаешь, почему я не хочу, чтобы ты сказал об этом Фанни? Мы ей расскажем потом, понемногу. Будем сообщать каждую неделю о каком-то одном случае. Растянем на несколько недель. Пьетро Массинелло в тюрьме, его собаки пропали, кошки разбежались, гусей сварили. Сэм в больнице. Джимми утонул. А я? Взгляни на мой платок. Я его комкаю в кулаке. Он весь мокрый от слез. Я не слишком-то хорошо себя чувствую.

— Да уж, сейчас вряд ли кто чувствует себя хорошо.

— А теперь, — Генри безошибочно протянул руку туда, откуда раздавался мой голос, и мягко коснулся моего плеча, — а теперь поднимайся и изволь быть веселым. Повесели Фанни.

Я постучал в дверь Фанни.

— Слава богу! — донесся до меня ее голос.

Казалось, будто пароход поднялся вверх по течению, широко распахнул дверь и, вспенивая воду, по линолеуму вернулся назад.

Снова втискиваясь в свое кресло, Фанни взглянула на меня и спросила:

— Что стряслось?

— Стряслось? Господи. — Я повернулся и посмотрел на дверную ручку, за которую все еще держался. — Ты что, никогда не запираешь дверь?

— А зачем? Кому придет в голову врываться сюда и штурмовать Бастилию? — Но Фанни не смеялась. У нее был настороженный вид. Как и у Генри, нос у нее был чуткий. А меня бросило в пот.

Я закрыл дверь и сел в кресло.

— Кто умер? — спросила Фанни.

— Умер? Что ты хочешь сказать? — запинаясь, ответил я вопросом на вопрос.

— У тебя такое лицо, будто ты только что с китайских похорон и очень проголодался. — Она сделала попытку улыбнуться, но только поморгала.

— Ах да,— нашелся я.— Меня Генри напугал в вестибюле, вот и все. Ты же его знаешь. Входишь в дом, а его в темноте не видно.

— Какой ты никудышный враль! — возмутилась Фанни.— Где ты пропадал? Я извелась, дожидаясь, когда ты наконец явишься. Ты когда-нибудь уставал оттого, что ждешь? Я так ждала тебя, дорогой мой, боялась, не случилось ли чего. Ты, наверно, грустил?

— Очень грустил, Фанни.

— Ну вот. Я так и знала... Это из-за того ужасного старика в львиной клетке? Так ведь? Как он смел огорчить тебя?

— От него это не зависело, Фанни,— вздохнул я.— Наверно, он предпочел бы остаться в билетной кассе и подсчитывать конфетти у себя на жилете.

— Ну ладно. Фанни тебя развеселит. Не опустишь ли иголку на пластинку, дорогой? Да, это она, Моцарт. Под него можно петь и танцевать. Как-нибудь пригласим сюда Пьетро Массинелло, хорошо? «Волшебная флейта» как раз для него. И пусть приведет свой зверинец.

— Конечно, Фанни.

Я опустил иголку, пластинка многообещающе зашипела.

— Бедный мальчик,— вздохнула Фанни.— У тебя и впрямь несчастный вид.

Кто-то тихо поскреб по двери.

— Это Генри,— сказала Фанни.— Он никогда не стучится.

Я пошел открывать и услышал голос Генри в коридоре:

— Это я.

Я распахнул дверь, и Генри потянул носом.

— Мятная жвачка. По ней я тебя и узнаю. Ты вообще-то жуешь что-нибудь другое?

— Не жую, даже табак.

— Твой кеб здесь.

— Мой... что?

— С каких это пор ты можешь позволить себе такси? — изумилась Фанни, щеки у нее порозовели, глаза зажглись. Мы провели чудесные два часа с Моцартом, и вокруг нашей внушительной леди даже воздух светился. — Ну так в чем дело?

— Вот именно. С каких это пор я могу себе позволить...— проговорил я и прикусил язык, потому что Генри, оставаясь за дверью, предостерегающе покачал головой. И осторожно приложил палец к губам.

— Так это твой друг. Таксер. Знает тебя по Венеции. Ясно?

— Ясно! — ответил я, нахмурившись.— Раз ты так говоришь...

— Да, и вот еще что. Это для Фанни. Пьетро просил ей передать. У него внизу так тесно, совсем места нет.

Он вручил мне пушистого мурлыкающего кота, белого в рыжих и черных пятнах.

Я взял его на руки и понес эту мягкую ношу к Фанни, а та, взяв кота, и сама замурлыкала.

— О боже! — воскликнула она, радуясь и Моцарту, и пестрому коту.— Ну и кот! Прямо мечта!

Генри кивнул ей, кивнул мне и скрылся в коридоре.

Я подошел к Фанни и крепко обнял ее.

— Ты только послушай, послушай, какой у него моторчик! — воскликнула она, поднимая кота, толстого, как подушка, и целуя его.

— Запри дверь, Фанни,— попросил я.

— Что? — удивилась она.— Зачем?

По дороге вниз я нашел Генри, он все еще чего-то ждал, притаившись у стены.

— Генри, ради бога, что ты тут делаешь?

— Прислушиваюсь,— ответил он.

— К чему?

— К дому. К этому месту. Ш-ш-ш! Осторожно. Ну вот!

Он поднял трость и, словно антенну, направил ее в глубину коридора.

— Там. Ты... слышишь?

Где-то шелестел ветер. Где-то далеко, сквозь темноту пробежало легкое дуновение. Скрипнули балки. Кто-то вздохнул. Застонала дверь.

— Ничего не слышу.

— Потому что стараешься. Не надо стараться. Стой спокойно. Просто слушай. А сейчас?

Я прислушался. У меня по спине пробежал холодок.

— Кто-то в доме есть,— прошептал Генри.— Кто-то чужой. Я чую. Я не дурак. Наверху кто-то есть, бродит, замышляет недоброе.

— Не может быть, Генри.

— Так и есть,— прошептал он.— Это я, слепой, тебе говорю. Чужой. Плохой. Генри знает, что говорит. Не послушаешься, упадешь с лестницы или...

«Утону в ванне»,— подумал я. А вслух сказал:

— Будешь стоять тут всю ночь?

— Кто-то же должен сторожить.

«Слепой?!» — подумал я.

Он прочитал мои мысли. Кивнул.

— Ну ясно. Старый Генри. А как же? А теперь беги. Там, у входа, огромный сногсшибательный «дьюсенберг», пахнет — помереть можно! Никакое это не такси. Я соврал. Кто может заехать за тобой так поздно? Кого-нибудь знаешь с такой шикарной машиной?

— Никого.

— Ну иди. Я поберегу Фанни для нас. А вот кто теперь позаботится о Пьетро? Ни Джимми нет, ни Сэма.

Я пошел к выходу, из одной ночи в другую.

— Да, еще одно...

Я остановился. Генри сказал:

— А что за дурные новости ты принес сегодня и ничего не сказал? Ни мне, ни Фанни?

Я рот раскрыл.

— Откуда ты знаешь?

Я подумал о леди с канарейками, как она, завернутая в простыни, молча опускается на дно реки и скрывается из виду. Подумал о Кэле, о том, как крышка пианино прихлопнула ему пальцы, исполнявшие «Кленовый лист».

— Хоть ты и жуешь мятную жвачку, — рассудительно заметил Генри, — дыхание у тебя, молодой сэр, сегодня несвежее. А значит, пищу ты перевариваешь плохо. Это значит, плохой для писак выдался день, до нутра пробрало.

— День был для всех плохой, Генри.

— Ну, я пока еще здесь пофырчу и порычу. — Генри выпрямился и потряс тростью, целясь в коридор, где сгущалась тьма, перегорели лампочки и тихо оплывали души.

— Генри — сторожевой пес. А теперь — марш!

Я вышел из дому к машине, которая не только пахла, но и на самом деле была «дьюсенбергом» выпуска двадцать восьмого года.

Перед входом стоял лимузин Констанции Раттиган.

Длинный, сверкающий, роскошный, словно витрина магазина на Пятой авеню, неизвестно как оказавшаяся на убогой окраине Лос-Анджелеса.

Задняя дверца была распахнута. Шофер на переднем сиденье низко надвинул на глаза фуражку и смотрел прямо перед собой. Он даже не взглянул на меня. Я пытался привлечь его внимание, но лимузин ждал, мотор ворчал, и я только тянул время.

В жизни не ездил в такой машине! Может, это мой единственный и последний шанс.

Я прыгнул внутрь.

Не успел я устроиться сзади, как лимузин тронулся с места и одним плавным движением, словно боа-констриктор, отполз от тротуара. Задняя дверца захлопнулась за мной, мы рванулись вперед, и при выезде из квартала наша скорость составляла уже шестьдесят миль в час. А Темпл-Хилл мы взяли приступом на скорости в семьдесят пять миль. До Вермонта ухитрились домчаться по зеленой волне, там свернули на Уилшир и понеслись в Уэствуд, хотя необходимости в этом не было, но, наверно, так казалось эффектней.

Я сидел на заднем сиденье, как Роберт Армстронг на коленях у Кинг-Конга, ликуя и воркуя что-то себе под нос. Я знал, куда еду, но не мог понять, за что мне такое счастье.

Потом я вспомнил вечера, когда приходил навестить Фанни и слышал у ее дверей такой же аромат «Шанели», кожи и парижских ночей, какой вдыхал сейчас. Видно, Констанция Раттиган бывала у Фанни за несколько минут до меня. Можно сказать, что мы с ней не раз разминулись всего на волосок норки, на выдох, благоухающий французскими духами.

Перед поворотом в Уэствуде мы проехали мимо кладбища, так неудобно расположенного, что стоило зазеваться, как тут же попадаешь на его парковку. А ведь могло случиться и наоборот — пришлось бы искать стоянку, колеся по кладбищу между могилами! Занятно!

Прежде чем я успел это обдумать, и кладбище, и парковка остались позади, и мы уже были на полпути к океану.

В Венеции и Уиндворде мы ехали вдоль берега. Легко и быстро, словно мелкий дождичек, проскочили мимо моей тесной квартиры. В окне, возле которого стояла моя машинка, мерцал слабый свет. «Интересно, — подумал я, — может, на самом деле я сижу там, а все это мне только снится?» Позади осталась моя покинутая телефонная будка и Пег на другом конце молчащего провода, за две тысячи миль отсюда. «Ах, Пег, — подумал я, — видела бы ты меня сейчас!»

Ровно в полночь мы свернули к задним воротам белой мавританской крепости, и лимузин остановился так мягко, как накатывает волна на песок; хлопнула дверца, шофер, не став разговорчивей после долгой поездки, в полном молчании быстро скрылся в задних дверях форта. И больше не появлялся.

Целую минуту я ждал, что будет дальше. Но ничего не дождался, вылез из машины, как воришка, чувствуя себя без вины виноватым и подумывая, не лучше ли удрать?

В верхнем этаже я заметил темную фигуру. Шофер ходил по мавританской крепости, возведенной на венецианских песках, и зажигал везде свет.

Я покорно ждал. И смотрел на часы. Когда минутная стрелка проползла последнюю секунду последней минуты, над входом в крепость вспыхнули огни.

Я поднялся к открытой двери и вошел в пустой дом. Где-то далеко, в холле, я увидел маленькую фигурку, она сновала по кухне, готовила напитки. Невысокая девушка в форме горничной. Она помахала мне и убежала.

Я вошел в гостиную, где расположилась целая стая подушек размерами от шпицев до датских догов. Я сел на самую большую и сразу утонул в ней, вдобавок к тому, что сердце у меня и так уходило в пятки.

В комнату вбежала служанка, поставила поднос с двумя бокалами и тут же умчалась, я даже не успел ее рассмотреть (в комнате горела только свеча). Служанка бросила через плечо:

— Пейте! — не то с французским, не то с каким-то другим акцентом.

В бокале оказалось холодное белое вино из самых лучших, сейчас оно было мне просто необходимо. Моя простуда усилилась. Я не переставая чихал и шмыгал носом.

В две тысячи семьдесят восьмом году при раскопках на побережье Калифорнии, где, по слухам, некогда правили короли и королевы, которых потом смыло приливом, была обнаружена древняя могила или то, что приняли за могилу. Говорили, будто иных из правителей хоронили с их колесницами, других с реликвиями — свидетельствами их великолепия и высокомерия. А были и такие, кто оставил после себя только изображения, хранящиеся в странных коробках, и если рассматривать эти изображения на свет, да еще намотать их на бобину, то они начинали говорить, и на экранах возникали целые представления черно-белых теней.

Так вот. В одной из обнаруженных и вскрытых могил была похоронена королева, в ее склепе даже пылинки не было, не было в нем и мебели, только подушки на полу, а вокруг ряд за рядом штабелями поднимались до самого потолка коробки с наклейками, на наклейках значились названия всех прожитых королевой жизней. Но все эти жизни только казались настоящими, на самом деле их вовсе не было. То были грезы, законсервированные и укупоренные в жестянки. Из коробок слышались возгласы джиннов, в них скрывались и принцессы — они прятались там от убийственной реальности, мечтая сохраниться для вечности. В каком-то далеком году, затерявшемся под слоем песка и воды, эта гробница находилась по адресу: Калифорния, Венеция, Океанское побережье, Спидвей, 27. А звали королеву, фильмы которой, спрятанные в коробки, заполняли комнату от пола до потолка,— Констанция Раттиган.

И вот я сидел в этой комнате, ждал и размышлял.

Я надеялся, что она не окажется похожей на леди с канарейками. Надеялся, что увижу не мумию с запорошенными пылью глазами.

И надеялся не зря.

Вторая после Никотрис египетская царица наконец появилась. Она вошла без всякой торжественности, на ней не было ни вечернего туалета из серебристых кружев, ни даже элегантного платья с шарфом, ни брючного костюма.

Я почувствовал, что она стоит в дверях, еще до того, как она заговорила. И что же я увидел?

Женщину около пяти футов роста в черном купальном костюме с неправдоподобно загорелым телом и лицом, смуглым, как мускатный орех или корица. Стриженые волосы — светло-каштановые с проседью — лежали как им вздумается, словно она только коснулась их гребнем и оставила в покое. Тело у нее было стройное, крепкое, быстрое, и сухожилия ног вовсе не казались перерезанными. Она босиком стремительно перешла комнату и остановилась, глядя на меня сверху вниз блестящими глазами.

— Ты хороший пловец?

— Неплохой.

— Сколько раз переплывешь мой бассейн из конца в конец? — Кивком она показала на большое изумрудное озеро за доходящими до пола окнами.

— Двадцать.

— А я сорок пять. И каждому моему знакомому, прежде чем я пущу его к себе в постель, приходится переплывать его сорок раз.

— А я, выходит, не выдержал экзамен.

— Констанция Раттиган,— представилась она, схватив мою руку и крепко ее пожав.

— Знаю,— ответил я.

Она отступила на шаг и оглядела меня с головы до ног.

— Значит, это ты жуешь мятную жвачку и любишь «Тоску»,— сказала она.

— А вы, значит, говорили и со слепцом Генри, и с Флорианной?

— Верно. Подожди здесь. Если я не окунусь на ночь, я засну прямо при тебе.

Я не успел ответить, как она уже нырнула через окно, переплыла бассейн и устремилась в океан. Первая же волна накрыла ее с головой, и она исчезла из виду.

Я подумал, что, когда она вернется, ей не захочется вина. И пошел на кухню — голландскую, белую, как сливки, голубую, как небо, полную аромата готового кофе, возвещающего начало нового дня,— и обнаружил булькающий кофейник с ситечком. Я взглянул на свои дешевые часы — почти час ночи. Налил кофе для двоих, отнес его на веранду, выходящую на изумрудно-голубой бассейн, и стал ждать.

— Да! — воскликнула Констанция, отряхиваясь по-собачьи прямо на пол. Схватив чашку, она отпила кофе и, наверно, обожгла губы.— Так начинается мой день,— сказала она, продолжая пить.

— Когда же вы ложитесь?

— Иногда на рассвете, как все вампиры. Не терплю полдень.

— Откуда тогда у вас такой загар?

— Лампа солнечного света в подвальном этаже. Почему ты так смотришь?

— Потому, — начал я, — потому, что вы совсем не такая, какой я вас представлял. Я думал, вы похожи на Норму Десмонд в том фильме, что сейчас вышел на экраны. Вы его видели?

— Я прожила его, черт побери! Половина фильма — про меня, остальное — мура. Эта дуреха Норма хочет сделать себе новую карьеру. А я почти всегда хочу только одного — забиться к себе в берлогу и не показываться. Хватит с меня продюсеров, хватающих за коленки, директоров, норовящих завалить тебя на матрас, зануд писателей и трусливых сценаристов. Не принимай на свой счет. Ты ведь писатель?

— Да, черт возьми.

— В тебе что-то есть, малыш! Держись подальше от кино. Они выжмут тебя как губку. О чем это я говорила? Ах да. Уже давно я отдала все свои шикарные наряды на распродажу в Голливуд. Я бываю на премьерах, наверно, раз в год, и то переодевшись кем-нибудь другим. Раз в два месяца завтракаю у Сарди или в «Дерби» с кем-нибудь из старых приятелей, а потом опять скрываюсь в своей норе. К Фанни заезжаю примерно раз в месяц, обычно в это время. Она такая же полуночница, как твоя покорная слуга.

Констанция допила кофе и стала вытираться большим мягким желтым полотенцем, оно прекрасно оттеняло ее загорелую кожу. Накинула его на плечи и снова внимательно посмотрела на меня. Мне хватило времени как следует рассмотреть эту женщину, которая была и не была Констанцией Раттиган, великой королевой экрана времен моего детства. Тогда по полотну скользила обольстительная коварная женщина, завлекавшая в свои сети мужчин, темноволосая, восхитительно стройная. Сейчас передо мной была сожженная солнцем, обитающая в песках пустыни мышь, быстрая, проворная, без возраста, вся — словно смесь мускатного ореха, корицы и меда. Мы стояли с ней, обдуваемые ночным ветром, у стен ее мечети возле средиземноморского бассейна. Я взглянул на этот дом и подумал: «Ни радио, ни телевизора, ни газет». Констанция мгновенно прочитала мои мысли.

— Верно! В гостиной только кинопроектор и кинопленки. Время хорошо работает лишь в одном направлении — назад, в прошлое. Я управляю прошлым. И, черт побери, знать не знаю, что делать с настоящим. А будущее? Ну его к дьяволу! Я в него не собираюсь, знать его не хочу и тебя возненавижу, если будешь меня в него заманивать. Моя жизнь превосходна.

Я оглядел освещенные окна ее дома, представил себе комнаты за ними, поглядел на оставленный возле мечети лимузин.

Она вдруг занервничала, сорвалась с места, убежала и вернулась, неся с собой белое вино. Налила его в стаканы, приговаривая:

— Какого черта! Пей, я...

Она протянула мне стакан с вином, а я неожиданно для самого себя рассмеялся. Меня словно прорвало. Я хохотал до колик.

— В чем дело? — удивилась она, только что не отнимая у меня стакан. — Что смешного?

— Вы, — задыхаясь от смеха, прорычал я. — Ведь это вы — и шофер, и горничная. Горничная, шофер — и все это вы!

Я показал на кухню, на лимузин, на нее.

Констанция поняла, что я ее разгадал, и, разделяя мое веселье, закинула голову и залилась звонким, искренним смехом.

— Ну, малыш, попал в самую точку. Господи, а я-то думала, что хорошо сыграла.

— Так и есть! — воскликнул я. — Вы потрясающая! Но когда вы передавали мне вино, я заметил что-то знакомое в движении вашей руки. Я же видел руки шофера на руле. И пальцы горничной, державшие поднос. Констанция... То есть я хочу сказать, мисс Раттиган...

— Констанция...

— Вы могли бы продолжать этот маскарад еще долго, — сказал я. — Вас выдало какое-то легкое движение.

Она убежала, тут же вернулась, игривая, как комнатная собачка, на голове у нее красовалась шоферская фуражка, она ее сбросила, надела наколку горничной, щеки порозовели, глаза сияли.

— Чью задницу хочешь ущипнуть? Шофера? Или горничной?

— У всех троих задницы что надо!

Она снова наполнила мой стакан, отбросила в сторону и фуражку, и наколку и сказала:

— Это единственное мое развлечение. Уже много лет нет никакой работы, вот я и придумываю ее для себя сама. Инкогнито разъезжаю по ночам по городу. Вечерами делаю покупки, одетая как служанка.

Сама управляюсь с проекционным оборудованием, сама мою лимузин. А еще я неплохая куртизанка, если тебе куртизанки по душе. В двадцать третьем году я зарабатывала по пятьдесят баксов за ночь, приличные «бабки», тогда ведь доллар был долларом, и за два бакса можно было пообедать.

Мы перестали хохотать, вернулись в дом и опустились на подушки.

— Зачем все эти тайны? Зачем ночные прогулки? — спросил я.— А днем вы когда-нибудь выходите?

— Только на похороны. Понимаешь...— Констанция отхлебнула кофе и откинулась на подушки, похожие на свору собак.— Я не слишком жалую людей. Еще в молодости они стали сильно меня раздражать. Наверно, продюсеры оставили на моей коже слишком много отпечатков пальцев. А вообще не так плохо играть в хозяйку дома в одиночестве.

— А при чем тут я? — спросил я Констанцию.

— Ты — друг Фанни, это раз. Во-вторых, мне кажется, ты хороший мальчик. Способный, но безмозглый, то есть я хочу сказать — неискушенный. Этакие большие синие глаза, совсем наивные. Жизнь еще не достала тебя, правда? Надеюсь, и не достанет. Ты кажешься мне надежным, довольно симпатичным и забавным. Хотя никакой физподготовки, так ведь теперь выражаются — «физподготовка»? А это значит, что я не собираюсь тащить тебя в спальню. Так что твоей девственности ничего не угрожает.

— Я не девственник.

— Может быть. Но выглядишь, черт тебя побери, именно так!

Я покраснел до корней волос.

— Вы не ответили. Зачем я здесь?

Констанция Раттиган поставила чашку, наклонилась и посмотрела мне прямо в лицо.

— Фанни,— сказала она,— Фанни чем-то страшно встревожена. Вне себя от страха. Ее кто-то напугал. Уж не ты ли?

На какое-то время я совсем забыл о том, что творилось вокруг.

Пока мы мчались по побережью, все мрачные мысли вылетели у меня из головы. А когда я попал в этот дом, когда мы стояли у бассейна, когда я смотрел, как эта женщина ныряет, потом возвращается, а мое лицо освежает ночной ветер, и во рту вкус вина, я совсем забыл о том, что происходило в последние двое суток.

И внезапно сообразил, что уже давно не смеялся так, как сейчас. От смеха этой странной женщины я снова почувствовал, что мне двадцать семь, как оно и было, а не девяносто, как мне казалось, когда я утром встал с постели.

— Это ты виноват, что Фанни чего-то боится? — повторила Констанция Раттиган и вдруг осеклась.— Что за черт! — воскликнула она.— Да у тебя такой вид, будто я только что задавила твою любимую собаку! — Она схватила меня за руку и стиснула ее.— Я что, ударила тебя по *kishkas?**

— По киш...?

— Ну, по шарам. Извини, пожалуйста.

---

* Сосиска *(идиш)*.

Она сделала паузу. А я продолжал молчать. И она сказала:

— Я чертовски боюсь за Фанни. Я опекаю ее. Думаю, ты и понятия не имеешь, как часто я приезжаю к ней, в этот крысиный дом.

— Ни разу вас там не видел.

— Да видел, только не понял. Год назад ночью мы праздновали Пятое мая, был испано-мексиканский струнный оркестр. Мы отплясывали конгу во всех коридорах. Разогрелись от вина и энчилады. Я шла первая в конге, одетая как Рио Рита, никто не знал, что это я. Только так и можно хорошо повеселиться. А ты был в конце цепочки и все время сбивался с темпа. Мы ни разу не столкнулись лицом к лицу. Через час я поболтала с Фанни и удрала. Чаще всего я приезжаю туда часа в два ночи, и мы с Фанни вспоминаем Чикагскую оперу и Институт искусств, я тогда занималась живописью и пела в хоре. А Фанни исполняла ведущие партии в опере. Мы были знакомы с Карузо, и обе были худы, как щепки, веришь? Фанни? Тощая? А какой голос! Господи, мы тогда были такие молодые! Ну а остальное тебе известно. Я прошла долгий путь с отметинами от матрасов на спине, и когда их стало слишком много, ушла качать деньги у себя во дворе.

Она махнула рукой, указывая на четыре нефтяные качалки, видневшиеся за окнами кухни, они поднимались и опускались, тяжело дыша. Что может быть лучше таких домашних животных, помогающих хорошо жить!

— А Фанни? У нее была неудачная любовь, она мучилась, махнула на все рукой и дошла до теперешних размеров. Ни один мужчина, ни сама жизнь, ни я не могли убедить ее взяться за себя и вернуть прежнюю красоту. Мы просто перестали об этом говорить и остались друзьями.

— И, судя по всему, верными друзьями.

— Да, это обоюдно. Она талантливая, милая, эксцентричная и пропащая. Я семеню вокруг нее, как чихуахуа вокруг мамонта, танцующего гавот. Сколько раз мы от души хохотали с ней в четыре утра! Мы не подшучиваем друг над другом насчет того, как у нас сложилась жизнь. Обе прекрасно понимаем, что к прежнему возврата нет. У нее на это свои причины, у меня свои. Она слишком близко узнала одного мужчину. Я за короткое время узнала слишком многих. От дел удаляются по-разному, сам можешь судить по моим переодеваниям и по тому, как Фанни раздулась, будто шар Монгольфье.

— Хорошенького вы мнения о мужчинах! И не дрогнув высказываете все это мне — реальному, живому мужчине, который сидит прямо перед вами,— заметил я.

— Ты не из них. Это я скажу смело. Ты не мог бы изнасиловать целый хор или использовать вместо постели письменный стол своего агента. И родную бабушку не стал бы спускать с лестницы, чтобы получить страховку. Может, ты размазня или дурак, не знаю. Но теперь я предпочитаю дураков и растяп, тех, кто не разводит тарантулов и не отрывает крылышки у колибри. И глупых писателей, которые мечтают, как они улетят на Марс и не вернутся в наш дурацкий дневной мир.

Она запнулась, услышав свои слова.

— Господи, что-то я разболталась. Давай-ка вернемся к Фанни. Она не из пугливых, живет в этой своей старой развалюхе уже двадцать лет, двери всегда настежь для всех и каждого, в руке банка майонеза. Но сейчас что-то не так. Она вздрагивает, стоит блохе чихнуть. Ну?..

— Вечером мы слушали оперу и пытались шутить. Она ничего не сказала.

— Может, просто не хотела беспокоить Марсианина — это одна из кличек, которые она для тебя придумала, правда? А я вижу, как у нее кожа дергается. Ты разбираешься в лошадях? Замечал когда-нибудь, как у лошади передергивается и вздрагивает кожа, когда на нее садится муха? Так вот, на Фанни сейчас то и дело садятся невидимые мухи, а она только стискивает зубы и вздрагивает всем своим телом. Будто ее астрологическая карта не в порядке. Песочные часы сломались — видно, кто-то вместо песка насыпал в них прах из погребальной урны. За дверцей холодильника какой-то странный шепот. А в самом холодильнике среди ночи валится лед, и звук такой, будто там какой-то псих хихикает. Всю ночь в коридоре урчит унитаз. Термиты собираются прогрызть дыру под ее креслом, тогда она вообще рухнет в тартарары. Пауки на стенах плетут для нее саван. Ну как тебе этот списочек? И все — лишь инстинктивные подозрения, ничего определенного. Из суда ее вышвырнули бы в одну минуту — фактов никаких. Понимаешь?

«Я трепещу, чего-то ожидая».

Я вспомнил эти слова, но не произнес их. А спросил:

— Вы говорили об этом с Генри?

— Генри считает себя величайшим слепцом в мире. Мне от этого радости мало. Говорит намеками. Что-то, мол, не так, но он не скажет. Ты можешь пролить свет? Тогда я напишу Фанни или позвоню ей через эту мадам Гутьеррес, а может, сама заеду завтра ночью и скажу, что все в ажуре. Ну давай, не молчи!

— Нельзя ли мне еще вина? Пожалуйста!

Не сводя с меня глаз, Констанция стала наливать мне в стакан.

— Ладно,— сказала она.— Начинай врать.

— Что-то и на самом деле происходит, но сейчас говорить еще рано.

— А когда заговоришь, будет уже поздно.— Констанция Раттиган вскочила и стала ходить по комнате, а потом повернулась и уставилась на меня, словно нацелила двустволку.— Почему ты не хочешь говорить, ведь знаешь, что Фанни напугана до потери сознания?

— Потому что я сам устал пугаться каждой тени. Потому что всегда был трусом и сам себе противен. Когда что-нибудь узнаю, позвоню вам.

— Господи.— Констанция прыснула.— Голос у тебя громкий. Ладно, я отступаю и даю тебе простор для действий. Знаю, ты любишь Фанни. Как ты думаешь, может, ей стоит пожить у меня несколько дней, неделю — может быть, это ей поможет?

Я взглянул на большие подушки — на яркое стадо слонов — шелковые сверху, набитые гусиным пухом, формой и размерами они напоминали саму Флорианну.

Я покачал головой:

— Ее гнездо там. Я пытался вытащить ее в кино, в театр, даже в оперу. Забудьте об этом. Она не выходит на улицу уже больше десяти лет. Забрать ее из ее дома, из этого огромного слоновника?.. Знаете...

Констанция Раттиган вздохнула и наполнила вином мой стакан.

— Значит, ничего хорошего из этого не получится, да?

Она изучала мой профиль. А я изучал темный прибой за высокими окнами, где под приливной волной ворочались во сне пески — пришло время и им отдыхать.

— Все всегда слишком поздно, правда? — продолжала Констанция Раттиган.— Нельзя защитить ни Фанни, ни кого другого, если кому-то взбредет в голову причинить им вред или просто убить.

— Об убийстве слова не было сказано,— возразил я.

— У тебя такое простодушное розовое лицо, прямо как тыквочка. По нему все видно. Когда я предсказывала будущее, я гадала не по чаинкам, а по глазам, по беззащитным ртам. Фанни перепугана, и это пугает меня. Впервые за много лет, плавая по ночам, я представляю себе, как меня накрывает большая волна и уносит туда, откуда мне уже не вернуться. Я не желаю, чтобы мне портили единственное мое настоящее удовольствие! — И мягко добавила: — Ведь ты не будешь портить нам жизнь?

— Что?!

Внезапно она заговорила как Крамли или как Фанни, когда та попросила «никого с собой не приводить».

Наверно, вид у меня был такой потрясенный, что Констанция Раттиган снова прыснула со смеху.

— Да нет же, черт возьми! Ты ведь из тех, кто убивает только на бумаге, а это совсем не то, что убивать по-настоящему. Прости меня.

Но я уже вскочил: мне не терпелось высказать все, что я думаю, наговорить бог знает каких резкостей, только я не знал, с чего начать.

— Послушайте,— сказал я.— У меня был сумасшедший месяц. Я стал присматриваться к тому, чего не замечал раньше. Раньше я никогда не читал некрологи. Теперь читаю. У вас когда-нибудь случались такие недели или даже месяцы, когда ваши друзья один за другим сходили с ума, или уезжали, или умирали?

— Когда тебе шестьдесят,— язвительно засмеялась Констанция Раттиган,— такими бывают целые годы. Я боюсь спускаться с лестницы — мой приятель сломал себе таким образом шею. Боюсь есть — двое знакомых подавились. А океан? Трое утонули. Самолеты? Шестеро разбились. В автомобильных авариях погибли двадцать. Спать, черт возьми, тоже страшно! Десять моих друзей умерли во сне. Только и успели сказать: «Что за черт?» И все. А пить? Четырнадцать погибли от цирроза. Можешь представить такой же веселенький список? Для тебя все только начинается. А у меня тут есть телефонная книга, вот взгляни.

Она схватила со столика у двери маленькую черную записную книжку и сунула ее мне в руки.

— Книга мертвых.

— Что?

Я стал переворачивать страницы, читать фамилии. На каждой странице возле половины фамилий стояли красные крестики.

— Этой моей телефонной книге тридцать пять лет. Половина тех, чьи телефоны в ней записаны, уже ушли навсегда, а у меня духа не хватает вычеркнуть фамилию или вырвать страницу. Это все равно что признать — умерли бесповоротно. Так что, выходит, я такая же размазня, как и ты, сынок.

Она взяла у меня книгу мертвых.

Из окна потянуло холодным ветерком, и я услышал, как на берегу зашевелился песок, словно невидимый могучий зверь положил на него большую лапу.

— Я не хотел нагонять страху на Фанни, — сказал я наконец. — Я не Тифозная Мэри. Не переносчик заразы. Если что-то происходит здесь и сейчас, это происходит само по себе. Уже несколько дней, как у меня пропал аппетит. Люди вдруг умирают или исчезают, а никакой связи между ними нет, и я ничего не могу доказать. Когда это случается, я всегда оказываюсь где-то поблизости и чувствую себя виноватым оттого, что не могу понять, узнать, предотвратить все это. Меня мучает страх, что так будет продолжаться дольше, чем я могу выдержать. Теперь стоит мне взглянуть на кого-нибудь, и я сразу думаю: вдруг он или она будут следующими? И я знаю, что если буду ждать, то все погибнут. Похоже, на этой неделе события еще ускорились. Вот и все, что я могу сказать. А теперь мне лучше замолкнуть.

Констанция подошла ко мне, поцеловала кончики пальцев и приложила их к моим губам.

— Не буду больше тебя терзать. Для размазни ты здорово огрызаешься. Ну что, еще выпьешь? Или посмотришь кино? Может, поплаваешь ночью в моем бассейне? Или вкусишь благотворительный секс со своей киномамочкой? Что выберешь?

Я низко опустил голову, стараясь избежать ее насмешливого, прожигающего меня взгляда.

— Предпочитаю кино. Хотелось бы посмотреть Констанцию Раттиган в «Кружевных занавесках». В последний раз я видел их, когда мне было пять.

— Сразу видно, ты знаешь, как сделать старым людям приятное! «Кружевные занавески»! Погоди, я налажу проектор. Когда я была маленькой, отец работал киномехаником в Канзас-Сити и научил меня управляться с аппаратурой. Я и сейчас умею. В этом доме мне не нужен никто.

— Нет, нужен. Я. Чтобы смотреть фильм.

— Черт! — Она перепрыгнула через подушки и принялась возиться с проектором в углу гостиной. Схватила с ближайшей полки жестянку с пленкой и стала ловко заправлять пленку в аппарат. — Ты прав. Буду следить за твоим лицом, когда ты будешь следить за моим.

Пока она, напевая, налаживала кинопроектор, я вышел на невысокий балкон над пляжем. И окинул взглядом берег — сначала южную часть, потом повел глазами вдоль владений Констанции Раттиган, потом поглядел на север. И тут...

Внизу, у самого прибоя, я кое-что заметил.

Там неподвижно стоял человек или что-то, напоминающее человека. Я не мог сказать, долго ли он там стоит или только что вылез из воды. Мне не видно было, мокрый ли он. Похоже, он был голый.

У меня рот открылся от удивления, я быстро заглянул в комнату. Констанция Раттиган, насвистывая сквозь сжатые зубы, по-прежнему возилась с пленкой.

На берег обрушилась волна, словно из пушки выстрелили. Я обернулся. Человек все еще стоял на том же месте, руки по швам, голова вздернута, ноги слегка расставлены, вид вызывающий.

«Убирайся! — хотел крикнуть я. — Что тебе здесь нужно? Мы ничего не сделали!»

«Ты в этом уверен?» — была моя следующая мысль.

«Никого нельзя убивать, даже тех, кто этого заслуживает».

Нет?

Последняя волна ударила по берегу позади стоящей фигуры. Вода разлетелась, как множество разбившихся зеркал, и, падая, осколки заслонили человека. И стерли его. Когда волна откатилась, незнакомца уже не было. Наверно, он побежал по пляжу на север.

Побежал мимо львиной клетки в канале, мимо пустых окон леди с канарейками, мимо моей квартиры, где на кровати лежит скрученный саван.

— Готов? — крикнула Констанция Раттиган из комнаты.

«Не совсем», — подумал я.

Когда я вошел, Констанция сказала:

— Иди смотреть, как старая леди делается молодой.

— Вовсе вы не старая,— возразил я.

— Клянусь богом, нет.— Она пробежала по гостиной, гася везде свет, взбивая подушки в центре комнаты.— Эта помешанная на здоровье пишет книгу, которая выйдет в будущем году. Гимнастика под водой. Секс на отливе. Какие слабительные принимать, после того как пресытишься за ночь тренером местной футбольной команды. Что... Бог мой! Опять покраснел! Ты хоть что-нибудь знаешь о девушках?

— Не слишком много.

— Сколько их у тебя было?

— Не много.

— Значит, одна,— догадалась Констанция и фыркнула, когда я вздернул голову.— Где она сейчас?

— В Мехико-Сити.

— Когда вернется?

— Через десять дней.

— Скучаешь? Любишь ее?

— Да.

— Небось хочется позвонить ей, проболтать всю ночь, чтобы хоть ее голос уберег тебя от такого дьявола, как я?

— Да вовсе я вас не боюсь.

— Черта с два, еще как боишься! Веришь в теплоту тел?

— Что?

— В теплоту тел! В секс без секса? В объятия. В то, что можешь согреть эту старую ядовитую ящерицу своим теплом и не потерять при этом невинность. Просто обнять и прижать к себе покрепче. А теперь смотри на потолок, там все и будет происходить. Кино до самого утра, пока солнце не встанет, как член у Френсиса Бушмана. Ой, прости! Черт бы меня побрал! Ну иди, сынок. Будем греться.

Констанция опустилась на подушки, потянула меня за собой и тут же нажала какую-то кнопку на пульте, вмонтированном в пол. Погасла последняя лампа. Зажужжал шестнадцатимиллиметровый проектор. На потолке заплясали тени.

— Смотри. Как тебе это нравится?

Вздрнув красивый нос, она показала на потолок.

Там двадцать семь лет тому назад Констанция Раттиган закурила сигарету.

Здесь, рядом со мной, реальная Констанция Раттиган выпустила изо рта облачко дыма.

— Ну и сука же я была! — проговорила она.

Я проснулся на рассвете, не веря, что я здесь. Проснулся, чувствуя себя необыкновенно счастливым, словно ночью случилось что-то замечательное. Но ничего не случилось, просто я спал на роскошных подушках рядом с женщиной, от которой пахло специями и хорошо натертым полом. Она была как те выставленные в витрине восхитительные шахматы с тщательно выточенными фигурами, на которые глазеешь в детстве. Как только что отстроенный гимнастический зал для девочек, где слегка пахнет пылью, осевшей на золотистых бедрах после полуденных теннисных схваток.

Уже рассвело, и я повернулся на бок.

Ее не было.

Я услышал, как на берег набежала волна. В распахнутые окна влетал прохладный ветер. Я сел. Далеко в сумрачном еще море мелькала рука — вверх-вниз, вверх-вниз. Констанция что-то крикнула.

Я выбежал на берег, нырнул и поплыл за ней, но на полпути почувствовал, что выдохся. Нет, в атлеты я не гожусь! Повернув назад, я вышел на песок и сел ждать. Наконец Констанция приплыла и встала надо мной, на сей раз совершенно голая.

— Господи! — удивилась она.— Ты и белья не снял. Что за молодежь нынче пошла!

Я не мог оторвать от нее глаз.

— Ну и как? Нравлюсь тебе? Недурна для старухи императрицы? Как ты считаешь? Неплохой живот, тугая попка, на лобке кудри...

Но я закрыл глаза. Она усмехнулась. И с хохотом унеслась. Пробежала с полмили по берегу и, перепугав лишь чаек, вернулась.

Вскоре над пляжем поплыл аромат кофе и запах свежеподжаренных гренок. Когда я приплелся в дом, Констанция уже сидела на кухне. На ней так ничего и не было, только глаза обведены тушью — видно, она подкрасила их за минуту до моего прихода. Быстро моргая, будто крестьянская девушка из немого фильма, она вручила мне джем и гренки, а сама скромно прикрыла колени салфеткой, дабы не смущать мой взор во время еды. На соске левой груди у нее повисла капля клубничного джема. Я это видел. Она увидела, что я вижу, и спросила:

— Голодный?

Отчего я только быстрее стал намазывать свои гренки.

— Ну ладно! Иди позвони в Мехико-Сити.

Я позвонил.

— Ты где? — прозвучал за две тысячи миль от меня голос Пег.

— В Венеции, в телефонной будке, у нас дождь,— сказал я.

— Врешь! — закричала Пег.

И была права.

А потом вдруг все неожиданно кончилось.

Было уже очень поздно, вернее, очень рано. Я чувствовал, что опьянен жизнью, оттого что эта женщина, не жалея времени, возилась со мной столько часов подряд и разговаривала всю ночь напролет, пока не возникла угроза, что на востоке за испарениями и туманами вот-вот взойдет солнце.

Я выглянул на берег и посмотрел на прилив. Никаких утопленников и в помине не было, и никого, кто мог бы помнить, видели их здесь или нет. Уходить не хотелось, но я боялся задерживаться: надо было писать рассказы, чтобы хоть на три шага опередить смерть. «День без работы за машинкой,— любил говорить я и повторял этот девиз так часто, что мои друзья, услышав его, возводили глаза к небу и тяжело вздыхали,— день без работы за машинкой — маленькая смерть». У меня не было охоты оказаться за кладбищенской стеной, я собирался бороться до конца вместе со своим «Ундервудом», который, если хорошо прицелиться, стрелял без промаха в отличие от всевозможного другого оружия.

— Я отвезу тебя домой,— предложила Констанция Раттиган.

— Нет, спасибо. Мне же близко. Триста ярдов по берегу, не больше. Мы соседи.

— Ну уж и соседи! Это место для постройки обошлось мне в двадцатом году в двести тысяч, сейчас оно стоит пять миллионов. А сколько платишь за квартиру ты? Тридцать баксов в месяц?

Я кивнул.

— Ладно, сосед! Ступай разомни ноги. Как-нибудь в полночь загляни еще!

— И не раз! — заверил я ее.

— Валяй! — Она взяла мои ладони в свои, то есть в руки шофера, служанки и королевы экрана. Прочла мои мысли и рассмеялась: — Считаешь меня сбрендившей?

— Хотел бы я, чтобы все в мире были такими сбрендившими.

Она сменила тему, чтобы уйти от комплиментов.

— А как насчет Фанни? Удастся ей жить вечно?

У меня увлажнились глаза. Я кивнул.

Констанция поцеловала меня в обе щеки и оттолкнула.

— Пошел вон!

Я соскочил с ее выложенного плитками крыльца на песок, прошел несколько шагов, обернулся и сказал:

— Счастливо, принцесса!

— Катись,— отозвалась она, явно польщенная.

И я умчался.

За день ничего особенного не случилось.

Зато ночью...

Я проснулся и посмотрел на свои микки-маусовы часы, недоумевая, что меня разбудило. Крепко зажмурился и стал слушать, до боли напрягая уши.

Стреляли из ружья. Бах-ба-бах! И опять бах-бах, и снова бах-ба-бах — стреляли на берегу, у пирса.

«Господи боже,— подумал я,— пирс сейчас почти пуст, тир закрыт, кто же там среди ночи жмет на спуск и бьет по мишеням?»

Бах-ба-бах и удары гонга. Бах-ба-бах. И опять, и опять.

Двенадцать выстрелов подряд, затем еще двенадцать, и еще, и еще, будто кто-то разложил ружья — сначала три, рядом шесть, потом девять — и перебегает от одного, отстрелявшего свое, к другому — заряженному, бегает между ними без передышки, целится и знай палит.

Кто-то спятил!

Так, наверно, и есть. Кто бы он там ни был — один на пирсе, в тумане, бегает от ружья к ружью и садит в злую судьбу.

«Может, это сама Энни Оукли — хозяйка тира?» — подумал я.

Бах! Вот тебе, сукин сын! Бах! Получай, мерзавец, получай, беглый любовник! Бах! Вот тебе, недоделанный! Бабник поганый! Бах!

Трах и снова трр...ах! Где-то далеко, но ветер доносит.

«Много же надо пуль,— подумал я,— чтобы уничтожить что-то невозможное».

Так продолжалось минут двадцать.

А когда кончилось, заснуть я уже не смог.

Три дюжины пуль угодили мне в грудь, я с закрытыми глазами дополз до машинки и отстучал на ней про все эти выстрелы среди ночи.

———

— Шеф-щен?

— Что, что? Повторите!

— Шеф-щен. Говорит Шалый кот.

— Господи, твоя воля, — ахнул Крамли. — Это вы! С чего вдруг Шеф-щен?

— Ну это же лучше, чем Элмо Крамли?

— Точно! А для вас, писака, «Шалый кот» — прямо в точку! Как двигается Эпохальный Роман об Америке?

— А вы уже утерли нос Конан Дойлу?

— Смешно сказать, сынок, но с тех пор, как мы встретились, я каждый вечер выдаю по четыре страницы. Сражаюсь, как на войне. Поди, к Рождеству закончу. Похоже, с шалыми котами полезно иметь дело. Это последний комплимент. Больше не ждите. За разговор заплатили вы. Монета ваша. Говорите.

— Я наметил еще кое-кого для нашего списка возможных жертв.

— Иисус среди лилий! Христос на кресте! — вздохнул Крамли.

— Забавно, что вы даже не заметили...

— Уж куда забавней, от наших дел прямо живот надорвешь! Продолжайте.

— Ну, возглавляет парад по-прежнему Чужак. Затем Энни Оукли, или как там ее настоящее имя, — хозяйка тира. Сегодня ночью на пирсе была стрельба, наверно, она сама и стреляла. Кто же еще? Я хочу сказать, вряд ли она в два часа ночи открыла свое заведение для кого-то незнакомого. Верно?

— Узнайте ее настоящее имя! — перебил меня Крамли. — Пока не узнаете, ничего делать не буду!

Я почуял, что меня снова хотят поднять на смех, и замолчал.

— Эй, Кот, вы что, язык проглотили? — спросил Крамли.

Я молчал.

— Вы еще тут? — осведомился он.

Я молчал как мертвый.

— Эй вы, Лазарь! — воскликнул Крамли.— Кончайте, к черту, ваши штучки! Ну-ка вылезайте из своей смердящей могилы!

Я рассмеялся.

— Значит, можно продолжать список?

— Сейчас, только глотну пивка. Ну вот. Давайте.

Я перечислил еще шесть имен, включая Формтеня, хотя сам не очень верил в эту версию.

— И возможно,— закончил я с сомнением,— Констанция Раттиган.

— Раттиган! — взревел Крамли.— Да вы знаете, о ком говорите? Эта Раттиган ест на завтрак тигриные яйца! Да она наизнанку вывернет двух акул из трех! Из Хиросимы вышла бы, не размазав тушь на ресницах и даже серьги не потеряв. А что до Энни Оукли, так она тоже в жертвы не годится. Она продырявит любого, кто... нет уж, если она что и сотворит, так скорее соберет все свои ружья, сбросит их с пирса в море и сама прыгнет следом. Вот это на нее больше похоже. А уж Формтень! И не смешите! Этот вообще не подозревает, что есть какой-то реальный мир с такими, как мы, нормальными дураками. Его похоронят в его «Вурлитцере» самое раннее в девяносто девятом году. Ну, чем еще порадуете?

Я с трудом перевел дыхание и решил напоследок рассказать Крамли хотя бы о загадочном исчезновении Кэла-парикмахера.

— Загадочное? Черта с два! — усмехнулся Крамли. — Где вы были? Да этот проклятый живодер просто свалил. Набил свою колымагу всяким барахлом из парикмахерской и дал деру на восток. Не на запад, заметьте, где конец страны, а на восток. Почти вся полиция смотрела, как он развернулся на сто восемьдесят градусов перед участком, и не арестовали его только потому, что он орал песню: «Осенние листья, о боже, в Озарке падают листья».

Я глубоко, с дрожью облегчения вздохнул, радуясь, что Кэл жив. И не стал рассказывать об исчезнувшей голове Скотта Джоплина, из-за чего Кэл, наверно, и покинул навсегда наш город. А Крамли продолжал:

— Ну что, исчерпали свой список свеженьких догадок насчет будущих жертв?

— Как сказать... — вяло отозвался я.

— Прыгните в океан, потом прыгните к своей машинке — и, как учит дзен, это гарантирует вам целую страницу и покой на душе! Вот что детектив советует гению, прислушайтесь. Пиво в холодильнике, так что пи-пи позже в унитазе. Оставьте ваш список дома. Пока, Шалый кот!

— До скорого, Шеф-щен, — попрощался я.

Сорок дюжин выстрелов, прогремевших прошлой ночью, не давали мне покоя. Их эхо то и дело звучало у меня в ушах.

И к тому же меня притягивал грохот с пирса, который громили, пожирали, раздирали на части. Так, наверно, притягивает некоторых шум битвы.

«Стрельба — пирс»,— стучало у меня в голове, пока я нырял в океане, а потом, как тот благоразумный кот, каким мне рекомендовал стать шеф Крамли, нырнул за машинку.

«Интересно,— думал я,— сколько же человек уложила прошлой ночью Энни Оукли? А может, всего одного?»

«И вот еще что интересно,— размышлял я, складывая в свою Говорящую Коробку шесть свежих готовых страниц бессмертного, гениального романа,— какие новые запойно-мрачные книги развел, как поганки, А. Л. Чужак на полках своей катакомбной библиотеки?!»

«Отпетые парни рекомендуют трупный яд».

«Нэнси Дрю и Парнишка *Weltschmerz*».

«Веселые проделки владельцев похоронных бюро в Атлантик-Сити».

«Не ходи туда, не смей,— думал я.— Нет, надо,— возражал я самому себе.— Только не вздумай смеяться, когда станешь читать новые названия, а то Чужак выскочит и призовет тебя к ответу».

«Стрельба,— думал я,— пирс гибнет, а тут еще этот А. Л. Чужак — подголосок Фрейда». И вдруг впереди меня на пирсе показался на своем велосипеде:

Хищник.

Или, как я его иногда называю, Эрвин Роммель, командующий немецким корпусом в Африке. А иногда я именую его просто:

Калигула. Убийца.

На самом же деле его зовут Джон Уилкс Хопвуд.

Помню, как несколько лет назад я прочитал убийственную рецензию на его выступление в маленьком голливудском театре:

«Джон Уилкс Хопвуд, всегдашний злодей утренних спектаклей, подтвердил свою репутацию в новой роли. Он вошел в раж, неистовствовал, бесновался, рвал страсть в клочья и обрушивал ее прямо на головы ни в чем не повинных дам — членов клуба. Простодушные зрительницы внимали ему, раскрыв рты».

Я часто видел, как он проносился на своем яркооранжевом «ралее» по дороге вдоль океана из Венеции в Океанский парк и в Санта-Монику. На нем всегда был хороший свежеотутюженный английский костюм, а на белоснежных кудрях красовалась ирландская кепка, затеняющая лицо — лицо генерала Эрвина Роммеля или, если угодно, физиономию кровожадного ястреба Конрада Вейдта в момент, когда он собирается задушить то ли Джоан Кроуфорд, то ли Грир Гарсон. Его щеки покрывал шикарный загар, они блестели, как отполированный мускатный орех, и я часто задумывался, где кончается этот роскошный загар? Не на уровне ли шеи, ведь я ни разу не видел его на пляже раздетым. Он вечно сновал на своем велосипеде по городкам, расположенным на берегу океана, ожидая, не потребуются ли его услуги Германскому генеральному штабу или леди, заседающим в «Лиге помощи Голливуду», — кто из них первым его призовет, к тому он и ринется.

Когда снимались военные фильмы, он был постоянно занят, поскольку, по слухам, у него в шкафу хранились мундиры немецких войск, сражавшихся в

Африке, а также траурная накидка на случай, если придется выступить в роли вампира.

Но насколько я мог судить, для ежедневной носки у него был только один этот английский костюм в мелкую ломаную клетку. И одна пара обуви — элегантные английские туфли цвета бычьей крови, всегда до блеска начищенные. Велосипедные зажимы, сверкающие на его твидовых брюках, казалось, были из чистого серебра, и покупал он их не иначе как где-нибудь в Беверли-Хиллз. Зубы всегда так блестели, что выглядели искусственными. И, проносясь мимо на велосипеде, он обдавал вас запахом эликсира, освежающего дыхание, видно, пользовался этим снадобьем на случай, если по дороге в Плайя-дель-Рей вдруг получит срочный вызов от Гитлера.

Чаще всего я видел его по воскресеньям на Мускульном берегу: он неподвижно подпирал свой велосипед, в то время как вокруг демонстрировались ходуном ходящие дельтовидные мышцы и раскатывался громогласный мужественный смех. Хопвуд красовался на пирсе Санта-Моники с видом генерала Роммеля в последние дни отступления из Эль-Аламейна, его удручало обилие песка, но зато радовало глаз обилие молодых тел.

Он казался таким далеким от всех нас, когда, погруженный в свои германо-англо-байронические грезы, скользил мимо на велосипеде.

Мне и в голову не могло прийти, что когда-нибудь я стану свидетелем того, как он припарковывает свой «ралей» возле круглосуточно открытого, облюбованного летучими мышами обиталища предсказателя по картам Таро А. Л. Чужака.

Однако он таки там припарковался и замешкался у дверей.

«Не входи! — подумал я. — К А. Л. Чужаку заходят лишь те, кому нужно раздобыть кольца с ядом, которые так любили Медичи, или телефонные номера кладбищенских склепов».

Но Эрвина Роммеля это не пугало.

А равно не пугало ни Хищника, ни Калигулу.

Чужак притягивал их.

И все трое послушно вошли.

К тому времени, как туда подоспел я, дверь уже оказалась закрытой. На ней я впервые заметил список, хотя он, наверно, выцветал тут годами и уже пожелтел, — список, напечатанный на машинке с бледной лентой, в котором перечислялись все те, кто проникал в эти врата, дабы психоанализ вернул им здоровье.

Х. Б. Уорнер, Уорнер Улэнд, Уорнер Бакстер, Конрад Нагель, Вилма Бэнки, Джон Барримор, Клара Боу.

Прямо-таки «Указатель актеров» за двадцать девятый год.

Но значилась здесь и Констанция Раттиган.

Во что я не поверил.

И Джон Уилкс Хопвуд.

В это мне пришлось поверить.

Ибо я увидел, как за пыльным, полузанавешенным от любопытных взглядов окном на рваной кушетке, из расползавшихся швов которой с безумным неистовством торчала набивка, кто-то лежит. Этот кто-то был в коричневом твидовом костюме. Он лежал, закрыв глаза, и, как видно, повторял про себя реплики из последнего акта пересмотренного и заново отредактированного «Гамлета».

«Иисус среди лилий! — как сказал бы Крамли. — Христос по дороге к кресту!»

В эту минуту сработала актерская интуиция, и Хопвуд, сосредоточенно творящий про себя свои молитвы, вдруг открыл глаза.

Он быстро повернул голову, перевел взгляд в окно и увидел меня.

Увидел меня и А. Л. Чужак, сидевший у кушетки спиной к окну с блокнотом и карандашом в руках.

Я отшатнулся, тихонько выругался и поспешил прочь.

В полном замешательстве я быстро прошел весь разрушенный пирс и купил себе шесть плиток шоколада «Нестле», две шоколадки «Кларк» и два шоколадных батончика, чтобы подкрепиться на ходу. Когда я очень счастлив, или очень огорчен, или смущен, я всегда набиваю рот сладостями и бросаю обертки где попало.

Здесь-то, на конце пирса, в золотистом предвечернем освещении меня и настиг Калигула-Роммель. Рабочие, разрушающие пирс, ушли. Стояла полная тишина.

Я услышал, как его велосипед шуршит у меня за спиной. Сперва Хопвуд молчал. Он шествовал, крепко прижав к себе своего «ралея», словно женщину — насекомое. Потом остановился на том месте, где я всегда его видел, и застыл, будто статуя Рихарда Вагнера, который старается различить в шуме прилива, набегающего на песок, звуки одного из своих мощных хоров.

Какие-то молодые люди внизу все еще играли в волейбол. Гулкие удары по мячу и смех, похожий на ружейные залпы, подводили итог дню. За ними два рекордсмена по поднятию тяжестей вздымали в небо свои миры, надеясь внушить сидящим неподалеку молодым женщинам, что судьба, которая хуже смерти, на самом деле вовсе не так плоха и ее радости можно вкусить в комнатах, расположенных над сосисочной, как раз напротив пляжа.

Джон Уилкс-Хопвуд, не глядя в мою сторону, наблюдал за этой сценой. Он брал меня измором, я ждал, потел, но не поддавался его вызову, не уходил. Ведь всего полчаса назад я без спросу сунул нос в его жизнь. Теперь надо платить.

— Вы меня преследуете? — в конце концов не выдержал я и тут же понял, что свалял дурака.

Хопвуд расхохотался своим знаменитым безумным хохотом, который он всегда приберегал к концу акта.

— Дорогой мой, вы слишком молоды, таких, как вы, я швыряю в море.

«Ну и ну, — подумал я, — что же на это ответить?»

Напрягая мышцы, Хопвуд откинул голову, обратив свой орлиный профиль к пирсу Санта-Моники, видневшемуся примерно в миле к северу от нас.

— А вот если вы решите когда-нибудь преследовать меня, — улыбнулся он, — то я живу там, над каруселью с лошадками.

Я повернулся к Санта-Монике. Там, на еще живом пирсе, крутилась карусель, как крутилась под скрипучую музыку каллиопы с тех пор, как я был ребенком. А над бойко скачущими лошадками размещались «Карусельные апартаменты» — этакие орлиные гнезда для отставных немецких генералов, несостоявшихся актеров и утомленных жизнью романтиков. Я слышал, что там селились большие, но малоиздающиеся поэты. А также писатели великого ума, но обойденные рецензентами. А также художники, языки у которых были хорошо подвешены, но картины не вывешивались нигде. А также известные кинозвезды, подвизавшиеся раньше на ролях куртизанок, а теперь промышлявшие проституцией среди продавцов спагетти. Старые английские матроны, когда-то обитавшие в Брайтоне и вздыхающие по Утесам, жили здесь, окруженные салфеточками и раскормленными китайскими мопсами.

И вот выяснилось, что Бисмарк, Томас Манн, Конрад Вейдт, адмирал Дениц, Эрвин Роммель и Безумный Отто Баварский тоже проживают над каруселью.

Я вглядывался в великолепный орлиный профиль. Хопвуд, чувствуя мой взгляд, пыжился от гордости. Он хмуро посмотрел на золотые пески пляжа и тихо проговорил:

— Небось считаете, будто я рехнулся, если дошел до того, что меня пользует этот А. Л. Чужак?

— Ну...

— Между тем он человек весьма проницательный, умеет рассмотреть проблему как нечто целое, и вообще он личность непростая. А мы — актеры, как вам известно, самый неуравновешенный народ. Будущее у нас всегда неопределенно, ждешь телефонных звонков, а телефон молчит. Не знаем, куда девать время. Вот и мечемся. То увлечемся нумерологией, то картами Таро, то астрологией, то восточной медитацией под великим деревом в Охи с Кришнамурти. Вам не приходилось этим заниматься? Прекрасно. А как вам нравится проповедница Вайолет Гринер с ее храмом Агабека? А предсказатель будущего Норвелл? А с Эйми Семпл Макферсон вы не знакомы? Я знаком — сперва она наложила на меня руки, потом я уложил ее в постель. А с трясунами не сталкивались? Божественный экстаз! Или, например, выступления хора в Первой баптистской церкви по ночам в воскресенье? Черные ангелы! Неземное блаженство! А можно еще все ночи напролет играть в бридж или с полудня до темноты в бинго, причем компаньоны у меня — леди с сиреневыми волосами. Актеры кидаются на все. Похвалите при нас хорошего потрошителя животных, мы и к нему поспешим. «Ассоциация предсказателей будущего по кишкам имени Цезаря»! Вдруг я заработаю на этом деле кучу денег — буду резать голубей и выуживать из них внутренности, как карты, пусть пророчат будущее, воняя на солнце. Да я за что угодно возьмусь, лишь бы убить время. Мы, актеры, только тем и занимаемся — убиваем время. Девяносто процентов нашей жизни — ожидание роли. Вот тогда-то мы и отправляемся на кушетку к А. Л. Чужаку, а потом спешим на Мускульный берег.

Говоря это, Хопвуд не сводил глаз с гибких, как резина, греческих богов, которые резвились на пляже, подхлестываемые соленым ветром и похотью.

— Вы когда-нибудь задумывались, почему вампиры, — заговорил он снова, и над верхней губой у него заблестела тонкая полоска пота, капельки пота выступили и на лбу под кепкой, — почему вампиры не отражаются в зеркалах? А этих молодых красавцев там, внизу, видите? Уж они-то отражаются во всех зеркалах, но только они сами — рядом с ними в зеркале нет никого. Одни лишь чеканные боги. И когда они любуются своими отражениями, думаете, они видят еще кого-нибудь? Например, девушек, на которых они гарцуют, словно морские кони? Не верится мне, что они видят кого-нибудь, кроме себя. Так что, — вернулся он к тому, с чего начал, — я надеюсь, теперь вы понимаете, почему углядели меня у этого крошки крота А. Л. Чужака.

— Мне и самому приходится ждать телефонных звонков, — проговорил я. — Времяпрепровождение — хуже не придумаешь!

— Значит, вы меня понимаете. — Хопвуд устремил на меня горящие глаза — казалось, они прожигают мою одежду до дыр.

Я кивнул.

— Заходите ко мне как-нибудь. — Он кивнул на видневшиеся вдали «Карусельные апартаменты», где, скорбя по чему-то, слабо напоминавшему «Прекрасное Огайо», всхлипывала каллиопа. — Я расскажу вам об Айрис Три, дочери сэра Бирбома Три, она тоже жила в этом доме. Сводная сестра Кэрола Рида, британского режиссера. И с Олдосом Хаксли сможете встретиться, он иногда там появляется.

Хопвуд заметил, как я дернулся, и понял, что я заглотил приманку.

— Хотели бы познакомиться с Хаксли? Тогда будьте паинькой, — ласково процедил он, — и, может быть, я это устрою.

Я всячески старался скрыть, что встреча с Хаксли — моя неотвязная, несбыточная мечта. Я всю жизнь сходил по нему с ума, желание быть таким же блестящим, таким же остроумным, так же недосягаемо возвышаться над другими терзало меня, как голод. И подумать только — я смогу с ним встретиться!

— Заходите в гости, — рука Хопвуда скользнула к карману пиджака, — и я познакомлю вас с одним молодым человеком. Он мне дороже всех на свете.

Я отвел глаза, как мне не раз приходилось делать при некоторых высказываниях Крамли и Констанции Раттиган.

— Ага! — промурлыкал Джон Уилкс Хопвуд, и его рот древнего германца изогнулся в довольной усмешке.— Молодой человек засмущался. Только это не то, что вы думаете. Смотрите! Вернее — взирайте!

Он вынул из кармана смятую глянцевую фотографию. Я потянулся к ней, но Хопвуд держал ее крепко и большим пальцем закрывал лицо изображенного на снимке.

А то, что не было закрыто, оказалось самым совершенным юношеским телом, какое мне когда-либо доводилось видеть.

Оно вызывало в памяти стоящую в вестибюле Ватиканского музея статую Антиноя, возлюбленного Адриана, — снимок этой статуи я когда-то видел. Вспомнился мне и юноша Давид, и сотни молодых людей, которые на моих глазах с детства и по сей день возились и боролись на пляже — загорелые и безмятежные, безудержно счастливые, но не ведающие истинной радости. В одной этой фотографии, которую держал Джон Уилкс Хопвуд, тщательно закрывая лицо юноши, казалось, было запечатлено бесчисленное множество летних дней.

— Не правда ли, история не знала другого такого прекрасного тела? — Это был не вопрос, а утверждение. — И оно мое! Принадлежит мне! Я один владею и распоряжаюсь им! — заявил он. — Да не моргайте вы так! Смотрите!

Он убрал палец с лица сказочно красивого юноши.

На меня смотрел ястреб, древнегерманский воин, командир танковых войск в Африке.

— Господи! — воскликнул я. — Да это вы!

— Я, — подтвердил Джон Уилкс Хопвуд.

И закинул голову назад, от его жестокой улыбки веяло мельканием сабель, блеском шпаг. Он смеялся молча, отдавая дань памяти немому кино.

— Да, представьте себе, это я! — повторил он.

Я снял очки, протер их и всмотрелся внимательней.

— Смотрите, смотрите, никакой подделки, никакого трюкачества.

Когда я был мальчиком, в газетах печатались такие головоломки: лица президентов разрезали на три части и перемешивали — здесь подбородок Линкольна, там нос Вашингтона, а над ними глаза Рузвельта. Потом их смешивали с лицами тридцати других президентов, и всю эту путаницу надо было распутать, и за правильно склеенные варианты вы получали десять баксов. А здесь прекрасное тело греческого юноши было соединено с головой орла-сокола-ястреба, с лицом, отмеченным печатью злодейства или безумия или и того и другого вместе.

Джон Уилкс Хопвуд через мое плечо вглядывался в фотографию так, будто никогда раньше не видел эту поразительную красоту, и глаза его горели гордостью за свою Силу Воли.

— Думаете, это фокус?

— Нет.

Но украдкой я посматривал на его шерстяной костюм, на свежевыглаженную рубашку, жилет, аккуратно повязанный галстук, на его запонки, блестящую пряжку на ремне, серебряные зажимы на брюках у щиколоток.

И вспоминал о парикмахере Кэле и о пропавшей голове Скотта Джоплина.

Джон Уилкс Хопвуд провел пальцами в пятнах цвета ржавчины по своей груди и ногам.

— Да,— рассмеялся он,— вся красота прикрыта. Так что вам никак не проверить, если не придете в гости. А ведь хочется проверить, правда? Неужели и впрямь этот старый песочник, игравший когда-то Ричарда, сохраняет облик солнечной юности? Как это может быть, что такое юное чудо уживается со старым морским волком? Что связывает Аполлона...

— С Калигулой,— ляпнул я и похолодел.

Но Хопвуд не обиделся. Он рассмеялся, кивнул и взял меня за локоть.

— Калигула — это хорошо! Так что сейчас будет говорить Калигула, а прекрасный Аполлон пока спрячется и подождет. На все вопросы ответ один — сила воли! Исключительно сила воли. Здоровье, еда — вот главное в жизни актера! Мы не только не смеем падать духом, но должны непрестанно заботиться о своем теле! Никаких булок, никаких шоколадных плиток...

Я моргнул и почувствовал, как последняя из шоколадок тает у меня в кармане.

— Никаких пирогов, пирожных, никаких крепких напитков, даже с сексом перебарщивать нельзя. Спать укладываемся в десять. Встаем на рассвете, пробежка по берегу, два часа в гимнастическом зале ежедневно, ежедневно на протяжении всей жизни. Лучшие друзья — тренеры по гимнастике, и обязательно два часа в день езда на велосипеде! И так тридцать лет подряд, тридцать каторжных лет! И после всего этого вы отправляетесь к гильотине Господа Бога. Он отхватывает вашу старую одуревшую орлиную голову и приторачивает ее к навечно загорелому золотому юношескому телу! А сколько пришлось за это заплатить! Но не жалко ничего! Игра стоила свеч! Красота принадлежит мне! Невиданное кровосмешение! Нарциссизм чистой воды! Мне никто не нужен.

— Я вам верю,— сказал я.

— Ваша честность вас погубит.

И он вставил фотографию в карман, как цветок.

— А все же вы сомневаетесь.

— Можно еще раз взглянуть?

Он дал мне фотографию.

Я снова впился в нее глазами. И пока смотрел, услышал шум прибоя, набегавшего прошлой ночью на темный берег.

И вспомнил, как из океана вдруг вышел обнаженный человек.

Я вздрогнул и прищурился.

Уж не этот ли обнаженный торс я видел? Не этот ли человек явился из моря, желая испугать меня, когда Констанция Раттиган возилась с проектором?

Хотелось бы это знать. Но я только спросил:

— А вы знакомы с Констанцией Раттиган?

Он насторожился:

— Почему вы спрашиваете?

— Заметил ее фамилию в списке на дверях Чужака. Вот мне и пришло в голову — не встречались ли вы, как те ночные корабли?

«Или купальщики,— подумал я,— он как-нибудь выйдет из волн прибоя в три часа ночи, а она как раз отправится плавать».

Его тевтонский рот надменно покривился.

— Наш фильм «Скрещенные клинки» в двадцать шестом году прогремел на всю Америку. В то лето о нашем романе кричали все газеты. Я был величайшей любовью ее жизни.

— Значит, это вы...— начал было я, но вовремя остановился, закончив про себя: «Значит, это вы, а не утопившийся директор рассекли ей ножом связки на ногах, так что она год не могла ходить?»

Правда, прошлой ночью у меня не было возможности проверить, есть ли у нее шрамы на ногах. А бегала Констанция так, что, похоже, эти перерезанные связки — враки столетней давности.

— Вам тоже следует наведаться к А. Л. Чужаку, он мудрый человек, истый последователь Дзэн,— сказал Хопвуд, садясь на велосипед.— Кстати, он просил передать вам вот это.

И он вынул из кармана пачку оберток от шоколадок, двенадцать штук, аккуратно соединенных скрепкой. В основном от шоколадок «Кларк», «Хрустящий» и от шоколадных батончиков. Бумажки, которые я бездумно пускал по ветру на берегу, а кто-то, оказывается, их подбирал.

— Он знает про вас все,— заявил Безумный Отто Баварский и затрясся от беззвучного хохота.

Я стыдливо взял конфетные обертки — эти свидетельства моего поражения,— чувствуя, как еще десять лишних фунтов нарастают у меня на боках.

— Приходите! — повторил свое приглашение Хопвуд.— Покатаетесь на карусели. Проверите, правда ли, что невинный юный Давид навеки повенчан со старым чертякой Калигулой. Придете?

И укатил в своем коричневом твидовом костюме и в коричневой кепке, с улыбкой глядя только вперед.

А я пошел обратно к музею меланхолии, созданному А. Л. Чужаком, и попробовал заглянуть внутрь через покрытое пылью окно.

На маленьком столике рядом с продранной кушеткой лежала кучка ярких оранжевых, желтых, коричневых шоколадных оберток.

«Неужели они все мои?» — подумал я.

«Мои,— признался я сам себе,— вон какой я пухлый, но он, он — псих!»

И я пошел покупать мороженое.

— Крамли?

— А вроде меня звали Шеф-щен?

— По-моему, я нащупал кой-какие намеки, кто убийца.

Наступила долгая тишина, подобная молчанию моря, — видно, Крамли положил телефонную трубку, взъерошил волосы и снова поднес трубку к уху.

— Джон Уилкс Хопвуд, — объявил я.

— Вы забываете, что никаких убийств пока не было, — сказал Крамли. — Есть только предположения и подозрения. Между тем существует такое учреждение, как суд, и такое понятие, как доказательства. Нет доказательств — нет дела, и вам так поддадут с вашими намеками, что вы неделю на задницу сесть не сможете.

— Вы когда-нибудь видели Джона Уилкса Хопвуда голым?

— Ну хватит!

Шеф-щен повесил трубку.

Когда я вышел из телефонной будки, шел дождь. Почти сразу же телефон зазвонил, будто знал, что я еще не успел уйти. Я схватил трубку и почему-то закричал:

— Пег!

Но услышал только шум дождя и чье-то тихое дыхание за много-много миль отсюда.

«Больше не буду отвечать на звонки в этой будке», — подумал я.

— Сукин ты сын! Попробуй-ка схвати меня, мерзавец! — заорал я.

И повесил трубку.

«Что я наделал? — подумалось мне. — Вдруг он все слышал и явится сюда?»

«Дуралей!» — подумалось мне.

А телефон зазвонил снова.

Надо было отозваться, может быть, даже извиниться перед этим далеким дыханием и сказать, что я прошу не обращать внимания на мое хамство.

Я взял трубку.

И услышал, как в пяти милях от меня грустит одинокая леди.

Фанни. Она плакала.

— Боже мой, Фанни! Это ты?

— Да-да! Господи Иисусе, помоги мне! — Она захлебывалась от слез, задыхалась, давилась словами. — Пока взбиралась по лестнице, чуть не умерла. С тридцать пятого года я по ней не поднималась! Где ты прячешься? Все рухнуло. Жизнь кончена. Все поумирали. Почему ты мне не сказал, что они умерли? Господи, господи! Какой кошмар! Ты можешь сейчас приехать? Джимми, Сэм, Пьетро! — Она завела литанию, а я от тяжести своей вины перед ней вжался в стенку телефонной будки. — Пьетро, Джимми, Сэм! Почему ты мне врал?

— Я не врал, я просто не говорил.

— А теперь вот Генри, — прорыдала она.

— Генри? Да что ты! Он же не...

— Упал с лестницы!

— Но он жив? Жив? — завопил я.

— Слава богу, лежит у себя в комнате. Отказался от больницы. Я услышала, что он упал, и выскочила. Вот тогда и узнала про то, о чем ты мне не сказал. Генри лежал, стонал, ругался и всех их перечислил. Джимми, Сэм, Пьетро. Зачем ты принес в наш дом смерть?

— Фанни, я здесь ни при чем!

223

— Приедешь и докажешь У меня три майонезные банки с мелочью. Возьми такси, пусть шофер поднимется, я с ним из этих банок расплачусь. Да, когда приедешь и постучишься, как я узнаю, что это ты?

— Ох, Фанни, может, и сейчас с тобой разговариваю совсем не я? Откуда ты знаешь?

— Я ничего не знаю! — жалобно заплакала Фанни. — В том-то и ужас! Я ничего, ничего не знаю!

— В Лос-Анджелес, — сказал я шоферу такси десять минут спустя. — За три майонезные банки.

— Алло, Констанция? Я в телефонной будке напротив дома Фанни. Вы не могли бы приехать? Надо ее отсюда выволакивать. Она страшно напугана.

— И есть причина?

Я глядел на многоквартирный дом, где жила Фанни, и гадал, сколько тысяч теней населяют его сверху донизу.

— На этот раз есть.

— Иди к ней. Охраняй ее. Я приеду через полчаса. Наверх подниматься не буду. Как хочешь убеди ее спуститься, и мы увезем ее. Беги.

Констанция так хлопнула трубкой, что я вылетел из будки и чуть не угодил под мчавшийся по улице автомобиль.

Я постучал к Фанни на свой лад, так что она поняла, кто это, и распахнула дверь. Передо мной предстало нечто вроде обезумевшего слона: глаза выпучены, волосы всклокочены и торчат во все стороны, — словом, вид такой, будто ей только что выстрелили в голову из ружья.

Я оттащил ее в кресло и кинулся к холодильнику, соображая, что ей быстрее поможет — вино или майонез. Пожалуй, вино.

— Выпей сейчас же! — приказал я и тут вспомнил, что водитель такси поднялся вместе со мной — наверно, решил, что я жулик и хочу сбежать.

Я нашел майонезную банку, полную мелочи, и вручил ему.

— Хватит? — спросил я.

Он быстро прикинул, сколько тут денег, как прикидывают, сколько мармеладок в банке, выставленной в витрине, цыкнул зубом и побежал вниз, бренча монетами.

Фанни покорно осушила стакан вина. Я налил ей второй и сел ждать. Наконец она заговорила:

— Вот уже две ночи кто-то стоит у меня за дверью. Приходят и уходят, уходят и приходят — такого еще никогда не было. Стоят там, дышат. Господи, что может быть нужно ночью от старой, толстой, всеми забытой обнищавшей оперной певицы? Не насиловать же меня собираются! Кто позарится на стопудовое оперное сопрано?

И тут она закатилась смехом и хохотала так неудержимо, так долго, что я не мог взять в толк, что с ней — истерика или она сама над собой так потешается. Пришлось побить ее по спине, остановить этот приступ, а то цвет ее лица уже внушал опасения. Я дал ей еще вина.

— Боже, боже, боже! — задыхалась Фанни.— До чего же хорошо посмеяться. Слава богу, что ты здесь. Ты защитишь меня, верно? Прости, что я тебе всякого наговорила. Конечно, не ты притащил к нам в дом эти страсти и подбросил мне под двери. Это — злобная собака Баскервилей, это она вздумала явиться сюда пугать Фанни.

— Фанни, прости, что я не сказал тебе про Джимми, Пьетро и Сэма. — Я тоже выпил вина. — Не хотелось оглушать тебя некрологами. Послушай, через несколько минут сюда подъедет Констанция Раттиган. Она хочет, чтобы ты погостила у нее несколько дней.

— Новые новости! — воскликнула Фанни, широко раскрыв глаза. — Откуда ты-то ее знаешь? И вообще это ни к чему! Мой дом здесь! Если я отсюда уеду, я пропала — умру, и все. Здесь мои пластинки.

— Мы возьмем их с собой.

— А книги?

— И книги заберем.

— И майонез у меня особый, у нее такого нет.

— Я куплю.

— У нее нет места.

— Даже для тебя, Фанни, места у нее хватит.

— А что же будет с моим пестрым котом?

Это продолжалось до тех пор, пока я не услышал, как внизу прижался к поребрику лимузин.

— Ну так как, Фанни?

— Теперь, раз ты здесь, уже все хорошо. Когда будешь уходить, загляни к миссис Гутьеррес, попроси ее немножко посидеть со мной, — бодро проговорила Фанни.

— Откуда этот наигранный оптимизм? Ведь час назад ты считала, что приговорена к смерти?

— Дорогой мой, Фанни в полном порядке. Эта гадина больше не вернется. Я чувствую, и к тому же...

И как по заказу в эту минуту весь огромный дом содрогнулся во сне.

Створки двери в комнате Фанни жалобно заскрипели.

Как подстреленная, и на этот раз подстреленная насмерть, Фанни приподнялась в кресле и чуть не задохнулась от ужаса.

Я мигом пересек комнату, распахнул дверь и высунулся в длинный, как долина реки, коридор — миля в одну сторону, миля в другую, — от него расходились бесконечные черные туннели, по которым потоком струилась ночная тьма.

Я прислушивался, но улавливал лишь, как потрескивает штукатурка на потолке и елозят в дверных проемах двери. Где-то журчал и урчал, ведя свою нескончаемую речь в ночи, унитаз, этот холодный белый фарфоровый склеп.

В коридоре, разумеется, никого не было.

Тот, кто был здесь раньше, если действительно кто-то был, быстро прикрыл за собой дверь или куда-то убежал — либо вперед, либо назад. Туда, откуда невидимым потоком вливалась ночь — длинная, извивающаяся река с веющим над ней ветром, навевающим воспоминания обо всем, что было здесь съедено, обо всем, что было выброшено, обо всем, что было таким желанным и в чем больше не было нужды.

Мне хотелось прокричать темным коридорам то же, что я собирался выкрикнуть ночному берегу перед арабской цитаделью Констанции Раттиган:

— Убирайтесь! Оставьте нас в покое. Может, по-вашему, мы и заслужили смерть, но мы не хотим умирать!

Однако, обращаясь в пустоту, я крикнул другое:

— Так, ребятки! Порезвились и хватит! Ступайте, ступайте! Брысь! Вот молодцы! Доброй ночи!

Я подождал, пока несуществующие ребятки разошлись по своим несуществующим комнатам, вернулся к Фанни, прислонился к притолоке и, фальшиво улыбаясь, закрыл дверь.

Трюк сделал свое дело. Или Фанни притворилась, что поверила мне.

— Из тебя выйдет хороший отец,— улыбнулась она.

— Да нет, я буду как все отцы — неумный и нетерпеливый. Этих ребят надо было накачать пивом и засунуть в койки давным-давно. Ну что, Фанни? Лучше тебе?

— Лучше,— вздохнула она и закрыла глаза.

Подойдя к ней, я обхватил ее руками, что было сродни полету Линдберга вокруг земного шара под восторженные вопли толпы.

— Все рассосется,— сказала Фанни.— Ты теперь иди. Все в порядке. Ты же сам сказал — ребятишки уже в кроватях.

«Какие ребятишки?» — чуть не ляпнул я, но прикусил язык. Ах да, ребятишки.

— В общем, с Фанни все благополучно, и ты иди домой. Бедняжка. Поблагодари Констанцию, но скажи ей от меня: «Нет, спасибо». Пусть приедет ко мне в гости. Миссис Гутьеррес обещала переночевать у меня. Она может спать на этой кровати — представляешь, я не сплю на ней уже тридцать лет! Не могу лежать на спине, задыхаюсь. Словом, миссис Гутьеррес придет сюда, а ты, мой дорогой, был очень добр, что зашел. И я знаю, что ты вообще очень добрый, ты просто не хотел меня расстраивать, вот и не сказал, что наши друзья внизу умерли.

— Да, Фанни, поэтому.

— Но в их смертях не было ничего необычного, верно?

— Нет, Фанни,— солгал я.— Всему виной только глупость, изменившая красота и уныние.

— Господи! — воскликнула Фанни.— Изъясняешься как лейтенант с мадам Баттерфляй.

— Потому-то мальчишки и лупили меня в школе.

Я двинулся к двери. Фанни глубоко вздохнула и внезапно сказала:

— Если со мной что-нибудь случится — совершенно не обязательно, но вдруг! Загляни в холодильник!

— Куда?

— В холодильник,— с загадочным видом повторила Фанни.— Сейчас не смей!

Но я уже дернул дверцу и уставился в освещенное нутро. На меня смотрели ряды банок — желе, джемы, соусы, майонез. Обведя их долгим взглядом, я захлопнул холодильник.

— Я же просила не смотреть сейчас,— упрекнула меня Фанни.

— Мне ждать некогда. Я должен знать.

— Ну а я теперь ничего тебе не скажу,— вспылила она.— Нечего было подглядывать! Я как раз собиралась признаться, что это, может, по моей вине нечисть пробралась в дом.

— Нечисть, Фанни? Какая нечисть?

— Ну, вся эта мерзость, которую, как мне казалось, ты приволок сюда на своих подошвах. Только, может, это дело рук Фанни. Может, я сама во всем виновата, может, я зазвала эту гадость с улицы.

— Так зазвала или нет? — взревел я, наклонившись над ней.

— Ты меня больше не любишь?

— Люблю, черт побери! Я же хочу вытащить тебя отсюда, а ты не даешься. Обвиняешь меня, что я отравил вам тут уборные, теперь заставляешь исследовать холодильник. Господи Иисусе, Фанни!

— А теперь лейтенант рассердился на Баттерфляй.— Из глаз Фанни выкатились слезы.

Больше я вынести не мог.

Я открыл дверь.

Перед ней стояла миссис Гутьеррес — наверно, она уже давно стояла за дверью и, как всегда, будучи дипломатом, держала в руках тарелку с горячими тако.

— Я завтра позвоню, Фанни,— пообещал я.

— Звони, конечно, и Фанни будет жива.

«Интересно,— думал я,— если я крепко зажмурюсь и притворюсь, что я слеп...

Найду ли я комнату Генри?»

Я постучался к Генри.

— Кто это? — отозвался он из-за запертой двери.

— Кто это спрашивает «кто это»? — сказал я.

— Кто это спрашивает, кто это спрашивает «кто это»? — Генри не выдержал и рассмеялся, потом вспомнил, что он расшибся.— Ты, значит.

— Впусти меня, Генри!

— Да я нормально. Ну, слетел с лестницы, и все дела. Ну, чуть не убился до смерти, эка важность. Дайте мне тут отлежаться взаперти. А завтра я выйду. Ты добрый парень — вон беспокоишься, жив ли я.

— Генри, как это случилось? — спросил я запертую дверь.

Генри подошел ближе. Я почувствовал, что он прислонился к двери с другой стороны, словно исповедующийся перед окошечком священника.

— Он мне поставил подножку.

Кролик, запрыгавший у меня в груди, превратился в большую крысу, и она заметалась вверх-вниз.

— Кто, Генри?

— Ну этот! Сукин сын! Поставил мне подножку, мерзавец.

— Он что, сказал что-нибудь? Откуда ты знаешь, что он был здесь?

— Откуда, откуда! Откуда я знаю, что в холле горит свет? Чую. Тепло чую. Там, где он стоял в коридоре, прямо жарко было. А потом, он же дышал! Я слышал, как он тихо так, осторожно втягивал в себя воздух и выдыхал. Он ни слова не сказал, когда я проходил мимо него, но я-то слышал, как у него сердце бьется — бух, бух. А может, это мое так бухало. Я-то думал, проскочу мимо него так, что он меня не заметит. Ведь мы — слепые — как рассуждаем? Раз я в темноте, так, поди, и другие тоже. И вдруг — бух! И я под лестницей и понять не могу, как я там очутился. Я давай звать Джимми, Сэма и Пьетро и вдруг вспомнил: идиот, они же все умерли, и ты, дурак, помрешь, если не крикнешь кого другого. Ну и стал орать подряд все имена без разбору. Двери захлопали, чуть с петель не сорвались, тут он и выскочил. Вроде он даже босой был, так тихо скакнул. Но я учуял, как пахло у него изо рта.

У меня перехватило дыхание, и я оперся о дверь.

— Ну и чем от него несло?

— Надо подумать. Потом скажу. А сейчас Генри лучше прилечь. Черт! Я даже рад, что слепой. Не хотел бы видеть, как я валюсь с лестницы, будто мешок с грязным бельем. Ну, пока.

— Спокойной ночи, Генри, — сказал я.

Я повернулся, но в тот же момент и дом, как огромный пароход, сделал поворот против речного ветра в темноте. Мне померещилось, что я опять в час ночи сижу в кинотеатре мистера Формтеня, а под сиденьями пол ходит ходуном, оттого что прилив чмокает, хлюпает и сотрясает половицы, а по экрану скользят большие серебристо-черные тени. Дом опять содрогнулся. Кинотеатр все-таки другое дело. А здесь, в этом огромном, старом, плохо освещенном здании, тени, сбежав с экрана, таились у лестничных пролетов, прятались в ванных, вывинчивали по ночам лампочки, чтобы всем приходилось, как слепому Генри, искать выход на улицу ощупью.

Пришлось двигаться на ощупь и мне. На верхней площадке я замер. Кто-то дышал, и воздух передо мной колебался. Но оказалось, что это всего лишь эхо моих же вдохов и выдохов: отражаясь от стен, оно возвращалось ко мне и касалось моего лица.

«Ради Христа, — внушал я себе, — не оступись, сбегая вниз».

Когда я вышел от Фанни, лимузин выпуска 1928 года с шофером ждал меня. Дверца захлопнулась, мы помчались к Венеции, и на полдороге сидевший впереди водитель снял кепи, распустил волосы и превратился...

...в Констанцию Раттиган — следователя, ведущего допрос.

— Ну? — спросила Констанция холодно.— Очень она встревожена?

— Не то слово! Только встревожил ее не я.

— Да?

— Да! Черт побери! Остановитесь вон там и высадите меня на ближайшем углу к чертовой матери!

— Ну, ну, мистер Хемингуэй! Для робкого мальчика из Северного Иллинойса выражаетесь вы лихо!

— А подите вы, мисс Раттиган...

Это возымело действие. Плечи ее слегка обмякли. Она поняла, что может потерять меня, если не будет поосмотрительней.

— Констанция,— уже спокойнее поправила она.

— Констанция,— повторил я.— Не моя вина, что кто-то утонул в ванне, кто-то перепил, кто-то свалился с лестницы, а кого-то забрала полиция. Почему вы-то сами не поднялись к Фанни прямо сейчас? Вы же ее старый закадычный друг!

— Я боялась — вдруг, если она увидит нас вместе, ее кондрашка хватит и мы не сможем ввести ее в рамки.

Констанция сбавила скорость с довольно-таки истерической — семьдесят миль в час до менее нервозной — шестидесяти или шестидесяти двух. Но ее пальцы, как когти, впивались в руль, будто она воображала, что это мои плечи, и собиралась как следует тряхануть меня.

— Лучше бы вам,— сказал я,— увезти ее оттуда раз и навсегда. Сейчас она неделю спать не будет, а это ее доконает, она не выдержит изнеможения. И нельзя же все время питаться одним майонезом!

Лимузин замедлил бег до пятидесяти пяти миль в час.

— Здорово тебе от нее досталось?

— Да нет, просто, как и вы, она обозвала меня Прислужником Смерти. Видно, я для всех козел отпущения, просто какой-то разносчик чумных блох! Что бы там ни творилось в доме Фанни — а что-то творится, это факт,— я тут ни при чем. И плюс ко всему Фанни сама выкинула какую-то глупость.

— Какую?

— Не знаю, она отказалась мне объяснить. Она сама в себе не уверена. *Может*, вам удастся что-нибудь из нее вытянуть. У меня жуткое ощущение, что Фанни сама навлекла на себя все это.

— Каким образом?

Скорость упала до сорока. Констанция наблюдала за мной в зеркало заднего вида. Я облизал губы.

— Могу только строить догадки. Что-то спрятано у нее в холодильнике — это она сама сказала. «Если,— говорит,— со мной что случится, загляни в холодильник». Господи! До чего все глупо. Может, вы сегодня попозже съездите к ней и заглянете в этот несчастный холодильник? Может, вам удастся сообразить, почему, как и что Фанни собственноручно допустила к себе? И чего она так смертельно боится?

— Милостивый Боженька,— пробормотала Констанция, закрывая глаза.— Пресвятая Дева!

— Констанция! — завопил я.

Ибо мы только что вслепую проскочили под красный свет.

На счастье, Господь Бог не дремал и подстелил нам соломку.

Констанция остановилась у моего дома, вышла из машины и, когда я отпер дверь, заглянула в комнату.

— Здесь-то и создаются шедевры?

— Кусочек Марса на Земле...

— А это и есть пианино Кэла? Я слышала, будто музыкальные критики однажды пытались его сжечь. И про клиентов Кэла слышала, как они в один прекрасный день ввалились к нему в парикмахерскую, выли, кричали и демонстрировали, что он учинил с их волосами.

— Кэл — хороший парень, — сказал я.

— Ты давно смотрелся в зеркало?

— Он старался.

— Только с одного бока. Кстати, напомни, когда снова ко мне заглянешь, — ведь мой отец тоже, бывало, стриг. И меня научил. А почему мы стоим на пороге? Боишься, что скажут о тебе соседи, если... Черт! Опять покраснел! Что я ни скажу, все оказывается не в бровь, а в глаз. До чего же ты непосредственный. С тех пор как мне минуло двенадцать, я таких стеснительных не видела.

Она просунула голову дальше.

— Господи! Сколько хлама! Ты что, никогда не убираешь? И похоже, читаешь десять книг сразу, да к тому же половина из них — комиксы. А что это рядом с машинкой? Дезинтегратор Бака Роджерса? Ты и крышки посылаешь?

— Точно, — подтвердил я.

— Ну и свалка,— пропела Констанция, и это следовало принять как комплимент.

— Все мое — ваше!

— Вот так кроватка! До того узкая, уж на ней-то сексом втроем не займешься.

— Одному из партнеров придется оставаться на полу.

— Боже мой! Какого года эта твоя машинка?

— Тысяча девятьсот тридцать пятого. «Ундервуд Стандарт», старушка, но молодец.

— Совсем как я, да, малыш? Не хочешь пригласить престарелую знаменитость войти и помочь ей снять сережки?

— Вы забыли? Вам надо ехать обратно к Фанни и исследовать ее холодильник. К тому же если вы проведете здесь ночь, то, учтите, фейерверков не будет.

— Словом, бережешь порох в пороховнице?

— Берегу, Констанция.

— Воспоминания о твоих заштопанных трусах сводят меня с ума!

— Что ж, я, конечно, не юный Давид.

— Господи! Ты даже и не Голиаф! Пока, малыш! Спешу к Фанниному холодильнику. Спасибо!

Она влепила мне такой поцелуй, что у меня чуть не лопнули барабанные перепонки, и умчалась.

Не оправившись от этого поцелуя, я кое-как добрался до кровати.

И напрасно.

Потому что мне приснился Сон.

Каждую ночь ко мне наведывался мелкий дождик, покапает за моими дверями, пошелестит несколько минут и пройдет. Я боялся выглянуть наружу. Вдруг там стоит промокший Крамли и сердито сверкает глазами. Или Формтень дрожит и дергается, как действующие лица в старых фильмах, а из носа и с бровей у него свисают водоросли...

Каждый вечер я ждал, дождь проходил, и я засыпал.

Тогда начинался Сон.

Я — писатель, живу в маленьком зеленом городке в Северном Иллинойсе, сижу в кресле, таком же, какое осталось в пустой парикмахерской Кэла, вдруг кто-то врывается с телеграммой. В ней сообщают, что у меня купили сценарий за сто тысяч долларов.

Я сижу в кресле, ору от счастья, размахиваю телеграммой и вдруг вижу, что лица у всех в парикмахерской леденеют, словно вечной мерзлотой покрываются, и, хотя они пытаются с улыбками поздравлять меня, даже зубы у них выглядят как сосульки.

Я разом стал изгоем. Их дыхание обдает меня холодом. Я изменился навсегда. Прощения мне нет.

Парикмахер кончил стричь меня слишком быстро, будто я стал неприкасаемым. И я пошел домой, сжимая телеграмму в потных руках.

Поздно ночью на краю леса, недалеко от моего дома — городок у нас маленький,— раздался рев чудовища.

Я сел на кровати, и все мое тело будто покрылось кристалликами льда. Чудовище с рыком приближалось. Я распялил глаза и раскрыл рот, чтобы уши не заложило. Чудовище рычало все ближе, оно уже одолело пол-леса, ломая и сокрушая все на своем пути, подминая лесные цветы, распугивая кроликов и птиц, которые с криками взмывали к звездам.

Сам я не мог ни крикнуть, ни шевельнуться. Я чувствовал, как от лица отлила кровь. И видел на бюро рядом с кроватью праздничную телеграмму. Чудовище опять испустило истошный вой и снова пошло крушить все, перекусывая деревья своими страшными, как турецкий ятаган, зубами.

Я вскочил, схватил телеграмму, подбежал к двери, распахнул ее настежь. Чудовище уже вылезало из лесу. Оно стонало, ревело, заглушало своим грозным воем ночной ветер.

Я разорвал телеграмму на мелкие кусочки, выбросил их на лужайку и закричал:

— Я отказываюсь! Забирайте ваши деньги! Забирайте вашу славу! Я остаюсь здесь! Никуда не поеду! Нет! — И еще раз: — Слышите, нет! Нет, нет! — И в заключение отчаянным голосом: — Нет!

В динозаврьей глотке чудовища замер рык. Минуту длилась устрашающая тишина.

Луна спряталась за облака.

Я ждал, и пот замерзал у меня на лице.

Чудовище с шумом втянуло в себя воздух, выдохнуло его, повернулось и заковыляло обратно в лес: оно уходило все дальше, его было уже едва видно, оно исчезало бесследно. Над лужайкой, словно мотыльки, кружились обрывки телеграммы. Я закрыл и запер дверь и, не помня себя от облегчения, свалился в постель. Заснул я под утро.

Вот и сейчас, проснувшись от этого сна в своей кровати в Венеции, я подошел к двери и посмотрел на каналы. Что мне крикнуть им — этой темной воде, туману, песку на пляже, океану? Кто меня услышит, какое чудовище поймет мою «mea culpa»*, мой реши-

---

* Моя вина *(лат.)*.

тельный отказ, мой протест против обвинений, мои доводы, что намерения у меня самые добрые и талант мой себя еще покажет?

Крикнуть им: «Ступайте прочь! Я ни в чем не виноват! Я не должен умирать! И, ради бога, оставьте в покое остальных!» Может быть, прокричать это?

Я открыл рот, собираясь попробовать. Но рот у меня был забит пылью, которая каким-то образом все запорошила в темноте.

Я сумел только протянуть руку, как нищий, но пантомима эта, конечно, была бесполезной.

«Пожалуйста»,— сказал я про себя.

И прошептал вслух:

— Пожалуйста!

А потом закрыл дверь.

И тут же в будке через дорогу зазвонил телефон.

«Не буду отвечать,— подумал я.— Это он. Ледяной человек».

Телефон продолжал звонить.

Нет, это Пег.

Телефон звонил.

Это он.

— Заткнись! — заорал я.

Телефон замолчал.

Не выдержав тяжести собственного тела, я рухнул в постель.

Стоя на пороге, Крамли недоуменно моргал.

— Господи помилуй! Вы знаете, который час?

Мы стояли, не спуская друг с друга глаз, словно боксеры, уже измотавшие один другого до одури и теперь не соображающие, куда бы упасть.

Я не мог придумать, что сказать, и потому произнес:

— «Слишком хорошо стали смотреть за мной в последнее время».

— Пароль верный. Шекспир. Входите.

Он провел меня через весь дом туда, где, благоухая кофе, булькал на плите большой кофейник.

— Корпел допоздна над своим шедевром.— Крамли кивнул на пишущую машинку, видневшуюся в спальне. Из нее свисал длинный желтый лист — словно муза дразнилась, высунув язык.

— Пишу на казенной бумаге, на ней больше помещается. Мне, наверно, чудится, что если дойду до конца обычного листа, то и продолжать не стану. Господи, ну и видок у вас! Приснилось что-то страшное?

— Хуже не бывает! — И я рассказал ему свой сон — и про парикмахерскую, и про сто тысяч за проданный сценарий, и про ночное чудовище, и про то, как я кричал на него, а оно, стеная, удалилось, и я остался жив-живехонек.

— Надо же! — Крамли налил в две большие чашки чего-то густого и булькающего, как лава.— У вас даже сны интереснее, чем у меня.

— Но что сей сон значит? Что мы никогда ничего в жизни не добьемся? Если я и дальше буду бедствовать и не опубликую ни одной книжки, окажусь неудачником! Но выходит, если у меня купят роман, издадут его и на моем счете в банке заведутся деньги, я опять же оказываюсь неудачником, да? Значит, все друг друга ненавидят? А друзья? Умеют ли хотя бы они прощать? Вы старше меня, Крамли, растолкуйте мне этот сон. Почему чудовище хотело меня убить?

Почему мне пришлось отказаться от денег? Что все это значит?

— Черт его знает,— хмыкнул Крамли.— Я же не психиатр.

— Может, А. Л. Чужак меня вразумит?

— Вот-вот, нагадает на кофейной гуще, прочтет с потолка. Нет уж! А записать этот сон не собираетесь? Другим вы всегда это советуете...

— Когда немного успокоюсь. По дороге к вам, всего несколько минут назад, я вспомнил, что мой доктор когда-то предлагал сводить меня на экскурсию в анатомический театр. Слава богу, у меня хватило ума отказаться. А то я действительно мог бы сказать, что за мной «слишком хорошо стали смотреть в последнее время». А сейчас у меня просто ум за разум заходит. Все вертится в голове — как очистить львиную клетку? Как разгладить простыни под старой леди с канарейками? Как отвлечь Кэла-парикмахера от Джоплина? Как защитить ночью Фанни, ведь она на другом конце города, а я еще и без оружия?

— Пейте кофе,— посоветовал Крамли.

Я порылся в кармане и вынул фотографию Кэла со Скоттом Джоплином, только головы у Скотта не было. И рассказал Крамли, где нашел снимок.

— Кто-то украл голову с фотографии. А Кэл увидел это, понял, что песенка его спета, и унес ноги из Венеции.

— Ну, это не убийство,— заметил Крамли.

— То же самое,— возразил я.

— То же самое, что «бывает, и свиньи летают». Переходим к слушанию следующего дела, как говорят в суде.

— Кто-то опоил Сэма чем-то очень крепким. И он умер. Кто-то затолкал Джимми под воду в ванне, и он утонул. Кто-то натравил полицию на Пьетро, его забрали, и это его убьет. Кто-то просто встал над леди с канарейками и напугал ее до смерти. Кто-то запихнул мертвого старика в львиную клетку.

— Кстати, от следователя получены кое-какие данные об этом старике,— прервал меня Крамли.— В крови полно алкоголя.

— Естественно. Кто-то накачал его джином, огрел по голове, уже мертвого стащил к каналу и засунул в клетку, а сам пошел себе к своему автомобилю или просто домой где-то здесь, в Венеции. Правда, он был весь мокрый, но в такой дождь кто обратит внимание на промокшего человека без зонта?

— Чушь! Нет уж, позвольте покрепче: маразматические бредни! Да ни один судья не купится на такие бездарные выдумки. Люди мрут. Происходят несчастные случаи. Мотив! Дайте мне мотив, черт побери. А у вас ничего нет, все построено на идиотской песенке: «Поздно ночью на крылечке я заметил человечка, тут в глазах забегало, а его как не было». И сегодня его снова не было! Господи, хотел бы я, чтобы он убежал, сплыл! Подумайте сами. Если этот так называемый убийца и впрямь существует, то нам известен только один человек, который имел касательство ко всем этим происшествиям: вы!

— Я? Да неужели вы думаете...

— Не думаю. Успокойтесь. Не таращьте на меня свои круглые кроличьи глаза. Подождите, я кое-что вам покажу.

Крамли подошел к полке с книгами, висевшей на одной из стен в кухне (книжные полки в его доме были в каждой комнате), и снял с нее толстенный том.

Он бросил его на кухонный стол. Полное собрание сочинений Шекспира.

— Бессмысленное злодейство,— проговорил он.

— Что?

— У Шекспира его полно, да и у вас тоже, и у меня, и вообще у всех и каждого. Бессмысленная злобность. Вас эти слова ни на что не наводят? А ведь они означают, что какой-то подонок бегает по городу и делает свое грязное дело без всякой причины. Или это нам кажется, что без причины.

— Без причины никто не будет творить бесчинства, даже подонки.

— Да ну? — ласково фыркнул Крамли.— До чего же мы наивны! Если хотите знать, половина задержанных у нас на участке — это те, кто едет на красный свет и давит пешеходов, те, кто избивает жен, стреляет в друзей, и никто из них не может вспомнить, зачем они это делали. Мотивы-то, конечно, есть, но так глубоко запрятаны, что без динамита до них не доберешься. А того типа, которого вы стараетесь найти, пуская в ход вашу подогретую виски и пивом логику, если он и вправду существует, разыскать нет возможности: ведь нет ни мотива, ни подоплеки, ни улик. Он и будет себе разгуливать без горя и забот, если только вам не удастся собрать доказательства — косточку за косточкой, чтобы выстроить всю цепочку.

С довольным видом Крамли сел и налил еще кофе.

— Вы когда-нибудь задумывались, почему на кладбищах нет сортиров? — спросил он.

У меня отпала челюсть.

— Верно! Никогда не замечал! К чему покойникам уборные? Если только... Если только вы не пишете рассказ в стиле Эдгара По о трупе, который проснулся в полдень и захотел облегчиться.

— Загорелись накропать такой рассказик? Надо же! Теперь я раздаю идеи!

— Крамли!

— Начинается, — вздохнул он, отодвигая стул.

— Вы верите в гипноз? В регрессию сознания?

— Да вы уже и так регрессировали дальше некуда!

— Послушайте! — выпалил я. — Я же так рехнусь! Загипнотизируйте меня. Верните назад, запихните меня туда.

— Святой Моисей! — Крамли вскочил, допил кофе и выхватил из холодильника пиво. — Куда же вас запихать-то? В психушку?

— Крамли, я ведь столкнулся с убийцей! И хочу снова с ним встретиться. Тогда я не обратил на него внимания, он же был пьян. Он ехал со мной в последнем трамвае в тот вечер, когда я нашел мертвеца в львиной клетке. Стоял в трамвае позади меня.

— Это все равно ничего не доказывает.

— То, что он бормотал, может послужить доказательством. Но я не могу вспомнить что. Если бы вам удалось вернуть меня назад, чтобы я опять оказался в ливень в этом трамвае и опять услышал его голос, я смог бы теперь узнать его и убийства прекратились бы. Разве вы этого не хотите?

— Факт, хочу. Значит, я вас вот так заворожу, вы проблеете мне, что вы узнали, а я тут же пойду и арестую убийцу — так, что ли? «Пошли, — скажу, — нехороший вы человек! Мой друг-писатель под гипнозом узнал ваш голос, и больше никаких доказательств не требуется. Вот наручники, давайте-ка их защелкнем!»

— Пошли вы к черту! — Я вскочил и со стуком поставил на стол чашку. — Я сам себя загипнотизирую. В конце концов, не так уж это трудно! Самовнушение, " все! Я и так все время сам себя убеждаю.

— Перестаньте. Вы же не знаете, как это делается. Вы не тренировались. Сядьте, ради бога! Найду я вам хорошего гипнотизера. Да! — Крамли как-то странно рассмеялся. — Может, обратитесь к А. Л. Чужаку? Он же практикующий гипнотизер.

— Господи! — содрогнулся я. — Даже не шутите так. Он задушит меня Шопенгауэром, Ницше, «Анатомией меланхолии» Бартона, и я уже никогда не оживу. Нет, Элмо, это должны сделать вы.

— Я должен выставить вас отсюда и лечь в постель.

Он ласково подтолкнул меня к двери.

И настоял, что отвезет домой. По дороге, глядя прямо вперед, в непроглядное будущее, он сказал:

— Не тревожьтесь. Больше ничего такого не случится, малыш.

Но он ошибся.

Конечно, это обнаружилось не сразу.

Я проснулся в шесть утра, вообразив, что снова услышал стрельбу.

Но то просто разрушали пирс: рабочие, как зубные врачи, силились вырвать этот громадный зуб.

«Интересно,— подумал я,— почему разрушители берутся за разрушение в такой ранний час? А что это за ружейные выстрелы? Может, это они так хохочут?»

Я принял душ и выскочил из дому, как раз навстречу стене тумана, которая надвигалась из Японии.

Старики с трамвайной остановки уже были на берегу, опередив меня. Я не видел их с того самого дня, как пропал их друг — мистер Смит, нацарапавший на стене в спальне свою фамилию.

Я смотрел, как они наблюдают за гибелью пирса, и чувствовал, что у них внутри тоже рушатся все основы. Они не двигались, только челюсти ходили ходуном, будто они вот-вот сплюнут жеваный табак. Опущенные вдоль тела руки вздрагивали. Я знал, что и они знают: разрушат пирс — и тут же загрохочут машины, кладущие асфальт, зальют гудроном трамвайные рельсы, заколотят кассу, где продают трамвайные билеты, выметут остатки билетных конфетти. Будь я на их месте, я сегодня же отправился бы в Аризону или куда-нибудь еще, где светит солнце. Но я был на своем месте и на полвека моложе, мои суставы еще не заржавели, а кости не скрипели всякий раз, когда огромные машины наносили сокрушительный удар по пирсу, оставляя после себя пустоту.

Я подошел к старикам и встал между двумя из них, мне хотелось сказать им что-то значительное.

Но я просто глубоко вздохнул.

Этот язык они понимали хорошо.

Услышав мой вздох, они долго ждали.

А потом закивали головами.

— Так! В хорошенькое дельце ты меня опять втравил!

Мой голос, летящий по проводам в Мехико-Сити, был голосом Оливера Гарди.

— Олли! — воскликнула Пег голосом Стэна Лорела.— Скорей лети сюда! Спаси меня от мумий в Гуанахуато!

Стэн и Олли. Олли и Стэн. С самого начала мы с Пег называли наш роман «романом Лорела и Гарди», потому что с детства были в них влюблены и здорово навострились подражать их голосам.

— Почему ты ничего не делаешь, чтобы помочь мне? — закричал я, подражая мистеру Гарди.

А Пег в роли Лорела запищала в ответ:

— Ох, Олли... ну, словом... Кажется... я...

И вслед за этим наступила тишина. Мы только вздыхали с отчаянием, и наши вздохи, наша жажда встречи, наша любовная печаль проносились в Мехико и обратно. Миля за милей и доллар за долларом, а доллары-то платила Пег.

— Нет, Стэн, тебе это не по карману,— вздохнул я наконец,— и у меня уже начинает побаливать там, куда аспирин не попадает. Стэн, милый мой Стэнли, пока!

— Олли! — всхлипнула Пег.— Дорогой мой Олли. Пока!

Как я уже сказал...

Крамли ошибся.

Ровно в одну минуту двенадцатого я услышал, как у моего дома затормозил похоронный автомобиль.

Я не спал и по мягкому шороху, с каким машина остановилась у дверей, понял, что это лимузин Констанции Раттиган — он тихонько жужжал, ожидая, когда я отзовусь.

Не задавая ни Богу, ни кому другому никаких вопросов, я вскочил и машинально оделся, не замечая, что натягиваю на себя. Тем не менее я почему-то надел темные брюки, черную рубашку и старую синюю куртку. Только в Китае ходят на похороны в белом.

Целую минуту я стоял, сжимая ручку двери, — не мог собраться с духом, чтобы повернуть ее и выйти из дому. Подойдя к лимузину, я сел не на заднее сиденье, а на переднее, рядом с Констанцией, которая, не поворачивая головы, смотрела прямо перед собой на белые и холодные волны прибоя.

По ее щекам текли слезы. Не проронив ни слова, она медленно тронулась с места. Скоро мы уже были на середине Венецианского бульвара.

Я боялся задавать вопросы, страшась услышать ответ.

Примерно на полпути Констанция проговорила:

— Меня охватило предчувствие.

Больше она ничего не прибавила. Я понял, что она никому не звонила. Просто едет проверить свое предчувствие.

Как потом выяснилось, если бы даже она и позвонила кому-нибудь, было бы уже поздно.

В половине двенадцатого мы подъехали к дому Фанни.

Мы не выходили из лимузина, по щекам Констанции катились слезы, и, по-прежнему глядя перед собой, она сказала:

— Господи, у меня такое ощущение, будто во мне весу пять пудов, двинуться не могу.

Но в конце концов двинуться все же пришлось.

Когда мы уже поднялись до середины лестницы, Констанция вдруг упала на колени, зажмурилась, перекрестилась и прорыдала:

— О Господи, Господи, сделай так, чтобы Фанни была жива, сделай, Господи!

Я помог ей, опьяневшей от горя, подняться наверх.

На площадке второго этажа нас встретила темнота и сильный, словно засасывающий, сквозняк. Где-то за тысячу миль, на другом конце ночи, в северном крыле этого дома, кто-то открыл и закрыл дверь. Вышел подышать воздухом или спасался бегством? Одна тень переплеталась с другой. Минуту спустя до нас долетел пушечный выстрел захлопнувшейся двери. Констанция пошатнулась на своих каблуках, я схватил ее за руку и потащил за собой.

Мы двигались сквозь непогоду, и вокруг становилось все холоднее, все влажнее, все темнее. Я пустился бегом, не своим голосом бормоча заклинания, пытаясь спасти Фанни.

«Все в порядке, она у себя в комнате, — твердил я мысленно магические формулы, — она у себя вместе со своими пластинками, портретами Карузо, гороскопами, майонезными банками, со своим пением...»

Она действительно была у себя.

Дверь ее комнаты висела на петлях.

Фанни лежала на спине, прямо на линолеуме, посреди комнаты.

— Фанни! — закричали мы в один голос.

«Вставай! — просилось у нас на язык.— Тебе нельзя лежать на спине, ты задохнешься! Ты тридцать лет не лежала в кровати. Ты можешь спать только сидя. Вставай, Фанни!»

Но она не шевелилась. Она ничего не говорила. Она не пела.

И даже не дышала.

Мы опустились подле нее на колени, взывая к ней шепотом, молясь про себя. Мы стояли возле нее на коленях, будто два кающихся грешника, будто молящиеся паломники, мы тянули к ней руки, будто целители, словно это могло что-то изменить. Словно своим прикосновением мы могли вернуть ей жизнь.

Но Фанни лежала, устремив глаза в потолок, точно хотела сказать: «Откуда здесь взялся потолок? И почему я молчу?»

Все было очень просто и очень страшно. Не то Фанни сама упала, не то ее толкнули, но встать она не смогла. Она лежала здесь одна среди ночи, пока не задохнулась от собственной тяжести. Не нужно было особых усилий, чтобы удержать ее в этом положении, не дать ей повернуться. Не надо было ни душить, ни наваливаться на нее. Никакого насилия не требовалось. Нужно было только постоять над ней и убедиться, что она не может перевернуться, опереться на что-нибудь и подняться. Достаточно было понаблюдать за ней минуту-другую, пока она наконец совсем не затихла, а глаза не остекленели.

«Фанни! Ох, Фанни,— стонал я.— Фанни,— оплакивал я ее,— что же ты с собой сделала?»

И вдруг я различил едва слышный шепоток.

У меня дернулась голова. Я выкатил глаза.

Диск потрепанного патефона все еще вращался медленно, очень медленно. Но все-таки вращался. А значит, всего пять минут назад она завела патефон, поставила пластинку и...

Ответила на стук, открыла дверь в темноту.

Диск вращался. Но пластинки под иголкой не было. «Тоска» исчезла.

Я прищурился и вдруг...

Быстро простучали каблуки.

Констанция вскочила и, задыхаясь, побежала к двери на балкон, выходивший на заваленный мусором пустырь, на Банкер-Хилл и на бильярдную, откуда всю ночь доносились раскаты хохота. Не успел я схватить Констанцию, как она дернула дверь и бросилась к балконным перилам.

— Нет! Констанция, не надо! — закричал я.

Но она выскочила туда, потому что ее рвало — она склонилась над перилами, нагнулась и освободилась от всего. Я рад был бы последовать ее примеру. Но только стоял, присматривая за ней, и переводил глаза с нее на гору, у подножия которой мы стояли минуту назад.

Наконец рвота прекратилась.

Повернувшись, я, сам не зная почему, пересек комнату, обошел Фанни и открыл маленькую дверцу. Отблеск слабого холодного света упал мне на лицо.

— Святый боже! — воскликнула Констанция, стоя в дверях у меня за спиной.— Что ты делаешь?

— То, что велела Фанни,— ответил я, едва шевеля онемевшими губами.— Если что случится, посмотреть в холодильнике.

Ледяной могильный ветерок обвевал мои щеки.

— Вот я и смотрю.

Конечно, в холодильнике ничего не было.

Вернее, там было слишком много всего. Желе, джемы, самые разные майонезы, соусы для салатов, маринованные огурцы, острые перцы, сдобные ватрушки, булочки, булки, масло, холодная вырезка —словом, настоящий арктический гастроном. При виде этого становилось понятно, как планомерно и упорно создавалась невероятная толщина Фанни.

Я глядел, напрягая зрение, пытаясь обнаружить то, что имела в виду Фанни.

«Боже мой! — думал я.— Но что? Что я должен искать? Может, что-то скрыто в одной из этих банок?»

Я с трудом сдержался, чтобы не вывернуть все джемы и желе на пол. Но вовремя отдернул руку.

Нету здесь ничего. А если есть, то найти это я не могу.

У меня вырвался жуткий глухой стон, и я захлопнул дверцу.

Диск, с которого исчезла «Тоска», отчаялся и перестал крутиться.

«Надо, чтобы кто-нибудь вызвал полицию,— подумал я.— Но кто?»

Констанция снова выскочила на балкон.

Значит, я.

К трем часам ночи все было закончено. Приехала полиция, всех опросила, записала фамилии, многоквартирный дом был поднят на ноги, словно в подвале обнаружился пожар, и когда я вышел на улицу, то машина из морга еще стояла у входа, а служители прикидывали, как им вытащить Фанни из комнаты, снести вниз по лестнице и увезти. Я надеялся, что они не додумаются использовать ящик от рояля в переулке, насчет которого шутила Фанни.

Они и не додумались. Но Фанни пришлось пролежать в комнате до рассвета — утром пригнали машину побольше и носилки пооснователней.

Ужасно тяжело было оставлять ее там одну на ночь. Но полиция не разрешила мне побыть с ней, ведь, в конце концов, случай был самый обычный — естественная смерть.

Пока я спускался по лестнице, минуя этаж за этажом, двери одна за другой закрывались, гас свет, и я вспомнил вечера в конце войны, когда последние из пляшущих конгу, выбившись из сил, расходились по своим комнатам или разбредались по улицам, а я в одиночку поднимался на Банкер Хилл, а потом спускался к вокзалу, откуда меня уносил домой грохочущий трамвай.

Выйдя на улицу, я увидел, что Констанция Раттиган свернулась на заднем сиденье своего лимузина и тихо лежит, глядя в никуда. Услышав, что я открываю заднюю дверцу, она сказала:

— Садись за руль.

Я уселся на переднее сиденье.

— Отвези меня домой,— тихо попросила Констанция.

Несколько минут я набирался храбрости, но в конце концов признался:

— Не могу.

— Почему?

— Не умею водить машину.

— Что?

— Никогда этому не учился. К чему мне? — Язык, тяжелый как свинец, с трудом меня слушался. — Разве писатели могут позволить себе иметь машину?

— Господи помилуй! — Констанция ухитрилась выпрямиться и вылезла из машины. Она двигалась неуклюже, как с похмелья. Медленно, ничего не видя, покачиваясь, обошла лимузин и махнула мне: — Подвинься!

Кое-как она завела машину. На этот раз мы ехали со скоростью десять миль в час, как будто нас окружал густой туман, в котором и на десять шагов уже ничего не видно.

Мы доехали до гостиницы «Амбассадор». Констанция повернула ко входу, и мы остановились, как раз когда расходились последние участники субботней вечеринки в смешных шляпах, с воздушными шариками в руках. В «Кокосовой роще» над нами гасли огни. Я видел, как, подхватив инструменты, спешат домой музыканты.

Констанцию знали все. Мы расписались в книге, и нам отвели бунгало в нескольких минутах ходьбы от гостиницы. Багажа у нас не было, но это, по-видимому, никого не волновало. Посыльный, провожавший нас в бунгало, смотрел на Констанцию так, будто считал, что ее нужно нести на руках. Когда мы вошли в комнату, Констанция спросила его:

— Как насчет того, чтобы за пятьдесят долларов найти ключ и отпереть бассейн, который за гостиницей? Мы хотели бы поплавать.

— Ключ-то, если хорошенько постараться, найти можно,— сказал посыльный.— Но купаться среди ночи...

— Я всегда купаюсь в это время,— объяснила Констанция.

Через пять минут в бассейне вспыхнули огни, и я, усевшись там, наблюдал, как Констанция ныряет и плавает: она сделала двадцать кругов, иногда проплывая под водой, из одного конца бассейна в другой, даже не высовываясь, чтобы набрать воздуха.

Раскрасневшаяся, она вылезла через десять минут, и я закутал ее в большое полотенце и не разомкнул руки.

— Когда же вы будете плакать? — решился спросить я.

— Черт возьми! Этим я сейчас и занималась,— ответила она.— Если под боком нет океана, сойдет и бассейн. Если нет бассейна, включи душ. Тогда можешь кричать, выть и рыдать сколько тебе влезет, и никто об этом не узнает, никто не услышит. Когда-нибудь этим пользовался?

— Никогда.— Я с благоговением посмотрел на нее.

В четыре утра Констанция застала меня в ванной, я стоял и смотрел на душ.

— Давай! — ласково сказала она.— Запусти его! Попробуй!

Я встал под душ и пустил воду, открыв кран до предела.

В одиннадцать утра, возвращаясь, мы проехали через Венецию, поглядели на каналы, затянутые тонкой зеленой ряской, миновали полуразрушенный пирс, понаблюдали, как взмывают вверх, в туман, чайки. Солнце так и не вышло, а прибой был чуть слышен, словно приглушенный гул черных барабанов.

— К черту все это! — выдохнула Констанция.— Бросай монету! Орел — едем на север, в Санта-Барбару, решка — на юг, в Тихуану.

— Нет у меня даже мелочи,— ответил я.

— Господи! — Констанция порылась в кошельке, вынула монету в двадцать пять центов и подбросила в воздух.

— Решка.

К полудню мы приехали в Лагуну, благо дорожный патруль нас почему-то не задержал. Мы сидели в открытом кафе, расположенном на скале над берегом, и пили двойной коктейль «Маргарита».

— Ты видел фильм «Вперед же, странница!»?

— Десять раз,— ответил я.

— Так в этом фильме, в первой части, здесь завтракали влюбленные Бетт Дэвис и Пол Хенрид. Они сидели там, где мы сейчас сидим. В начале сороковых тут всегда шли натурные съемки. Стул, на котором ты сидишь, до сих пор хранит отпечаток задницы Хенрида.

В три мы были в Сан-Диего и ровно в четыре остановились перед ареной, где происходили бои быков.

— Ну как, выдержишь? — спросила Констанция.

— Попробую,— сказал я.

Мы высидели до третьего быка, вышли в предвечерние сумерки, выпили еще две «Маргариты» и, перед тем как двинуться на север, съели плотный мексиканский обед. Потом выехали на остров и наблюдали закат, сидя у «Отеля дель Коронадо». Мы ни о чем не говорили, просто смотрели, как солнце, опускаясь, окрашивает в розовый цвет старые викторианские башни и свежеокрашенную белую обшивку отеля.

По дороге домой мы купались в прибое, молчали, иногда держались за руки.

В полночь мы остановились перед джунглями, где жил Крамли.

— Женись на мне,— сказала Констанция.

— Непременно, в следующей жизни,— ответил я.

— Что ж! И это неплохо! До завтра!

Когда она уехала, я пошел через заросли по тропинке к дому.

— Где вы пропадали? — спросил стоявший в дверях Крамли.

— Дядюшка Уиггли говорит: «Отпрыгни на три шага».

— А Скизикс и Зимолюбка говорят: «Входи!» — сказал Крамли.

В руке у меня очутилось что-то холодное — пиво.

— Да! — вздохнул Крамли.— На вас смотреть страшно. Бедняга.

И он обнял меня. Никогда бы не подумал, что Крамли способен кого-то обнять, даже женщину.

— Осторожно! — воскликнул я.— Я сделан из стекла!

— Я узнал сегодня утром, в Центральном отделении. Приятель сказал. Я вам сочувствую, малыш.

Знаю, что вы были большими друзьями. Ваш список при вас?

Мы вышли в джунгли, где раздавалось только стрекотание сверчков да доносились откуда-то из глубин дома жалобы Сеговии, тоскующей по каким-то давно прошедшим дням, когда солнце в Севилье не заходило сорок восемь часов.

Я нашел в кармане свой несчастный измятый список и протянул его Крамли.

— С чего это вы им заинтересовались?

— Да так, ни с того ни с сего, — ответил Крамли. — Просто вы разожгли мое любопытство.

Он сел и начал читать.

Старик в львиной клетке. Убит, оружие неизвестно.

Леди, торговавшая канарейками. Напугана.

Пьетро Массинелло. В тюрьме.

Джимми. Утонул в ванне.

Сэм. Умер. Кто-то опоил его спиртным.

Фанни.

И недавняя приписка:

Задохнулась.

Другие возможные жертвы:

Генри-слепой.

Энни Оукли — хозяйка тира.

А. Л. Чужак — психиатр-мошенник.

Джон Уилкс Хопвуд.

Констанция Раттиган.

Мистер Формтень.

Приписка: нет, его надо вычеркнуть.

Я сам.

Крамли повертел список в руках, всмотрелся в него еще раз, перечитал фамилии.

— Да, друг! Настоящий зверинец. А я-то почему сюда не попал?

— Потому что все перечисленные здесь чем-то пришиблены. А вы? Вас не пришибешь. У вас собственный стартер.

— Это только с тех пор, как мы встретились, малыш.— Крамли осекся и покраснел.— А себя-то вы почему сюда вписали?

— Потому что я до смерти напуган.

— Понятно, но у вас тоже есть собственный стартер, и работает он безотказно. Так что, следуя вашей логике, вам бояться нечего. А вот что делать с остальными? Они так торопятся убежать от всего, что, того и гляди, сорвутся с утеса.

Крамли снова повертел список, не глядя на меня, и начал читать фамилии вслух.

Я остановил его:

— Ну так как?

— Что «ну так как»?

— Больше ждать нельзя,— сказал я.— Приступайте к гипнозу, Крамли. Ради всего святого, верните меня в тот вечер.

— Господи помилуй! — проговорил Крамли.

— Вы должны проделать это не откладывая. Сегодня же. Обязаны.

— Господи! Ну хорошо, хорошо! Садитесь. Даже лучше — ложитесь. Выключить свет? Боже, дайте я выпью чего-нибудь покрепче.

Я сбегал за стульями и поставил их в ряд друг за другом.

— Вот это вагон в том ночном трамвае,— пояснил я.— Я сидел здесь. Сядьте позади меня.

Я сбегал на кухню и принес Крамли виски.

— Надо, чтобы от вас пахло так же, как от него.

— Вот за этот штрих огромное спасибо.— Крамли опрокинул виски в рот и закрыл глаза.— Ничем глупее в жизни не занимался.

— Замолчите и пейте.

Он опрокинул вторую порцию. Я сел. Потом, подумав, вскочил и поставил пластинку с записью африканской бури. На дом сразу обрушился ливень, он бушевал и за стенками большого красного трамвая. Я притушил свет.

— Ну вот, отлично.

— Заткнитесь и закройте ваши гляделки,— сказал Крамли.— Боже! Не представляю, с чего начинать?

— Шш. Как можно мягче.

— Шш, тихо. Все хорошо, малыш. Засыпайте.

Я внимательно слушал.

— Едем тихо,— гудел Крамли, сидя за моей спиной в вагоне трамвая, едущего ночью под дождем.— Спокойствие. Тишина. Расслабьтесь. Легче. Поворачиваем мягко. Дождь стучит тихо.

Он начинал входить в ритм, и, судя по голосу, ему это нравилось.

— Тихо. Мягко. Спокойно. Поздно. Далеко за полночь. Дождь каплет, тихий дождь,— шептал Крамли.— Где вы сейчас, малыш?

— Сплю,— сонно пробормотал я.

— Спите и едете. Едете и спите,— гудел он.— Вы в трамвае?

— В трамвае,— пробормотал я.— А дождь поливает. Ночь.

— Так, так. Сидите в вагоне. Едем дальше. Прямо через Калвер-Сити, мимо студии. Поздно, уже поздно, в трамвае никого, только вы и кто-то еще.

— Кто-то,— прошептал я.

— Кто-то пьяный.

— Пьяный,— повторил я.

— Шатается, шатается, болтает-болтает. Бормоток, шепоток, слышите его, сынок?

— Слышу шепот, бормотание, болтовню,— проговорил я.

И трамвай поехал дальше, сквозь ночь, сквозь мрак и непогоду, а я сидел в нем послушный, основательно усыпленный, но весь — слух, весь — ожидание, покачивался из стороны в сторону, голова опущена, руки, как неживые, на коленях.

— Слышите его голос, сынок?

— Слышу.

— Чувствуете, как от него пахнет?

— Чувствую.

— Дождь усилился?

— Усилился.

— Темно?

— Темно.

— Вы в трамвае, все равно как под водой, такой сильный дождь, а сзади вас кто-то раскачивается, стонет, шепчет, бормочет...

— Д-д-д... а-а-а...

— Слышно вам, что он говорит?

— Почти.

— Глубже, тише, легче, несемся, трясемся, катимся. Слышите его голос?

— Да.

— Что он говорит?

— Он...

— Спим, спим, крепко, глубоко. Слушайте.

Он обдавал мой затылок дыханием, теплым от виски.

— Ну что? Что?

— Он говорит...

В голове у меня раздался скрежет, трамвай сделал поворот. Из проводов полетели искры. Ударил гром.

— Ха! — заорал я.— Ха! — И еще раз: — Ха!

Я завертелся на стуле в паническом ужасе — как бы увернуться от дыхания этого маньяка, этого проспиртованного чудовища. И вспомнил еще что-то: запах! Он вернулся ко мне вдруг и теперь обдавал мне лицо, лоб, нос.

Это был запах разверстых могил, запах сырого мяса, гниющего на солнце. Запах скотобойни.

Я крепко зажмурился, и меня начало рвать.

— Малыш! Проснитесь! Господи помилуй! Очнитесь, малыш! — кричал Крамли, он тряс меня, шлепал по щекам, массировал шею. Он опустился на колени, пытаясь подпереть мне голову, поддержать руки, не зная, как лучше меня ухватить.— Ну все, малыш, все! Ради бога, успокойтесь!

— Ха! — выкрикнул я, в последний раз содрогнулся, дико озираясь, выпрямился и вместе с этим гниющим мясом свалился в могилу, а трамвай пронесся надо мной, и могилу залило дождем, а Крамли продолжал бить меня по щекам, пока у меня изо рта не вылетел большой сгусток залежавшейся пищи.

Крамли вывел меня в сад, добился, чтобы я стал ровнее дышать, вытер мне лицо, ушел в дом подтереть пол и вернулся.

— Господи! — воскликнул он.— Ведь получилось! Мы достигли даже большего, чем хотели! Правда?

— Да,— устало согласился я.— Я услышал его голос. И говорил он именно то, что я ждал. То, что предложил вам как название вашей книги. Но голос его я хорошо слышал, он мне запомнился. Когда я теперь его увижу, где бы это ни оказалось, я его узнаю. Мы идем по следу, Крамли! Мы уже близко. На этот раз он не уйдет. Теперь у меня есть примета еще получше, чтобы его узнать.

— Какая?

— Он пахнет трупом. В тот раз я не заметил, а если и заметил, то так нервничал, что забыл. Но сейчас вспомнил. Он мертвый, наполовину мертвый. Так пахнет пес, раздавленный на улице. У него рубашка, и брюки, и пиджак — все застарело-заплесневевшее. А сам он еще того хуже. Так что...

Я побрел в дом и очутился за письменным столом.

— Ну теперь-то я и своей книге могу дать новое название,— сказал я и стал печатать.

Крамли следил за моей рукой. На бумаге появились слова, и мы оба прочли:

«От смерти на всех парусах».

— Хлесткое название,— сказал Крамли.

И пошел выключить звук, убрать шум темного дождя.

Панихиду по Фанни Флорианне служили на следующий день. Крамли отпросился на час и подвез меня к благостному старомодному кладбищу на холме, с которого открывался вид на горы Санта-Моники. Я удивился, обнаружив вереницу машин у ограды, и еще больше удивился, увидев, что к открытой могиле движется длинная процессия желающих возложить цветы. Людей было не меньше двух сотен, а цветов, наверно, тысячи.

— Обалдеть! — пробормотал Крамли.— Только посмотрите, какое сборище! Кого тут только нет! Вон тот сзади — это же Кинг Видор!

— Точно, Видор. А вон Салка Фиртель. Когда-то она писала сценарии для Греты Гарбо. А вон тот типчик — мистер Фоке, адвокат Луиса Б. Майера. А этот подальше — Бен Гетц, он возглавлял филиал МГМ в Лондоне. А тот...

— Как же вы никогда не говорили, что ваша подружка Фанни водится с такими шишками?

— А думаете, мне она говорила?

«Фанни, милая моя Фанни,— подумал я,— как это на тебя похоже, ведь словечком не обмолвилась, не похвасталась ни разу, что столько знаменитостей карабкалось все эти годы по лестницам твоего чудовищного дома, чтобы посидеть с тобой, поболтать, повспоминать, послушать твое пение. Почему, Фанни, ты ни разу об этом не заикнулась? Как жаль, что я этого не знал, я никому не проболтался бы».

Я вглядывался в лица среди цветов. Крамли тоже.

— Думаете, он тут? — тихонько спросил он.

— Кто?

— Тот, кто, по-вашему, прикончил Фанни.

— Если бы я его увидел, я бы его узнал. Хотя нет, я бы узнал его, только если бы услышал.

— И что тогда? — спросил Крамли. — Арестовали бы его за то, что несколько дней назад он ехал пьяный в ночном трамвае?

Наверно, по моему лицу он понял, как я ужасно устал.

— Ну вот, опять я порчу вам настроение,— расстроился Крамли.

— Друзья! — начал кто-то.

И толпа смолкла.

Это была самая лучшая панихида из всех, какие я когда-либо наблюдал, если только так можно сказать о панихиде. Меня никто не просил выступать, да и с какой стати? Но другие брали слово на одну-три минуты и вспоминали Чикаго в двадцатых годах или Калвер-Сити в середине двадцатых, тогда там были луга и поля и МГМ возводила там свою лжецивилизацию. В ту пору раз десять в году вечерами на обочину возле студии подавали большой красный автомобиль, в него садились Луис Б. Майер с Беном Гётцем и остальными и играли в покер по дороге в Сант-Бернардино, там они просматривали последние фильмы с Джильбертом, или Гарбо, или Наварро и привозили домой пачки карточек с предварительными оценками: «шикарный фильм», «дрянной», «прекрасный», «кошмар» — и долго потом тасовали эти карточки вместе с королями и дамами, валетами и тузами, стараясь представить, какие же, черт возьми, у них на руках взятки. В полночь они снова собирались за студией, играли в карты и, благоухая запретным виски, вставали со счастливыми улыбками или с мрачными, полными решимости лицами посмотреть, как Луис Б. Майер ковыляет к своей машине и первый уезжает домой.

И сейчас они все были здесь, и их речи звучали очень искренне и очень проникновенно. Никто не лгал. За каждым сказанным словом угадывалось большое горе.

В разгар этого жаркого полдня кто-то взял меня за локоть. Я обернулся и ахнул:

— Генри! Ты-то как сюда добрался?

— Уж конечно не пешком.

— Как же ты нашел меня в этой толпе?

— Мылом «Слоновая кость» от тебя одного пахнет, от всех других «Шанелью» или «Пикантным». В такие дни, как сегодня, я радуюсь, что я слепой. Слушать все это — еще ладно, а видеть никакой охоты нет.

Выступления продолжались. Теперь речь держал мистер Фокс, адвокат Луиса Б. Майера, законы он знал назубок, но вряд ли смотрел фильмы, выпускаемые студией. Сейчас он вспоминал прежние дни в Чикаго, когда Фанни...

Среди ярких цветов порхала колибри, вслед за ней появилась стрекоза.

— Подмышки, — тихо произнес Генри.

Поразившись, я выждал, а потом спросил шепотом:

— Что еще за подмышки?

— На улице перед нашим домом,— зашептал Генри, глядя в небо, которого он не видел, и цедя слова уголком рта,— и в коридорах. Возле моей комнаты. И возле комнаты Фанни. Пахло подмышками. Это он.— Генри помолчал, потом кивнул.— Он так пахнет.

В носу у меня защипало. Глаза заслезились. Я переступал с ноги на ногу. Мне не терпелось бежать, расследовать, искать.

— Когда это было, Генри? — прошептал я.

— Позавчера. В тот вечер, как Фанни ушла от нас навсегда.

— Шш! — зашипели на нас те, кто стоял поблизости.

Генри замолчал. Дождавшись, когда выступающие сменяли друг друга, я спросил:

— Где это было?

— В тот вечер, до того как с Фанни случилось, я переходил улицу,— прошептал Генри.— И запах там стоял крепкий, прямо разило. Потом мне показалось, что эти Подмышки идут за мной по коридору. Потому что запахло так, что у меня аж лобные пазухи пробрало. Словно гризли в затылок дышит. Ты когда-нибудь слышал, как дышит гризли? Я когда улицу переходил, так и замер, будто меня клюшкой саданули. Подумал, если кто так пахнет, то он, не иначе, всех ненавидит — и самого Бога, и собак, и людей — весь мир! Попадись ему под ноги кошка, он ее не обойдет — раздавит. Одно слово — ублюдок! А пахнет от него точно подмышками. Это тебе может помочь?

Я оцепенел. Мог только кивнуть, а Генри продолжал:

— Я запах подмышек учуял в коридорах еще несколько дней назад, просто он тогда был слабее, а вот когда эта сволочь ко мне подошла... Ведь ногу мне подставил как раз мистер Подмышки. Теперь я это понял.

— Шш! — опять шикнули на нас.

Выступал какой-то актер, потом священник, потом раввин, а в заключение между памятниками промаршировал хор Первой баптистской церкви, что на Центральной авеню, они выстроились и стали петь. А пели они «Мой в небе край родной, мой в небе дом», «Встретимся ли мы с тобой, где святые все поют?», «Вот уж многие святые перешли к тем берегам, и грядут часы благие, скоро все мы будем там».

Такие божественные голоса я слышал разве что в конце тридцатых, когда Рональд Колман, одолев снежные пики, спускался в Шангри-Ла, или когда в «Зеленых пастбищах» такие рулады раздавались с облаков. Но вот райское пение смолкло, а я так расчувствовался и возликовал, что Смерть предстала передо мной в новом обличье — желанной и залитой солнечным светом, и колибри снова запорхала в поисках нектара, а стрекоза задела крылышками мою щеку и улетела.

Когда мы с Крамли и Генри выходили с кладбища, Крамли сказал:

— Хотел бы я, чтобы меня проводили на тот свет под такое пение. Вот бы петь в этом хоре! И деньги не нужны, если так поешь.

Но я не спускал глаз с Генри. Он чувствовал мой взгляд.

— Дело в том, — проговорил он, — что этот мистер Подмышки снова к нам повадился. Можно подумать, хватит уже с него, верно? Но его, видно, голод мучает, хочется творить подлости, не может остановиться. Запугивать людей до смерти для него в радость. Причинять боль — он этим живет. Он и старого Генри хочет погубить, как сгубил других. Но не выйдет. Больше я не свалюсь. Ниоткуда.

Крамли серьезно прислушивался к рассуждениям Генри.

— Если Подмышки снова появятся...

— Я вам дам знать *intediatamente**. Он шляется у нас по дому. Я застал его, когда он ковырял запертую дверь Фанни. Комнату ведь запечатали, такой закон, да? Он возился с замком, а я как закричу! Спугнул его. Он же трус, ручаюсь. Оружия у него нет, зачем ему? Ногу слепцу и так можно подставить, свалится с лестницы за милую душу! Я так и наорал на него: «Подмышки! Скотина!»

— В другой раз вызывай нас. Подвезти тебя? — спросил Крамли.

— Нет, кое-кто из недостойных леди из нашего дома захватил меня с собой, спасибо им. Они меня и отвезут.

— Генри! — Я протянул ему руку. Он сразу схватил ее, будто все видел.

— Скажи, Генри, а чем пахнет от меня? — спросил я.

Генри понюхал, понюхал и рассмеялся.

— Вообще-то, теперь таких бравых парней, как раньше, не бывает. Но ты сойдешь.

---

* Немедленно *(исп.)*.

Когда мы с Крамли уже порядочно отъехали, нас обогнал лимузин, выжимавший семьдесят миль в час, спеша оставить позади заваленную цветами могилу. Я замахал руками и закричал.

Констанция Раттиган даже не обернулась. На кладбище она держалась в стороне, пряталась где-то сбоку, а сейчас мчалась домой в гневе на Фанни — как та посмела нас покинуть — и, возможно, негодуя на меня, считая, что я каким-то образом навел на них Смерть, предъявившую свой счет.

Лимузин скрылся в бело-сером облаке выхлопных газов.

— Гарпии и фурии пронеслись мимо, — заметил Крамли.

— Да нет, — возразил я, — всего лишь растерявшаяся леди спешит скрыться, и ей это необходимо.

Следующие три дня я пытался дозвониться до Констанции Раттиган, но она не отвечала. Она хандрила и злилась, и в ее глазах, черт знает почему, я был связан с тем человеком, который как тень бродил по коридорам и совершал злодейства.

Пытался я позвонить и в Мехико-Сити, но Пег тоже не было. Мне казалось, что я потерял ее навсегда.

Я бродил по Венеции, присматривался, прислушивался, принюхивался, надеялся услышать тот страшный голос, учуять тлетворный запах чего-то умирающего или давно умершего.

Даже Крамли куда-то запропал. Его нигде не было, сколько я ни высматривал.

В конце этих трех дней, измученный тщетными попытками дозвониться и несостоявшимися встречами с убийцами, выбитый из колеи похоронами, я возроптал на судьбу и выкинул такое, на что раньше никогда не решился бы.

Около десяти вечера я брел по пустому пирсу, сам не зная куда, пока не пришел в нужное место.

— Эй! — окликнул меня кто-то.

Я схватил с полки ружье и, даже не проверив, заряжено оно или нет, не посмотрев, не стоит ли кто рядом, начал палить. Бах, бах! И бах, бах! И еще бах, бах, бах! Я сделал шестнадцать выстрелов!

И услышал, как кто-то кричит.

Ни в одну из мишеней мне попасть не удалось. До этого я ни разу не держал в руках ружья. Я и сам не знал, во что целюсь, впрочем, нет — знал!

— Вот тебе, сукин ты сын! Получай, гад! Будешь знать, мерзавец!

Бах, бах и опять бах, бах!

Патроны кончились, но я продолжал жать на спусковой крючок. И вдруг понял, что стараюсь впустую. Кто-то отобрал у меня ружье. Оказалось, это Энни Оукли. Она таращилась на меня так, будто видела в первый раз.

— Вы понимаете, что творите? — спросила она.

— Не понимаю и понимать не хочу, идите вы все знаете куда? — Я оглянулся.— А почему у вас так поздно открыто?

— А что делать? Спать не могу, а заняться нечем. А с вами-то, мистер, что стряслось?

— Через неделю в этот час на всем нашем несчастном земном шаре никого в живых не останется.

— Неужели вы в это верите?

— Не верю, но похоже на то. Дайте мне еще ружье.

— Да вам уже и стрелять-то неохота.

— Охота! Но денег у меня нет, так что буду палить в долг, — заявил я.

Она долго всматривалась в меня. Потом протянула ружье и напутствовала:

— Ухлопай-ка их всех, ковбой. Задай им жару, чертяка!

Я выстрелил еще шестнадцать раз и случайно попал в две мишени, хотя даже не видел их — так у меня запотели очки.

— Ну что, хватит? — раздался позади спокойный голос Энни Оукли.

— Нет! — заорал я. Но потом сбавил тон: — Ладно, хватит. А чего это вы вышли из тира на дорожку?

— Да испугалась, как бы меня не подстрелили. Объявился тут, знаете, один маньяк, разрядил два ружья не целясь!

Мы посмотрели друг на друга, и я расхохотался. Энни послушала, послушала, а потом спросила:

— Вы смеетесь или плачете?

— А вам как кажется? Мне надо что-то сделать. Немедленно. Скажите только — что?

Она посмотрела на меня долгим изучающим взглядом и начала убирать бегущих уток и пляшущих клоунов, гасить свет. Открыв дверь, ведущую во внутренние помещения, она встала на пороге, освещенная сзади, и проговорила:

— Если· все еще хочется выстрелить, вот вам цель! — И ушла.

Только спустя полминуты до меня дошло, что она приглашает меня последовать за ней.

— И часто ты такое выкидываешь? — спросила меня Энни Оукли.

— Прости, пожалуйста,— извинился я.

Я лежал на одном краю ее кровати, она — на другом, покорно слушая мои излияния про Мехико-Сити и про Пег, про Пег и про Мехико-Сити, которые так далеко, что можно сойти с ума.

— А я всю жизнь,— вступила в разговор Энни Оукли,— сплю с парнями, которым со мной либо до смерти скучно, либо они рассказывают мне про других женщин, либо курят, либо, стоит мне выйти в ванную, садятся в свои машины и смываются. Знаешь, как меня зовут на самом деле? Лукреция Изабель Клариса Аннабелла Мария Моника Брауди. Это моя мамаша так меня нарекла. А я какое имечко выбрала? Энни Оукли. Вся беда, что я тупая. Мужчины через десять минут уже не знают, как от меня сбежать. Тупица. Прочту книгу, а через час уже ничего не помню! Ничего в башке не задерживается. Я чего-то разболталась, да?

— Немножечко,— ласково сказал я.

— Казалось бы, парни радоваться должны, что им Бог посылает дуру, но им со мной быстро становится невтерпеж. Все эти годы каждую ночь на том месте, где ты лежишь, лежит какой-нибудь охламон — каждую ночь другой. А эта чертова сирена в тумане знай

воет! Тебя не доводит ее вой? В иную ночь, даже если рядом валяется какой-нибудь придурок, стоит этой
сирене завыть, я до того завожусь! Такой себя оди-
нокой чувствую! А он уже ключи от машины доста-
ет и на дверь поглядывает.

Зазвонил телефон. Энни схватила трубку, послушала, сказала:

— Черт возьми! — И передала трубку мне: —
Тебя.

— Быть не может,— возразил я.— Никто не знает, что я здесь.

Но трубку взял.

— Что ты у этой делаешь? — спросила Констанция Раттиган.

— Да ничего. Как ты меня разыскала?

— Мне кто-то позвонил. Какой-то голос посоветовал проверить, нет ли тебя у нее? И трубку повесил.

— Господи! — Я похолодел.

— Быстро выбирайся из тира,— приказала Констанция.— Ты мне нужен. Твой подозрительный дружок нанес мне визит.

— Мой дружок?

Под тиром ревел океан, сотрясая комнату и кровать.

— Возникал внизу, на берегу, два вечера подряд.
Приходи, надо его припугнуть, о господи!

— Констанция!

Трубка молчала, слышен был только шум прибоя
под окнами Констанции Раттиган. Потом она проговорила странным, каким-то неживым голосом:

— Он и сейчас там.

— Не показывайся ему.

— Этот идиот стоит у самой воды. Там, где стоял прошлой ночью. Просто стоит и смотрит на окна, будто ждет меня. К тому же этот болван голый. Что он себе воображает? Что обезумевшая старуха выскочит из дому и оседлает его? Господи!

— Констанция, закрой окна и погаси свет.

— Нет, нет! Он пятится в море. Может, услышал мой голос. Может, думает, что я вызываю полицию.

— Вот и вызови ее!

— Исчез! — Констанция шумно вздохнула.— Приходи, малыш. Побыстрее!

Трубку она не повесила. Просто выпустила из рук и отошла. Мне было слышно, как стучат ее каблуки, будто кто-то печатает на машинке.

Я тоже не повесил трубку. Положил ее почему-то рядом с собой, будто это была пуповина, связывающая меня с Констанцией Раттиган. Пока я не повешу трубку, она не умрет. Я слышал, как ночной прилив подступает к концу ее телефонной линии.

— Все как с другими. Теперь и ты уходишь,— прозвучало рядом.

Я повернулся.

Энни Оукли сидела, завернувшись в простыни, как брошенный ламантин.

— Не вешай, пожалуйста, трубку! — попросил я.

А сам подумал: «Пока я не доберусь до конца линии и не спасу чью-то жизнь».

— Тупая я,— сказала Энни Оукли.— Потому и уходишь, что я дура.

Ох и страшно было мчаться ночным берегом к дому Констанции Раттиган! Мне все мерещилось, что навстречу несется отвратительный мертвец.

— Господи! — задыхался я.— Что же будет, если я наскочу на него!

— Ух! — завопил я.

И врезался в довольно плотную тень.

— Слава богу, это ты! — воскликнула тень.

— Нет, Констанция! — возразил я.— Слава богу, что это ты!

— Что тебя так разбирает? Что нашел смешного?

— Вот это! — Я похлопал по большим ярким подушкам, на которых возлежал.— За сегодняшнюю ночь я уже переменил две постели!

— Лопнуть можно со смеху! — отозвалась Констанция.— А как ты посмотришь, если я расквашу тебе нос?

— Констанция, ты же знаешь, моя девушка — Пег. Просто мне было тоскливо. Ты не звонила столько дней! А Энни всего-навсего позвала меня поболтать в постели. Я же не умею врать, все равно физиономия меня выдаст. Посмотри на меня!

Констанция посмотрела и расхохоталась:

— Господи, прямо яблочный пирог с пылу, с жару! Ладно уж.— Она откинулась на подушки.— Вот, наверно, я тебя сейчас напугала!

— Надо было подать голос еще издали.

— Ох, я так обрадовалась тебе, сынок! Прости, что не звонила. Раньше мне хватало пары часов, и я забывала о похоронах. А теперь который день не могу опомниться.

Она повернула выключатель. В комнате стало темней, заработал шестнадцатимиллиметровый проектор.

Два ковбоя молотили друг друга на белой стене.

— Как ты можешь смотреть фильмы в таком настроении? — удивился я.

— Хочу разогреться как следует — если мистер Голый завтра опять пожалует, выскочу и оторву ему башку.

— Не смей даже шутить так! — Я посмотрел в высокое окно на пустынный берег. Только белые волны вздымались на краю ночи.— Как ты считаешь, это он позвонил тебе и сообщил, что я у Энни, а сам отправился покрасоваться на берегу?

— Нет. У того, кто звонил, был не такой голос. Тут, наверно, замешаны двое. Господи! Ну я не знаю, как это объяснить. Понимаешь, тот, кто появляется голый, он, наверно, какой-нибудь эксгибиционист, извращенец, правда? Иначе он ворвался бы сюда, измордовал бы старуху или убил, или и то и другое. Нет, меня больше напугал тот, кто звонил, — вот от него меня действительно затрясло.

«Представляю,— подумал я.— Я ведь слышал, как он дышит в трубку».

— У него голос форменного выродка,— сказала Констанция.

«Да»,— мысленно согласился я с ней — и будто услышал, как где-то вдалеке заскрежетал большой красный трамвай, поворачивая под дождем, и как голос за моей спиной бубнил слова, ставшие названием для той книги, что пишет Крамли.

— Констанция...— начал я, но замолчал. Я собрался сказать ей, что уже видел этого обнаженного на берегу несколько вечеров назад.

— У меня есть поместье к югу отсюда, — сказала Констанция. — Завтра я хочу поехать туда, проверить, как там. Позвони мне попозже вечером, ладно? А пока наведешь для меня кое-какие справки, согласен?

— Любые! Ну какие только смогу!

Констанция наблюдала за тем, как Уильям Фэрнам сбил своего брата Дастина с ног, поднял и снова свалил одним ударом.

— Мне кажется, я знаю, кто этот мистер Голый.

— Кто?

Она оглядела волны прибоя, словно дух неизвестного все еще витал там.

— Один сукин сын из моего прошлого. Голова у него как у отвратного немецкого генерала, а тело — тело лучшего из лучших юношей, что когда-либо летом резвились на берегу.

К зданию с каруселями подкатил мопед, на нем сидел молодой человек в купальных трусах, загорелый, блестящий от крема, великолепный. На голове у него был массивный шлем, темное забрало закрывало лицо до самого подбородка, так что я не мог его разглядеть. Но тело молодого человека просто поражало красотой — пожалуй, ничего подобного я в жизни не видел. При взгляде на него я вспомнил, как много лет назад встретил такого прекрасного Аполлона: он шагал вдоль берега, а за ним, не сводя с него глаз, завороженные сами не зная чем, следовали мальчишки. Они шли, словно овеваемые его красотой, влюбленные, но не сознающие, что это — любовь; став старше, они будут гнать от себя это воспоминание, не решаясь заговорить о нем. Да, существуют такие красавцы на свете, и всех — и мужчин, и женщин, и детей — тянет к ним, и это — чудесное, чистое, светлое влечение, оно не оставляет чувства вины, ведь при этом ничего не случается, решительно ничего не происходит. Вы видите такую красоту и идете за ней, а когда день на пляже кончается, красавец уходит, и вы уходите к себе, улыбаясь радостной улыбкой, и когда час спустя поднимаете руку к лицу, обнаруживаете, что она так и не исчезла.

За целое лето на всем берегу вы встретите юношей или девушек с подобными телами лишь однажды. Ну от силы два раза, если боги вздремнули и не слишком ревниво следят за людьми.

И сейчас, восседая на мопеде, на меня глядел через темное непроницаемое забрало истинный Аполлон.

— Что, пришли проведать старика? — раздался из-под забрала гортанный, раскатистый смех.— Прекрасно! Идемте!

Он прислонил мопед к стене, вошел в дом и стал впереди меня подниматься по лестнице. Как газель, он в несколько прыжков взлетел наверх и скрылся в одной из комнат.

Чувствуя себя древним старцем, я поднимался следом, аккуратно ступая на каждую ступеньку.

Войдя за ним в комнату, я услышал, как шумит душ. Через минуту он появился совершенно обнаженный, блестя от воды и все еще в шлеме. Он стоял на пороге ванной, глядя на меня, как смотрятся в зеркало, явно довольный тем, что видит.

— Ну, — спросил он, так и не снимая шлема, — как вам нравится этот самый прекрасный юноша на свете? Этот молодой человек, в которого я влюблен?

Я густо покраснел.

Он рассмеялся и стащил с себя шлем.

— Боже! — воскликнул я. — Это и вправду вы!

— Старик! — сказал Джон Уилкс Хопвуд. Он посмотрел на свое тело и заулыбался. — Или юнец? Кого из нас вы предпочли бы?

Я с трудом перевел дух. Нельзя было медлить с ответом. Мне хотелось скорее сбежать вниз, пока он не запер меня в этой комнате.

— А это зависит от того, кто из вас стоял поздно вечером на берегу под окнами Констанции Раттиган.

И тут, словно это заранее было срепетировано, внизу в ротонде заиграла каллиопа и закружилась карусель. Казалось, дракон заглотил отряд волынщиков и пытается их изрыгнуть, не беспокоясь о том, в какой последовательности и под какой мотив.

Юный старец Хопвуд, словно кошка, растягивающая время перед прыжком, повернулся ко мне загорелой спиной, рассчитывая вызвать новый приступ восхищения.

Я зажмурился, чтобы не видеть этого золотого блеска.

А Хопвуд тем временем решил, что сказать:

— С чего вы взяли, что такая старая кляча, как Раттиган, может меня интересовать? — И, потянувшись за полотенцем, он стал растирать грудь и плечи.

— Сами же говорили, что вы были главной любовью ее жизни, а она — вашей, и что вся Америка в то лето была влюблена в вас, влюбленных.

Хопвуд повернулся, чтобы проверить, отражается ли на моем лице ирония, которую он заподозрил в голосе.

— Это она подослала вас, чтобы меня отвадить?

— Возможно.

— Скажите, сколько раз вы можете отжаться? А способны вы шестьдесят раз пересечь бассейн? А проехать на велосипеде сорок миль, даже не вспотев? Причем ежедневно? А какой вес вы можете поднять? А сколько человек (я отметил, что он сказал «человек», а не «женщин») поиметь за ночь? — сыпал вопросами Хопвуд.

— Нет, нет, нет и нет на все ваши вопросы, а на последний — ну, может быть, двух,— отчеканил я.

— Тогда,— произнес Гельмут Гунн, поворачиваясь ко мне великолепной грудью Антиноя, ничуть не уступающей его золотой спине,— выходит, что угрожать мне вы никак не можете! *Ja?**

Из его рта, в точности похожего на разрез бритвой, из-за блестящих акульих зубов с шипением и свистом вырывались слова:

— Я ходил и буду ходить по берегу!

«Ну да,— подумал я,— впереди гестапо, а сзади сонм солнечных юношей!»

— Не собираюсь ничего подтверждать. Может, я там и был когда-нибудь.— Он показал подбородком на берег.— А может, нет!

Его улыбкой можно было вскрыть вены на запястьях.

Он бросил мне полотенце. Я его подхватил.

---

* Да *(нем.)*.

— Вытрите мне спину, ладно?

Я отшвырнул полотенце. Оно упало ему на голову, закрыв лицо. На секунду злобный Гунн исчез. Остался лишь Солнечный принц Аполлон, чьи ягодицы блестели, как яблоки в садах у богов.

Из-под полотенца раздался спокойный голос:

— Интервью окончено.

— А разве оно начиналось? — удивился я.

И пошел по лестнице вниз, откуда поднималась драконья музыка осипшей каллиопы.

На венецианском кинотеатре не было ни одной афиши.

Все надписи исчезли.

Несколько минут я вчитывался в пустоту, чувствуя, как у меня в груди что-то переворачивается и испускает дух.

Обойдя кинотеатр со всех сторон, я подергал двери — они были заперты, заглянул в кассу — она пустовала, оглядел еще раз щиты для афиш. Всего несколько вечеров назад с них улыбались Барримор, Чейни и Норма Ширер. Сейчас они были пусты.

Я отошел назад и напоследок снова медленно вчитался в пустоту.

— Хотите...— раздался вдруг сзади чей-то голос.

Я круто повернулся. Передо мной стоял улыбающийся мистер Формтень. Он вручил мне большой сверток киноафиш. Я знал, что это такое. Мои дипломы об окончании института Носферату, училища Квазимодо, аспирантуры Робин Гуда и д'Артаньяна.

— Мистер Формтень, ну как вы можете отдать их?

— Вы же романтик, верно?

— Ну да, но только...

— Берите, берите! До свидания и прощайте! Но вон там вы сейчас увидите другое прощание. *Kitten-sei pier oudt!**

Дипломы остались у меня в руках, а он потрусил к пирсу.

Я догнал его в самом конце, он указал пальцем в воду и наблюдал, как я, сморщившись, ухватился за перила и склонился вниз.

Под водой лежали ружья; в первый раз за долгие годы они молчали. Лежали на дне, на глубине футов пятнадцати, но вода была прозрачная, потому что вышло солнце.

Я насчитал целую дюжину длинных, холодно поблескивающих металлом стволов, мимо них плавали рыбы.

— Вот это прощание так прощание! — Формтень проследил за моим взглядом.— Одно за другим! Одно за другим! Сегодня рано утром. Я подбежал, кричу: «Что вы делаете?» А она говорит: «А как по-вашему?» И снова одно за другим, одно за другим. «Вас закрывают, и меня сегодня закроют,— говорит,— так что какая разница!» И все кидает и кидает ружья.

— А она...— начал я и остановился. Вгляделся в воду под пирсом и вокруг него.— Она сама как?

— Не прыгнула ли вслед за ними? Нет, нет! Постояла тут еще со мной, посмотрела на океан. «Они здесь долго не пролежат,— посмеялась,— через неделю ни одного не останется. Мальчишки-дураки нач-

---

* Пошли на пирс! *(идиш)*

нут нырять за ними. Верно?» Что я ей мог ответить? «Да», — говорю.

— Что-нибудь она сказала напоследок?

Я не мог отвести глаз от длинных ружей, поблескивающих в прибывающей воде.

— Сказала, что уедет пасти коров. Только, говорит, не быков, чтобы быков и близко не было. Будет доить коров и сбивать масло — вот все, что я от нее услышал.

— Надеюсь, так и будет, — сказал я.

Среди ружей вдруг замельтешили целые стаи рыб, будто приплывших поглазеть на оружие. Но ружья безмолвствовали.

— Как приятно, что они молчат, правда? — сказал Формтень.

Я кивнул.

— Не забудьте афиши, — напомнил Формтень. Дипломы выпали у меня из рук. Он подобрал их и снова дал мне — эти свидетельства моих увлечений в младые годы, когда я мальчишкой носился взад-вперед по темным проходам между рядами с попкорном в руках, плечом к плечу с Призраком и Горбуном.

Возвращаясь, я прошел мимо маленького мальчика — он разглядывал останки «русских горок», громоздившиеся на песке, словно куча костей.

— Почему этот динозавр умер здесь, у нас на берегу? — спросил мальчик.

Я первый принял эти обломки за динозавра. Мне было досадно, что и мальчик увидел разрушенный аттракцион моими глазами — мертвое чудовище, выброшенное приливом.

Мне хотелось крикнуть:

«Не смей их так называть!»

Но вслух я ласково проговорил:

— О боже, сынок, я и сам не знаю.

И, повернувшись, побрел прочь, унося с собой с пирса невидимую охапку ружей.

В эту ночь мне приснились два сна.

В первом лавочку имени Зигмунда Фрейда и Шопенгауэра, где А. Л. Чужак торговал картами Таро, разнес в щепки озверевший от голода гигантский экскаватор, так что книги маркиза де Сада и Де Куинси, Сартра и больных дочерей Марка Твена покачивались на волнах в темной воде, опускаясь на блестевшие на дне ружья из тира.

Второй сон был как виденный мной когда-то фильм о семье русского царя: их выстроили в ряд у вырытых могил и начали по ним стрелять, а они дергались, подпрыгивали, словно персонажи немых фильмов, и один за другим, будто пробки из бутылок, уничтоженные, сшибленные с ног, падали в яму. А вас в это время душил идиотский смех. Истерический! Неестественный! Бамс!

В моем сне в яму падали друг за другом Сэм, Джимми, Пьетро, леди с канарейками, Фанни, Кэл, старик в львиной клетке, Констанция, Чужак, Крамли, Пег и я сам!

Бамс!

Я в ужасе проснулся, обливаясь ледяным потом.

Телефон на заправочной станции напротив моего дома заходился звонками.

Замолчал.

Я затаил дыхание.

Он прозвонил еще один раз и снова смолк.

Я ждал.

Опять один звонок и молчание.

«Господи, — подумал я, — Пег так звонить не станет. Крамли тоже. Один звонок и вешают трубку. Кто же это?»

Телефон опять прозвонил один раз, и снова тишина.

Это он! Мистер Одинокая Смерть! Звонит, чтобы сообщить мне о том, чего я знать не хочу!

Я сел в постели, волоски у меня на груди встали дыбом, будто Кэл прошелся своим электрическим парикмахерским шмелем по моей шее, едва не задев нерв.

Я оделся и выбежал на берег. Глубоко втянул в себя воздух и удивленно уставился вдаль.

Южнее, на берегу, пылали огнями окна мавританской крепости Констанции Раттиган.

«Констанция! — подумал я. — Фанни это не понравилось бы».

«Фанни?»

И тут я пустился бежать.

Покинув линию прибоя, я двинулся на берег, как сама Смерть.

В замке Констанции все лампы были зажжены, все двери распахнуты, будто она решила впустить к себе всю природу, весь мир, и ночь, и ветер — пусть наведут порядок в доме, пока ее нет.

А ее не было.

Я понял это, даже не входя внутрь, потому что к волнам прилива вела длинная цепочка ее следов. Я остановился и попытался разглядеть, в каком месте они исчезли в воде, чтобы никогда больше не появиться.

Я не был удивлен. И сам поражался тому, что не был удивлен. Подойдя к широко раскрытой парадной двери, я чуть не позвал шофера, посмеялся над собственной глупостью и, ни до чего не дотрагиваясь, вошел внутрь. В арабской гостиной играл патефон, танцевальная музыка 1934 года. Какие-то мелодии из спектаклей Ноэля Кауарда. Я не стал выключать патефон. Кинопроектор тоже был включен, пленка прокрутилась до конца, фильм завершился, и пустую стену освещал белый глаз кинолампы. Я не выключил и ее. В ведерке со льдом ждала бутылка французского шампанского, будто Констанция вышла на берег, собираясь привести к себе в гости золотого морского бога, выплывшего из глубин.

На подушке была приготовлена тарелочка с разными сырами, рядом уже запотевший шейкер с мартини. Лимузин стоял в гараже, а следы на песке все не исчезали, и вели они только в одну сторону. Я позвонил Крамли и поздравил себя с тем, что даже не плачу — до того ошеломлен.

— Крамли? — спросил я трубку. — Крамли, Крам,— позвал я.

— А, дитя ночи! — отозвался он.— Опять не на ту лошадку поставили?

Я объяснил ему, откуда звоню.

— Что-то меня ноги не держат.— И внезапно я сел, не выпуская трубку из рук.— Приезжайте за мной!

Крамли нашел меня на пляже.

Мы стояли, глядя на ярко освещенный арабский форт, он казался празднично украшенным шатром посреди песчаной пустыни. Дверь, выходившая на берег, так и оставалась распахнутой, и из нее лилась музыка. Запас пластинок никак не хотел кончаться. «Сезон сирени» сменяла «Диана», потом — «Языческая любовная песня», за ней — «Послушайте песню о Ниле». Я так и ждал, что вот-вот появится растрепанный, с безумными глазами Рамон Наварро, вбежит в дверь, выскочит обратно и бросится по берегу к морю.

— А здесь только я и Крамли.

— Что?

— Я и не заметил, что думаю вслух,— извинился я.

Мы медленно пошли к дому.

— Вы что-нибудь трогали?

— Только телефон.

У входа я пропустил Крамли внутрь, чтобы он мог все осмотреть, а сам подождал, когда он выйдет.

— А где шофер?

— Вот об этом я вам еще не сказал. Никакого шофера никогда не было.

— То есть?

Я объяснил ему, как Констанция Раттиган развлекалась, играя разные роли.

— Выходит, в собственном лице она имела целое созвездие звезд, все роли исполняла сама,— хмыкнул Крамли.— Здорово! Как говорится, чем дальше — тем смешнее.

Мы обошли форт и остановились на обдуваемом ветром крыльце — с него было видно, что следы на песке постепенно исчезают.

— Возможно, самоубийство,— предположил Крамли.

— Констанция на это не пошла бы.

— Господи, до чего же вы уверены в людях! Не пора ли повзрослеть! Как будто, если человек вам нравится, он не может выкинуть что-нибудь необычное без вашего ведома.

— Кто-то ждал ее на берегу.

— Докажите!

Мы прошли вдоль цепочки следов Констанции, они обрывались в прибое.

— Он стоял вот здесь,— показал я.— Два вечера подряд. Я его видел.

— Прекрасно. По щиколотку в воде. Так что следов убийцы не имеется. Что еще можете показать, сынок?

— Час назад кто-то позвонил мне, разбудил, велел идти на берег. Он знал, что дом Констанции пуст или скоро будет пуст.

— Оповестили по телефону? Час от часу не легче. Теперь уж вы сами стоите по щиколотку в воде. И следов никаких. Это все?

Наверно, я покраснел. Ведь Крамли понял, что я привираю. Мне не хотелось рассказывать, что я не подходил к телефону, а, почуяв недоброе, сразу бросился на берег.

— Ну что ж, писака, по крайней мере, вы цельная натура.— Крамли посмотрел на белые волны, причесывающие песок, перевел взгляд на следы, потом на дом — белый, холодный и пустой среди ночи.— Вы хоть понимаете, что значит «цельная»? От слова «целый», «целое число». То есть, чтобы его получить, надо все части объединить в одно целое. Ничего общего с нравственными достоинствами это не имеет. Гитлер, например, был цельной натурой — ноль плюс ноль плюс ноль — в сумме имеем ноль. Так и у вас — телефонные звонки, следы под водой, неясные намеки и дурацкая уверенность в людях. Эти ночные тревоги начинают действовать мне на нервы. Итак, в итоге — все?

— Нет, черт побери! Я подозреваю определенного человека. Констанция его узнала. Я тоже. Я ходил к нему. Выясните, где он был сегодня вечером,— и убийца у вас в руках! А вы...

Голос перестал меня слушаться. Пришлось снять очки и стереть со стекол маленькие соленые капли, а то я ничего не видел.

Крамли потрепал меня по щеке:

— Ну не надо, не надо! Откуда вы знаете, может, этот парень, кто бы он там ни был, увлек ее за собой в воду...

— И утопил!

— Да нет! Они поплавали, мило беседуя, проплыли сто ярдов, вышли и отправились к нему. Кто знает, может, она прибредет домой на рассвете, со странной улыбкой на губах.

— Нет,— ответил я.

— Я что, оскверняю таинственный романтический образ?

— Не в этом дело.

Но Крамли мог заметить, что я не слишком уверен.

Он взял меня за локоть.

— Чего вы не договариваете?

— Констанция сказала, что недалеко отсюда, где-то на берегу, у нее есть бунгало.

— Ну так, может, она туда и поехала. Если то, что вы рассказываете, правда, она могла запаниковать, вот и решила подстраховаться.

— Но ее лимузин здесь.

— Ну, знаете, кое-кто и пешком ходит. Вы, например. Леди могла с милю пройти по воде вдоль берега на юг и оставить нас в дураках.

Я посмотрел на юг, словно мог различить на берегу сбежавшую леди.

— Дело в том, — продолжал Крамли, — что пока нам не на что опереться. Пустой дом. Звучат старые пластинки. Записок о самоубийстве нет. Нет и следов насилия. Придется ждать, когда она вернется. Даже если не вернется, у нас все равно нет оснований открывать дело. Нет *corpus delicti**. Спорим на ведро пива, что она...

— Пойдемте завтра со мной в комнаты над каруселями. Когда вы увидите лицо этого человека...

— Черт, вы имеете в виду того, о ком я думаю?

Я кивнул.

— Этого педика? — сказал Крамли. — Этого цирлих-манирлих?

Вдруг рядом в море раздался громкий вопль.

Мы оба так и подскочили.

— Господи помилуй, что это? — воскликнул Крамли, вглядываясь в ночной океан.

«Констанция, — решил я. — Она возвращается».

Я тоже стал всматриваться в темноту, но потом понял.

---

* Состав преступления *(лат.)*.

— Это тюлени. Иногда они приплывают сюда поиграть.

Послышались еще всплески и плюханье — какой-то морской житель уплывал в темноте в океан.

— Черт! — выругался Крамли.

— Кинопроектор в гостиной еще работает, — сказал я. — Патефон играет. В плите на кухне что-то печется. Свет горит во всех комнатах.

— Пойдемте выключим все и потушим, пока этот замок не сгорел к чертовой матери!

И мы снова пошли вдоль цепочки следов Констанции Раттиган к ее сияющей ослепительным светом крепости.

— Эй! — прошептал Крамли. Он смотрел на восток. — А это еще что?

На горизонте протянулась узкая полоска холодного света.

— Это рассвет, — сказал я. — Я уж боялся, он никогда не наступит.

На рассвете задул ветер, он занес песком следы Констанции Раттиган.

А на берегу показался мистер Формтень: он шел, оглядываясь через плечо, и нес в обеих руках коробки с пленками. В эту самую минуту вдали позади него огромные чудища со стальными зубами, вызванные из морских пучин застройщиками-спекулянтами, разбивали в щепки его кинотеатр.

Увидев нас с Крамли на пороге дома Констанции Раттиган, мистер Формтень прищурился, всматриваясь в наши физиономии, потом перевел взгляд на песок и на океан. Нам не пришлось ничего объяснять ему. Он понял все по нашим бледным лицам.

— Она вернется,— твердил он.— Увидите, вернется. Констанция никуда не денется. Господи, с кем же я теперь буду смотреть свои фильмы? Нет, она вернется, увидите.— Глаза у него наполнились слезами.

Мы оставили его охранять опустевший форт и поехали ко мне. По дороге лейтенант-детектив Крамли разбушевался и произнес обличительную речь, оперируя крепкими выражениями вроде «чертова кукла», «бешеная корова», «бесовское отродье» и «дерьмо собачье», и напрочь отверг мое предложение прокатиться на этой паршивой карусели и задать несколько вопросов фельдмаршалу Эрвину Роммелю или его прелестному, облаченному в розовые лепестки напарнику Нижинскому.

— Дня через два, может, и навестим его. Если эта сумасшедшая старуха не приплывет обратно из Каталины. Вот тогда я начну задавать вопросы. А сейчас-то чего? Не буду я копаться в лошадином дерьме, чтобы найти лошадь.

— Вы сердитесь на меня? — спросил я.

— Сержусь — не сержусь, какая разница? Чего мне сердиться? Просто вы мне все мозги наизнанку вывернули, а сердиться мне ни к чему. Вот вам доллар, купите себе билет и можете десять раз поучаствовать в этих скачках вокруг каллиопы.

Он высадил меня у моей двери и с шумом укатил прочь.

Войдя к себе, я поглядел на старое пианино Кэла. Простыня сползла с его длинных желтовато-белых зубов.

— Перестань скалиться,— сказал я.

В тот день произошли три события.

Два приятных. Одно ужасное.

Из Мехико пришло письмо. В нем была фотография Пег. Она подкрасила глаза на карточке коричневыми и зелеными чернилами, чтобы мне легче было вспомнить, какого они цвета.

Еще я получил открытку от Кэла из Хилы Бенд.

«Сынок, настраиваешь ли ты мое пианино? — спрашивал Кэл.— Половину рабочего дня я мучаю здешний народ в пивной забегаловке. В этом городе полно лысых. Они еще не подозревают, какие они счастливчики, раз к ним приехал я. Вчера подстриг шерифа. Он дал мне сутки, чтобы я убрался из города. Так что придется завтра газовать в Седалию. Удачи тебе. Твой Кэл».

Я перевернул открытку. На ней была фотография хилы — ядовитой аризонской ящерицы с черными и белыми полосками на спине. Кэл нацарапал на открытке скверный автопортрет, изобразив себя сидящим перед чудищем, как перед музыкальным инструментом, и играющим только на черных клавишах.

Я посмеялся и отправился в Санта-Монику, еще не зная, что скажу этому несуразному человеку, живущему двойной жизнью над стонущей каруселью.

— Фельдмаршал Роммель! — закричал я, подойдя. — Как и почему вы решили убить Констанцию Раттиган?

Но меня никто не услышал.

Карусель крутилась молча. Каллиопа была включена, но запись на валике уже кончилась, и бороздки, шипя, все крутились и крутились.

Хозяин карусели не умер, но был мертвецки пьян. Он даже не спал, а, сидя у себя в кассе, по-видимому, не замечал, что музыка не играет и лошадки кружатся под чавканье каллиопы, в которую кто-то засунул булочку со швейцарским сыром.

Все это мне очень не понравилось, и я уже собрался подняться наверх, как вдруг заметил какой-то мелкий разлетающийся бумажный мусор на кругу, над которым кружились лошади.

Я дал карусели совершить еще два полных оборота, потом ухватился за металлический шест, вскочил на круг и, покачиваясь, стал пробираться между шестами.

Клочки бумаги разметались от ветра, поднимаемого скачущими конями и самим крутящимся устройством, двигающимся в никуда.

На кругу под обрывком бумаги я заметил чертежную кнопку. Видимо, кто-то приколол записку ко лбу одной из деревянных лошадок. А кто-то ее нашел, прочел и убежал.

Этот «кто-то» был Джон Уилкс Хопвуд.

Испытывая такую же безнадежность, как безнадежна сама поездка на карусели, я целых три минуты собирал обрывки, потом соскочил с круга и стал складывать из них записку. На это ушло еще пятнадцать минут: я находил какое-то страшное слово на одном клочке, еще более страшное — на другом, внушающее ужас — на третьем. Все они свелись к неумолимому смертному приговору. Эта записка должна была пробрать холодом до мозга костей. Любой, вернее, любой, чей старый скелет не по праву облекала юная золотая плоть, должен был скрючиться, прочтя эту записку, будто его ударили в пах.

Все целиком я сложить не смог. Каких-то клочков не хватало, но смысл состоял в том, что адресат, которому направлялась записка, был человек старый и отвратительный. Отвратительный в буквальном смысле слова. Он сам ласкал свое юное тело, ибо кого мог привлечь человек с таким лицом? И уже давным-давно. Записка напоминала, что в 1929 году его вышвырнули из киностудии, причем речь шла о чьих-то переломанных запястьях, обвинили его и в том, что он подделывается голосом под немца, а также в пристрастии к странным приятелям — юношам и больным престарелым дамам. «В барах по вечерам тебя обзывали по-всякому и поднимали на смех, когда ты уползал, насосавшись дешевого джина. А теперь на твоих руках смерть. Я видел тебя на берегу, когда она бросилась в море и не вернулась. Все скажут, что это — убийство. Спокойной ночи, прекрасный принц».

Вот оно. Смертоносный заряд, посланный и полученный.

Собрав клочки, я стал подниматься по лестнице, чувствуя себя на девяносто лет старше, чем несколько дней назад.

Дверь в комнату Хопвуда с тихим шепотом отворилась под моей рукой. Повсюду на полу валялась одежда, стояли чемоданы, словно Хопвуд собрался укладывать вещи, потом ударился в панику и решил отправиться в путь налегке.

Я выглянул из окна. Внизу, на пирсе, все еще был привязан к фонарному столбу его велосипед. Но мопеда не было. Правда, это ни о чем не говорило. Он мог и в море на нем въехать.

«Интересно,— подумал я,— вдруг он в своих бегах встретится с Энни Оукли, а потом они оба наткнутся на Кэла!»

Я вывалил маленькую мусорную корзинку на шаткий столик возле кровати Хопвуда и сразу увидел разорванный листок тонкой ярко-желтой почтовой бумаги, продающейся в Беверли-Хиллз, с инициалами Констанции Раттиган. На листке было напечатано:

«В ПОЛНОЧЬ. ЖДИ. ШЕСТЬ НОЧЕЙ ПОДРЯД. НА КРАЮ ПЛЯЖА. МОЖЕТ БЫТЬ. УЧТИ: МОЖЕТ БЫТЬ. КАК В ПРЕЖНИЕ ВРЕМЕНА».

И в конце тоже напечатанные инициалы «К. Р.».

Буквы походили на шрифт машинки Констанции, которая, как я заметил, стояла открытой на столе в арабской гостиной.

Я перебирал обрывки, размышляя, могла ли Констанция написать Хопвуду? Нет, не могла. Она сказала бы мне.

Эту записку неделю назад отправил Хопвуду кто-то другой. И Хопвуд, как жеребец, гарцевал по берегу и ждал в волнах прибоя, не выбежит ли к нему смеющаяся Констанция. Может, он устал дожидаться, утащил ее в море и утопил? Нет, нет. Наверно, он видел, как она нырнула и не вынырнула. Испугался, бросился домой, и что он там нашел? Эту записку, полную страшных слов и унизительных разоблачений, — он будто получил удар ниже пояса. Ему ничего не оставалось, как бежать из города. Его гнали две причины — страх и боязнь позора.

Посмотрев на телефон, я вздохнул. Нет смысла звонить Крамли. Нет corpus delicti. Только рваные листки, которые я рассовал по карманам. Они казались крылышками москитов — хрупких, но ядовитых.

«Расплавьте все ружья! — подумал я. — Переломайте ножи, сожгите гильотины, но и тогда злобные душонки будут писать письма, способные убивать».

Рядом с телефоном я заметил маленький флакон одеколона и, вспомнив слепого Генри, его память и его чуткий нос, забрал флакончик с собой.

Внизу все крутилась в молчании карусель, лошади по-прежнему прыгали через невидимые барьеры, стремясь к финишу, достигнуть которого им не было суждено.

Я взглянул на пьяного хозяина, сидевшего в кассе, как в гробу, содрогнулся и при полном отсутствии какой-либо музыки поспешил убраться восвояси.

Чудо случилось сразу после ланча.

Из журнала «Американ Меркурий» пришло заказное письмо, в котором спрашивали: соглашусь ли я продать им один из моих рассказов, если они пришлют мне чек на триста долларов?

— Соглашусь ли? — взревел я. — Господи помилуй! Да они спятили?

Я высунулся на пустую улицу и заорал, обращаясь к домам, к небу, к берегу.

— Мой рассказ купил «Америкэн Меркурий»! За триста баксов! Теперь я богач!

Я перебежал дорогу, чтобы показать письмо ярким стеклянным глазкам в маленьком окошке напротив.

— Смотрите! — кричал я. — Как вам это нравится? Смотрите!

— Я богач! — бормотал я, пока, задыхаясь, бежал к винному магазину, чтобы сунуть письмо под нос хозяину.

«Смотрите!» Я вертел письмом над головой в трамвайной кассе.

«Хей!» — и вдруг застыл как вкопанный. Оказалось, я успел добежать до банка, воображая, будто чек уже у меня в кармане, и готов был положить на счет это всполошившее меня письмо.

А дома я неожиданно вспомнил тот страшный сон.

Чудовище, которое явилось, чтобы схватить и съесть меня.

Идиот! Дурак! Разве можно было кричать «хороший рис», надо было кричать «плохой»!

В эту ночь, впервые за долгое время, дождь не смочил коврик у моей двери, никто ко мне не приходил, и на рассвете на тротуаре возле дома не оказалось водорослей.

Видимо, моя открытость, мои истошные вопли спугнули того, кто ко мне наведывался.

«Все страньше и страньше», — подумал я.

———

Похорон на следующий день не было, ведь не было покойной, состоялась только панихида по Констанции Раттиган, организованная, видимо, фанатами, гоняющимися за автографами и фотографиями артистов, — их крысиная шайка вместе с толпой киностатистов перемешивала ногами песок перед арабским фортом Констанции Раттиган.

Я стоял в отдалении от этой толчеи и наблюдал, как несколько престарелых спасателей, обливаясь потом, протащили по пляжу переносной орган и установили его, забыв принести стул для леди, которая играла на нем, играла плохо, да еще и стоя. На ее лбу блестели соленые капли, она дергала головой, управляя траурным хором, чайки слетались посмотреть, что происходит, и, поняв, что кормом не пахнет, взмывали вверх, а какой-то подставной священник тявкал и лаял, словно пудель, так что перепуганные птички-песочники разбегались в разные стороны, а крабы поглубже прятались в песок, я же скрипел зубами, не зная, орать мне от ярости или залиться демоническим смехом, наблюдая, как с ночного экрана мистера Формтеня, а может быть, из полночной глубины под пирсом одна за другой появляются какие-то гротескные фигуры, ковыляют к волнам прибоя и кидают в них привядшие цветочные гирлянды.

«Черт тебя побери, Констанция! — думал я. — Приплыла бы ты сейчас! Прекратила бы это идиотское шоу!»

Но мои заклинания не действовали. Единственное, что приплыло, так это цветочные гирлянды, которые не пожелал принять прилив. Кое-кто пытался забросить их обратно в море, но проклятые гирлянды упорно возвращались обратно, и к тому же начался дождь. Все стали лихорадочно искать газеты, чтобы прикрыть головы, а спасатели, ворча, поволокли несчастный орган по песку обратно, и на берегу под дождем остался один я. Я накрылся газетой, и у меня над глазами повис вверх ногами заголовок:

«ИСЧЕЗНОВЕНИЕ ПРОСЛАВЛЕННОЙ ЗВЕЗДЫ НЕМОГО КИНО».

Подойдя к морю, я начал ногами запихивать гирлянды в воду. На этот раз они там и остались. А я разделся до трусов, схватил в охапку цветы и отплыл с ними насколько сил хватило, потом выпустил их и повернул назад.

На обратном пути я запутался ногами в одной из гирлянд и чуть не утонул.

— Крамли! — прошептал я.

И сам не понял, что это было — мольба или проклятие.

Крамли открыл дверь. Его лицо блестело и сияло, но явно не от пива. Видно, что-то случилось.

— Привет! — воскликнул он.— Где вы пропадали? Я вам с утра названиваю. Боже! Проходите-ка и посмотрите, что натворил этот старик!

Он торопливо прошел в свой кабинет и драматическим жестом указал на стол, где лежала довольно внушительная стопка густо исписанных листов.

Я присвистнул:

— Вот это да, С. В. С.!*

---

* Сукин вы сын.

— Точно, подходящие для меня инициалы: С. С. Крамли. Крамли С. С. Твою мать!

Он выхватил лист из машинки.

— Хотите прочесть?

— Зачем? — рассмеялся я. — Ведь получилось отлично, верно?

— Вдруг как поперло! — рассмеялся он в ответ. — Будто плотину прорвало!

Я сидел и от полноты чувств фыркал, глядя на его сияющее, как солнце, лицо.

— И когда же это случилось?

— Две ночи назад! Как-то в полночь. В позапрошлую ночь, что ли? Ну не помню когда. Я себе лежал, зубы сосал, глядя в потолок, не читал, радио не слушал, даже пива не пил. На улице ветер выл, гнулись деревья, и вдруг у меня в башке заплясали всякие треклятые идеи, как угри на сковородке! Я, к черту, вскочил, ринулся сюда и как пошел, как пошел стучать, так до рассвета и не останавливался, а к рассвету у меня уже была готова целая гора этих листов, такая, будто кроты нарыли, а сам я то смеялся, то плакал. Вроде того. В шесть утра завалился в постель и все глядел на эту кучу и ржал — до того был счастлив, будто только что завел роман с самой завидной леди на земле!

— Так оно и есть, — тихо заметил я.

— Забавно, однако, — продолжал Крамли, — с чего это началось. Может, ветер был виноват, только кто-то стал оставлять у меня на крыльце водоросли вместо визитных карточек. И что вы думаете, как повел себя старый детектив? Выскочил с ружьем, крикнул: «Стой! Стрелять буду!»? Ничуть не бывало. Не кричал и не стрелял. Сидел себе и барабанил на машинке, гремел, как в Новый год или в Хеллоуин. И знаете, что дальше было? Ну-ка попробуйте, догадайтесь!

Я похолодел. Целая колония мурашек поползла у меня по спине.

— Ветер затих,— проговорил я.— Следов у вашего порога больше не было.

— Ну? — удивился Крамли.

— И водоросли больше не появлялись. И тот, кто приходил, кем бы он ни был, с тех пор не возвращался.

— Откуда вы знаете? — ахнул Крамли.

— Да вот знаю! Вы сделали то, что надо, хотя сами не догадывались. Совсем как я. Я наорал на него, и от меня он тоже отстал. О господи, господи!

Я рассказал Крамли о моей удаче с «Меркурием», о том, как я дурак дураком носился по городу, как кричал всем, и небу в том числе, и как с тех пор дождь перестал в три часа ночи стучать в мою дверь и — кто знает? — может, никогда больше стучать не будет.

Крамли так и сел, будто я обрушил на него наковальню.

— Элмо,— продолжал я,— мы приближаемся к цели! Мы сами не ожидали, а напугали его. Чем дальше он от нас уходит, тем больше мы о нем знаем. Ну, во всяком случае, так мне кажется. По крайней мере, мы знаем, что его пугают громко орущие дуралеи и детективы, которые, хохоча, барабанят, как маньяки, на машинке до пяти утра. Печатайте, печатайте, Крамли. Тогда вы в безопасности...

— Бред сивой кобылы! — выдохнул Крамли. Но сам при этом смеялся.

Его улыбка придала мне храбрости. Я порылся в карманах и вынул анонимное письмо, спугнувшее

Хопвуда, а также любовное послание, напечатанное на солнечно-яркой почтовой бумаге и заманившее актера на берег.

Крамли повозился с кусочками этой головоломки и снова, будто любимым старым халатом, прикрылся циничным скепсисом.

— Письма напечатаны на разных машинках. Оба без подписи. Да каждое из них мог напечатать любой дурак! И если, как мы считаем, этот Хопвуд был насчет секса тронутый, значит, он, прочтя желтую записку, вообразил, будто ее и впрямь написала Раттиган, и помчался на берег ждать, как паинька, когда она к нему бросится и начнет тискать ему задницу. Но мы-то знаем, что Раттиган в жизни бы ничего подобного не написала. У нее чувства достоинства хватило бы на десятитонный грузовик. Она нигде никогда не стояла с протянутой рукой — ни в голливудских студиях, ни на панели, ни на берегу. И что это нам дает? Заплывы свои она совершала в странное время. Я на дежурствах наблюдал это ночь за ночью. И пока она резвилась с акулами за двести ярдов от берега, любой — даже я — мог забраться в ее гостиную, воспользоваться ее почтовой бумагой, нашлепать на машинке призывную записку, выбраться и послать ее по почте этому дураку Хопвуду, а дальше сидеть и ждать, когда начнется фейерверк.

— И что из этого? — спросил я.

— А то, — сказал Крамли, — что результат у всей затеи получился обратный. Раттиган струхнула, заметив этого эксгибициониста, заплыла подальше, чтобы от него избавиться, и попала в быстрое течение. А Хопвуд на берегу ждал, когда она вернется, и, когда увидел, что она не возвращается, наложил в штаны и убежал. А на другой день получил эту вторую записку — форменный конец света! Он понял, что кто-то видел его на берегу и может указать на него как на убийцу Раттиган. Так что...

— Он уже скрылся,— проговорил я.

— Правильно. Но нам-то все равно еще плыть и плыть до берега без весел и без руля. Что мы можем предъявить?

— Того типа, что звонит нам по телефону, того, что украл у парикмахера Кэла голову Скотта Джоплина со старой фотографии и так напугал Кэла, что тот удрал из Венеции.

— Допустим.

— Типа, который прячется в холлах, кто напоил старика, засунул его в старую львиную клетку и, наверно, захватил себе на память из его кармана немного конфетти от трамвайных билетов.

— Допустим.

— Типа, до смерти напугавшего леди с канарейками и стащившего у нее газеты, которыми она устилала дно клеток. А когда Фанни перестала дышать, он забрал себе как трофей пластинку с «Тоской». А потом послал письма старому актеру Хопвуду и выкурил его из города навсегда. Из комнат Хопвуда он, наверно, тоже что-то спер, но этого мы никогда не узнаем. А у Констанции Раттиган он мог как раз перед моим приходом прихватить бутылку шампанского. Надо проверить! Этот тип не может удержаться, чтобы чего-нибудь не хапнуть! Он, видите ли, коллекционер!

Зазвонил телефон. Крамли снял трубку, послушал, передал ее мне.

— Подмышки,— проговорил низкий голос.

— Генри!

Крамли приблизил ухо к трубке рядом со мной.

— Подмышки вернулся, крутился здесь час или два назад.— Голос Генри доносился из другой страны, из огромного далекого дома в Лос-Анджелесе, из прошлого, которое уже неумолимо умирало.— Кто-то должен его схватить. Кто?

Генри повесил трубку.

— Подмышки,— повторил я и, вынув из кармана пахнущий весной одеколон Хопвуда, поставил его на стол перед Крамли.

— Не подойдет! — вскинулся Крамли.— Кто бы ни был этот гад в доме Фанни, это не Хопвуд. Тот всегда благоухал, как клумба с бархатцами или звездная пыль. Хотите, чтобы я поехал обнюхивать дверь вашего друга Генри?

— Нет,— отверг я это предложение.— К тому времени как вы туда приедете, мистер Подмышки будет уже здесь, начнет шаркать ногами у наших с вами дверей.

— Не начнет, если мы будем громко кричать и печатать, печатать и кричать. Разве вы не помните? Кстати, что вы тогда кричали?

Я рассказал Крамли о том, что «Америкэн Меркурий» купил мой рассказ, и о миллиарде долларов, которые мне теперь причитаются.

— Господи помилуй! — воскликнул Крамли.— Теперь я понимаю, что чувствует папаша, когда его сыночка принимают в Гарвард. Ну-ка, малыш, расскажите еще раз. Как вы этого добились? Что делать для этого мне?

— Утром за машинку и набрасывайте.

— Ясно.

— Днем вычищайте.

Далеко в заливе загудела туманная сирена, долго и заунывно повторяя, что Констанция Раттиган больше не вернется.

Крамли сел за машинку.

Я тянул свое пиво.

Ночью в десять минут второго кто-то появился у моей двери.

Я еще не спал.

«Господи, — подумал я, — ну пожалуйста! Сделай так, чтобы все не началось сначала!»

В дверь стукнули изо всей силы — бамс! — и еще два раза, один громче другого. Кто-то добивался, чтобы его впустили.

«О господи! Вставай, трус, — говорил я себе. — Вставай и покончи с этим. Раз и навсегда!»

Я вскочил и распахнул дверь.

— Шикарно выглядишь в рваных трусах! — воскликнула Констанция Раттиган.

— Констанция! — завопил я и втащил ее в комнату.

— А ты думал кто?

— Но я же был на твоих похоронах!

— Я тоже. Совсем как в «Томе Сойере», черт побери! Ну и сборище же олухов! И этот вшивый орган! Натягивай брюки, быстро! Нам надо ехать!

Констанция завела мотор старого подержанного «форда» и указала мне на незастегнутую ширинку.

Пока мы ехали вдоль моря, я все причитал:

— Надо же! Ты жива!

— Забудь о похоронах и утри сопли.— Констанция улыбнулась пустой дороге, бегущей нам навстречу.— Святый боже! Всех обвела вокруг пальца!

— Но зачем?

— Черт побери, малыш, этот стервец ночь за ночью прочесывал песок у меня под окном.

— А ты не писала ему? Не звала?

— Звала? Ну, знаешь, хорошего же ты обо мне мнения!

Она остановила «форд» на задах своего запертого арабского замка, закурила сигарету, выпустила дым в окно, огляделась.

— Все спокойно?

— Он больше не вернется, Констанция.

— Прекрасно! Каждую ночь он выглядел все краше. Когда человеку сто десять лет, он уже не мужчина, просто брюки. Да мне к тому же казалось, что я знаю, кто это.

— Ты догадалась правильно.

— Ну вот я и решила покончить со всем этим раз и навсегда. Запасла продукты в бунгало, к югу отсюда, и поставила там этот «форд», а сама вернулась.

Выскочив из машины, она потащила меня к задней двери дома.

— Я зажгла все лампы, включила музыку, приготовила стол с закусками, распахнула все двери и окна настежь и, когда в тот вечер он появился, промчалась мимо него, крича: «Спорим, что обгоню! Плывем до Каталины!» И бросилась в море. Он так обалдел, что не поплыл следом, а если и поплыл, то сделал два-три гребка и повернул назад. А я отплыла на двести ярдов и легла на спину. Еще целых полчаса я видела его на берегу — поди, ждал, что я вернусь, а потом повернулся и дал деру. Наверно, перепугался до смерти. А я поплыла к югу, вышла с прибоем к моему бунгало неподалеку от Плайя-дель-Рей, взяла бутылку шампанского и бутерброд с ветчиной и уселась на крылечке. Давно так отлично себя не чувствовала! Ну и пряталась там до сих пор. Ты уж прости, малыш, что заставила тебя поволноваться. Ты-то в порядке? Поцелуй меня. На это физподготовки не требуется.

Она поцеловала меня, мы прошли через дом к парадной двери, выходящей на берег, и открыли ее навстречу ветру — пусть раздувает занавеси и посыпает песком плитки пола.

— Господи, неужели я здесь жила? — подивилась Констанция.— Я чувствую себя собственным привидением, которое вернулось взглянуть на свой дом. Все это уже не мое. Ты замечал когда-нибудь — если возвращаешься домой после каникул, кажется, что вся мебель, книги, радио злятся на тебя, как брошенные кошки? Ты для них уже умер. Чувствуешь? Не дом, а морг!

Мы прошлись по комнатам. Белели чехлы на мебели, наброшенные от пыли, а ветер, словно его потревожили, никак не мог угомониться.

Констанция высунулась из дверей и крикнула:

— Так-то, сукин ты сын! Выкуси!

Она обернулась:

— Найди-ка еще шампанского и запри все! У меня от этого склепа мороз по коже! Поехали!

Только пустой дом и пустой берег наблюдали за нашим отъездом.

— Ну как тебе? Нравится? — старалась перекричать ветер Констанция Раттиган. Она опустила верх «форда», мы мчались сквозь струящуюся навстречу теплую, с прохладцей, ночь, и волосы у нас развевались.

Мы подъехали к высокой песчаной перемычке у полуразвалившегося причала, остановились перед маленьким бунгало, и Констанция, выскочив из машины, стащила с себя все, кроме трусов и лифчика. На песке перед бунгало тлели остатки маленького костра. Подбросив туда бумаги и щепок, Констанция дождалась, чтобы костер разгорелся, и сунула в него вилки с сосисками, а сама, сев рядом со мной и барабаня меня по коленям, как молодая обезьянка, ерошила мне волосы и потягивала шампанское.

— Видишь там, в воде, обломки бревен? Это все, что осталось от «Бриллиантового пирса». На нем устраивали танцы. В восемнадцатом году там сиживал за столиком Чарли Чаплин, а с ним Д. У. Гриффит. А в дальнем конце мы с Десмондом Тейлором. Впрочем, к чему вспоминать? Смотри, рот не обожги! Ешь!

Внезапно она замолчала и посмотрела на север.

— Они нас не выследили? Они, или он, или сколько их там? Они нас не заметили? Мы в безопасности? Навсегда?

— Навсегда,— сказал я.

Соленый ветер раздувал костер. Искры, разлетаясь, отражались в зеленых глазах Констанции Раттиган.

Я отвел взгляд.

— Мне надо еще кое-что сделать.

— Что?

— Завтра, часов в пять, пойду размораживать у Фанни холодильник.

Констанция перестала пить и нахмурилась.

— Чего ради?

Пришлось мне выдумать причину, чтобы не портить ей эту ночь с шампанским.

— У меня был друг — художник Стритер Блэр, каждую осень он получал на местных ярмарках голубую ленту — приз за хлеб собственного изготовления. Когда он умер, в его холодильнике нашли шесть караваев. И один его жена дала мне. Целую неделю я отрезал от него по кусочку, мазал маслом и ел — кусок утром, кусок вечером. И мне было хорошо — можно ли придумать лучший способ проститься с замечательным человеком? Когда я съел последний кусок, мой друг умер для меня навсегда. Наверно, поэтому мне хочется забрать все Фаннины джемы и майонезы. Понятно?

Но Констанция насторожилась.

— Понятно,— сказала она в конце концов.

Я вышиб пробку из очередной бутылки.

— За что пьем?

— За мой нос,— сказал я.— Наконец-то я избавился от проклятого насморка. Шесть коробок бумажных платков извел. За мой нос!

— За твой длинный красивый нос! — подхватила Констанция и залпом выпила шампанское.

Этой ночью мы спали на песке, ничего не опасаясь, хотя в двух милях от нас цветочные гирлянды все еще тыкались в берег рядом с бывшим пристанищем покойной Констанции Раттиган, а в трех милях к югу улыбалось в моем доме пианино Кэла и старенькая пишущая машинка ждала, когда я вернусь спасать Землю от нашествия марсиан на одной странице и Марс от землян — на другой.

Среди ночи я проснулся. Рядом со мной было пусто, но песок все еще сохранял тепло там, где, свернувшись калачиком под боком у бедного писателя, спала Констанция. Я встал и услышал, как она, словно тюлень, вспенивает воду далеко в море. Когда она выбежала из воды, мы прикончили шампанское и спали до полудня.

День выдался такой, когда и в голову не приходит задумываться о смысле жизни, лежи себе, наслаждайся погодой, и пусть жизненные соки текут и переливаются. Но все-таки мне надо было поговорить с Констанцией.

— Я не хотел портить вчерашний вечер. Господи, так счастлив был, что ты жива! Но, по правде говоря, все как в бейсболе — одного убрали, вышел второй. Мистер Дьявол-во-Плоти, который болтался на берегу у тебя под окнами, удрал: он испугался, что решат, будто ты утонула по его милости. А он только и хотел тряхнуть стариной, как в двадцать восьмом году, порезвиться среди ночи, поплавать голышом. И вместо этого ты, как он вообразил, утонула на его глазах... Вот он и сбежал, но тот, кто направил его к тебе, все еще здесь.

— Господи,— прошептала Констанция. Веки, закрывавшие ее глаза, вздрагивали, как два паука. Она устало вздохнула.— Выходит, это все-таки не кончилось?

Я сжал ее испачканную песком руку.

Констанция долго лежала молча, потом, не раскрывая глаз, спросила:

— А холодильник Фанни при чем? Ведь я так и не вернулась туда — сто лет назад — заглянуть в него. А ты как раз заглядывал и ничего не увидел.

— Потому-то я и хочу посмотреть снова. Все горе в том, что комната опечатана.

— Хочешь, чтобы я взломала замок?

— Констанция!

— Я проберусь в дом, выгоню из коридоров привидения, ты отколотишь их дубинкой, потом мы сорвем печать с дверей, утащим Фаннины банки с майонезом и на дне третьей банки обнаружим ответ на все загадки, если только его уже не похитил кто-то другой или не испортил.

Вдруг муха, жужжа, коснулась моего лба. В голове шевельнулось какое-то забытое соображение.

— Кстати, я вспомнил один рассказ, я давным-давно читал его в каком-то журнале. Девушка на леднике упала и замерзла. Через двести лет ледник растаял, а девушка осталась такая же молодая и красивая, как в тот день, когда упала.

— У Фанни в холодильнике ты красивых девушек не найдешь, не жди!

— Да, там будет какая-нибудь жуть.

— А когда ты найдешь — если найдешь — эту жуть, ты ее вытащишь и уничтожишь?

— Да, и не один раз, а девять! Точно! Девяти, пожалуй, хватит!

— Как звучит та несчастная первая ария из «Тоски»? — спросила Констанция. Ее лицо под загаром побледнело.

В сумерках я вышел из машины Констанции у дома Фанни. В вестибюле вечер казался еще темнее, чем на улице. Я долго вглядывался в темноту. Мои руки, державшие дверцу машины, дрожали.

— Хочешь, чтобы мамочка пошла с тобой? — спросила Констанция.

— Слушай, побойся бога!

— Ну прости, малыш.— Она похлопала меня по щеке, влепила мне такой поцелуй, что мои веки взлетели над глазами, как шторы над окнами, и всунула мне в руки листок бумаги.— Здесь телефон моего бунгало, он зарегистрирован на имя Трикси Фриганза. Помнишь, была такая девица — море по колено? Не помнишь? Дурачок! Если тебя скинут с лестницы, вопи во все горло! Если найдешь гада, подкрадись, встань сзади вплотную, как в конге, и сбрось его со второго этажа! Мне подождать тебя?

— Констанция! — взмолился я.

Спускаясь с холма, она не преминула проскочить под красный свет.

Я поднялся в верхний холл, навеки погруженный во тьму. Лампочки из него украли давным-давно. И вдруг услышал, как кто-то бросился бежать. Шаги были легкие, словно бежал ребенок. Замерев, я вслушивался.

Шаги затихали, бегущий спустился с лестницы и выскочил в заднюю дверь.

В холле потянуло ветром, и он принес с собой запах. Как раз тот, о котором говорил слепой Генри. Пахло одеждой, годами висевшей на чердаке без проветривания, и рубашками, которые месяцами не сменялись. Было такое чувство, будто я оказался в полночь в глухом переулке, куда наведалась, чтобы задрать ноги, целая свора собак с бессмысленными улыбками на мордах.

Запах подстегнул меня, и я помчался во всю прыть. Добежав до двери Фанни, я затормозил. Сердце в груди колотилось как бешеное, а пахло здесь так сильно, что я начал хватать ртом воздух. Он стоял здесь только что! Надо было сразу бежать за ним, но мое внимание привлекла дверь. Я вытянул руку.

Дверь на несмазанных петлях тихо качнулась внутрь.

Кто-то сломал замок на двери Фанни.

Кому-то здесь что-то понадобилось.

Кто-то приходил сюда что-то искать.

Теперь настала моя очередь.

Я вступил в темноту, хранящую воспоминания о вкусной еде.

Здесь пахло, точно в магазине деликатесов, в этом теплом гнезде, где двадцать лет пасся, лакомился и пел большой, милый, добрый слон.

«Интересно, — мелькнуло у меня в мозгу, — сколько еще будет держаться здесь аромат укропа, закусок и майонеза? Скоро ли он выветрится и развеется по длинным лестницам? Но приступим...»

В комнате царил ужасающий беспорядок.

Тот, кто побывал здесь, вывернул содержимое полок, ящиков бюро, шкафов. Все было выброшено на пол, на линолеум. Партитуры любимых опер Фанни перемешались с разбитыми патефонными пластинками, которые, видно, кто-то расшвыривал ногами или в горячке поисков разбивал о стенку.

— Господи, Фанни, — прошептал я, — какое счастье, что тебе не довелось этого увидеть!

Все, что можно было перевернуть и сломать, было сломано. Даже громадное, похожее на трон кресло, в котором лет пятнадцать царствовала Фанни, было опрокинуто, как опрокинули и его хозяйку.

Но в единственное место этот мерзавец не заглянул, и туда-то должен был заглянуть я. Спотыкаясь об обломки на полу, я схватился за ручку дверцы холодильника и дернул ее на себя.

В лицо мне пахнуло прохладным воздухом. Я пристально всматривался внутрь, как всматривался несколько ночей назад, до боли напрягая глаза, стараясь увидеть то, что должно было лежать у меня перед носом. То, что искал здесь тот, кто прятался в холле, — незнакомец из ночного трамвая. Искал и не нашел, оставил мне.

Все в холодильнике выглядело точно так же, как всегда. Джемы, желе, приправы для салатов, привядшая зелень — передо мной переливалась всеми красками холодная святыня, которой поклонялась Фанни.

И вдруг я резко втянул в себя воздух.

Засунув руку внутрь, я отодвинул к задней стенке баночки, бутылки и коробки с сыром. Все они стояли на тонком, сложенном пополам листе бумаги, который я сперва принял за подстилку, впитывающую капли.

Я вытянул бумагу и в слабом свете холодильника прочел: «Янус. Еженедельник "Зеленая зависть"».

Не закрыв дверцу, я, шатаясь, пробрался к креслу Фанни, поднял его и рухнул дожидаться, когда мое сердце угомонится.

Я переворачивал бледно-зеленые газетные страницы. На последней были напечатаны некрологи и частные объявления. Я пробежал их глазами. Ничего важного не заметил, просмотрел еще раз и увидел...

Маленькое обращение, отмеченное красными чернилами.

Вот, значит, что он искал, чтобы унести с собой и уничтожить следы.

Почему я решил, что именно это объявление? Вот что в нем говорилось:

«ГДЕ ТЫ СКРЫВАЕШЬСЯ ВСЕ ЭТИ ГОДЫ? МОЕ СЕРДЦЕ ИЗБОЛЕЛОСЬ, А ТВОЕ? ПОЧЕМУ НЕТ НИ ПИСЕМ, НИ ЗВОНКОВ? КАКОЕ СЧАСТЬЕ ДЛЯ МЕНЯ, ДАЖЕ ЕСЛИ ТЫ ПРОСТО ПОМНИШЬ ОБО МНЕ, ТАК ЖЕ КАК Я О ТЕБЕ. СКОЛЬКО ВСЕГО У НАС БЫЛО, И МЫ ВСЕ ПОТЕРЯЛИ! ПОКА ЕЩЕ НЕ ПОЗДНО ВСПОМНИТЬ, ВЕРНИСЬ, НАЙДИ ДОРОГУ ОБРАТНО.

ПОЗВОНИ».

И подпись:

«КТО-ТО, КТО ЛЮБИЛ ТЕБЯ ДАВНЫМ-ДАВНО».

А на полях кто-то нацарапал:

«КТО-ТО, КТО ЛЮБИЛ ТЕБЯ ВСЕМ СЕРДЦЕМ ДАВНЫМ-ДАВНО».

Господи помилуй! Пресвятая Богородица!

Не веря своим глазам, я перечитал объявление раз шесть подряд.

Выпустив газету из рук, я наступил на нее и подошел к открытому холодильнику немного остыть. Потом снова вернулся и перечитал проклятое объявление в седьмой раз.

Ну и дьявольская же штука! Ну и ловко сработано! Какова приманка! Гарантированная, безотказная ловушка!

Прямо-таки Роршаховский тест! Торжество хиромантии! До чего же завлекательная жульническая лотерея: тут же ставишь, тут же выигрываешь! Эй, женщины, мужчины, старые, молодые, брюнеты, блондины, худы и толстые! Смотрите! Слушайте! Это ВАМ!

На такое объявление может отозваться кто угодно — всякий, кто когда-то кого-то любил и лишился своей любви, и, говоря «всякий», я имею в виду любого одинокого человека в нашем городе, в нашем штате, в целом мире!

Кто бы, прочитав это, не соблазнился поднять трубку, набрать номер и темным вечером наконец-то прошептать:

— Я здесь. Приходи, прошу тебя!

Стоя посреди комнаты, я пытался представить себе, что пережила Фанни в тот вечер — палуба ее корабля скрипела, когда она под звуки скорбящей на патефонном диске «Тоски» всем своим грузным телом кидалась то в одну, то в другую сторону, а холодильник с его драгоценным содержимым был широко раскрыт, и глаза Фанни бегали, а сердце металось в груди, как колибри в огромном вольере.

Боже! Боже! Редактором такой газетенки мог быть только Пятый всадник Апокалипсиса!

Я просмотрел все остальные объявления. Под каждым значился один и тот же телефонный номер. Только по нему вы получали сведения обо всем, что говорилось в объявлениях. И это был номер телефона проклятущих издателей газеты «Янус. Еженедельник "Зеленая зависть"», чтоб им на том свете в огне гореть!

Фанни в жизни не купила бы такой газеты. Значит, кто-то ей дал ее или... Я замер и взглянул на дверь.

Нет!

Кто-то подсунул газету в ее комнату, обведя красными чернилами именно это объявление, чтобы она наверняка его увидела.

«КТО-ТО, КТО ЛЮБИЛ ТЕБЯ ВСЕМ СЕРД-ЦЕМ ДАВНЫМ-ДАВНО».

— Ах, Фанни! — в отчаянии вскрикнул я.— Несчастная дуреха! Как ты могла?

Распихивая ногами осколки «Богемы» и «Баттерфляй», я двинулся к дверям, потом опомнился, вернулся к холодильнику и захлопнул дверцу.

На третьем этаже дела обстояли не лучше.

Дверь в комнату Генри была широко распахнута. Прежде я никогда не видел ее открытой. Генри любил, чтобы двери всегда были закрыты. Он не хотел, чтобы кто-то из зрячих имел перед ним преимущество. Но сейчас...

— Генри?

Я сделал шаг внутрь. Маленькая квартирка была аккуратно прибрана. Она поражала чистотой и порядком: каждая вещь на своем месте, все начищено. Но в комнате никого не было.

— Генри?

На полу лежала его трость, рядом темный шнур — черный шпагат с завязанными на нем узелками.

Шнур и трость казались брошенными как попало, будто Генри обронил эти вещи в драке или забыл их, когда убегал...

Но куда?

— Генри?

Я поднял шнур и стал разглядывать узелки. Сперва два подряд, потом пропуск, еще три узелка, опять пропуск, потом узелки шли группами по три, по шесть, по четыре и по девять.

— Генри! — крикнул я громко.

И побежал стучаться к миссис Гутьеррес.

Она открыла дверь, увидела меня и разрыдалась. Глядела на мое лицо, а слезы так и катились по ее щекам. Протянув пахнущую маисовыми лепешками руку, она погладила меня по лицу.

— О бедный, бедный! Входи, ох, ох! Бедный! Садись, садись. Есть хочешь? Сейчас принесу. Нет, садись, садись. А кофе хочешь? Да? — Она принесла мне кофе и вытерла глаза.

— Бедная Фанни! Бедный Чокнутый! Что?

Я развернул газету и, держа перед ее глазами, показал объявление.

— Не читаю *inglese**,— попятилась она.

— И не надо! — сказал я.— Не помните? Фанни не приходила к вам звонить с этой газетой?

— Нет, нет! — И тут же краска залила ее лицо — она вспомнила! — *Estupido!** Si!* Приходила! А куда звонила, не знаю!

---

* Английский *(исп.).*
** Глупая! *(исп.)*

— Она долго говорила, много?

— Долго.— Миссис Гутьеррес приходилось переводить в уме каждое мое слово, но вот она энергично затрясла головой.— *Si!* Долго. Долго смеялся. Она так смеялся и говорил, говорил и смеялся!

«Смеялась, приглашая к себе Ночь, Бесконечность и Вечность»,— подумал я.

— И держала в руках эту газету?

Миссис Гутьеррес повертела газету, словно это была китайская головоломка.

— Может, *si*, может, *no*. Эту ли, другую ли? Не знаю. А Фанни теперь у Бога.

Чувствуя, что потяжелел втрое, я повернулся и, держа в руке сложенную газету, прислонился к двери.

— Хотел бы и я там оказаться,— сказал я.— Можно от вас позвонить?

По наитию я не стал набирать номер «Зеленой зависти», указанный в объявлении. Я подсчитал узелки, завязанные Генри на шнурке, и набрал получившийся номер.

— Издательство «Янус»,— ответил гнусавый голос.— «Зеленая зависть». Не вешайте трубку.

Аппарат уронили на пол. Я услышал, как тяжелые шаги прошаркали по сугробам скомканных бумаг.

— Сработало! — заорал я, испугав бедную миссис Гутьеррес, она даже отшатнулась от меня.— Номер совпал! — прокричал я выпуску «Зеленой зависти», который держал в руке.

Для чего-то Генри узелками обозначил на своем памятном шнурке номер издательства «Янус».

— Алло, алло! — звал я трубку.

Но слышно было только, что в далекой редакции «Зеленой зависти» дико визжит какой-то маньяк, прикованный рехнувшимися, бешено бренчащими гитаристами к электрическому стулу. А два гиппопотама с носорогом, отплясывая в сортире фанданго, пытаются заглушить их музыку. В этом бедламе кто-то упорно стучал на машинке. А кто-то наигрывал на гармошке под барабан.

Подождав минуты четыре, я грохнул трубку на рычаг и в неистовстве ринулся к дверям.

— Мистер,— закричала миссис Гутьеррес,— почему так волнуешься?

— Почему, почему! Заволнуешься тут! — надрывался я.— Кто-то бросает трубку и больше не подходит к телефону, а у меня нет денег, чтобы добраться до этой сволочной редакции, она где-то в Голливуде, и звонить снова нет смысла — трубка-то снята, а время поджимает, и еще Генри пропал! Неужели он умер, черт побери?

«Не умер,— должна была сказать миссис Гутьеррес,— просто спит».

Но она ничего не сказала, и я, мысленно поблагодарив ее за это, вынесся вихрем в холл, не зная, куда бежать. Даже на то, чтобы доехать до Голливуда на несчастном красном трамвае, денег у меня не было. Я...

— Генри! — крикнул я в лестничный пролет.

— Да? — отозвался голос.

Я повернулся как ужаленный и вскрикнул. Передо мной была темнота.

— Генри! Это...

— Я, — сказал Генри и выступил в едва заметное пятно света. — Уж если Генри решил спрятаться, так он спрячется как следует, его никто не найдет. Этот мистер Подмышки опять был здесь. Думаю, он знает, что мы знаем обо всей этой каше. Я услышал, как он крадется по крыльцу под моим окном. Все бросил как попало и сбежал. Ты нашел, что я бросил?

— Да. Трость и шнур с узелками — догадался, что они означают номер телефона.

— Хочешь, расскажу про эти узелки и этот номер?

— Хочу, конечно.

— За день до того, как Фанни ушла от нас навсегда, услышал я, как в коридоре кто-то плачет. Она стояла у моей двери. Я открыл — пусть, думаю, вся эта печаль ко мне войдет. Нечасто я встречал ее наверху, она же не могла подниматься, для нее это смерть была! «Я не должна была этого делать!» — плачет она. «Я сама во всем виновата», — только и повторяет. «Вот, Генри, возьми это барахло и побереги его, — говорит. — Какая же я дура». И сует мне старые пластинки и какие-то газеты. «Это очень важно», — говорит. Ну а я подумал: «Что за черт?» Но поблагодарил, все взял, а она так и пошла к себе вниз, плачет в голос и твердит: «Какая я дура». Эти газеты и пластинки я сунул куда-то и думать о них забыл. А вот когда Фанни отпели, похоронили и в землю зарыли, я раз утром наткнулся рукой на эти паршивые бумаги и думаю: «Что это еще такое?» Позвал миссис Гутьеррес и спрашиваю ее по-английски и по-мексикански: «Что это?» Она эти газеты просмотрела и увидела, что в пяти разных номерах одни и те же слова обведены чернилами. И номер телефонный всюду указан одинаковый. Ну я и начал гадать, с чего бы это Фанни так горько плакала и что это за номер, вот и завязал узелки. А потом позвонил. Ты звонил?

— Да, Генри,— подтвердил я.— Я нашел одну такую газету у Фанни в квартире. Что же ты мне раньше про них не говорил?

— А зачем? Я думал, это глупость какая-то. Дамские штучки. А ты-то прочел газету? Мне миссис Гутьеррес прочитала, плохо, но прочла вслух. Я только смеялся. «Боже,— думал я,— ну и чушь собачья!» Только теперь я думаю по-другому. Кто-то прочел этот бред и клюнул?

— Фанни клюнула,— с трудом выговорил я.

— Ну а скажи мне, когда ты набрал этот чертов номер, какой-то сукин сын снял трубку, ответил, собрался кого-то позвать и больше не вернулся?

— Все точно так, тот же сукин сын,— сказал я.

Генри начал подталкивать меня к открытой двери своей комнаты, будто я тоже был слепой. Я не протестовал.

— Как же у них дела идут в этой газете? — подивился он.

Мы уже приблизились к его двери.

— Думаю, когда тебе на все наплевать,— сказал я,— деньги к тебе сами плывут.

— Точно! Со мной всегда была одна беда — мне до всего есть дело. Вот ко мне деньги и не плыли. Ну и не надо! У меня и так наличных денег полно...

Он замолчал, услышав, как я втянул в себя воздух.

— Вот, вот, так дышит тот, кому хочется одолжить мои накопленные денежки! — улыбнулся он, спокойно кивнув.

— Только если ты поедешь со мной, Генри. Поможешь найти негодяя, издевавшегося над Фанни.

— Подмышки?

— Подмышки!

— Мой нос к твоим услугам. Пошли.

— Нам нужны деньги на такси, Генри. Надо сэкономить время.

— В жизни не ездил на такси, зачем оно мне теперь?

— Нам нужно успеть в эту редакцию, пока она не закрылась. Чем скорее мы все выясним, тем спокойнее можно будет действовать. Я не желаю больше всю ночь тревожиться, как ты тут, и трястись за самого себя в своей лачуге.

— У Подмышек острые зубки, да?

— Да уж, в этом лучше не сомневаться.

— Пошли! — Генри, улыбаясь, обошел свою комнату. — Поищем-ка, где слепой прячет денежки. А по всей комнате! Дать восемьдесят баксов?

— Нет, что ты!

— Шестьдесят? Сорок?

— Двадцать — тридцать хватит за глаза!

— Ладно. — Генри остановился, захрюкал, засмеялся и вытащил из бокового кармана брюк толстую пачку денег. И стал отсчитывать бумажки.

— Вот сорок баксов!

— Скоро отдать не смогу, учти.

— Ну, если мы отыщем этого гада, который насмерть напугал Фанни, ты мне ни цента не будешь должен. Держи деньги! Захвати мою трость. Запри дверь — и вперед! Поехали, найдем идиота, который снимает трубку и отправляется в отпуск.

В такси Генри улыбался всем запахам и ароматам, хотя откуда они исходят, не видел.

— Шикарно! Ни разу не нюхал такси! А это наше новенькое и едет быстро.

Я не смог удержаться и спросил:

— Генри, как ты умудрился скопить столько денег?

— Понимаешь, я играю на скачках, хотя лошадей не вижу, не трогаю и даже не могу их понюхать. У меня там друзья завелись. Они прислушиваются и делают ставки. Знаешь, я больше ставлю и меньше проигрываю, чем зрячее дурачье. Так денежки и копятся. Когда набирается слишком много, я хожу к кому-нибудь из этих противных леди в бунгало рядом с нашим домом. Все говорят, что они противные. Но мне-то плевать. Все равно ничего не вижу — слепой. Так что вот так. Где мы?

— На месте,— объяснил я.

Мы остановились в захудалой части Голливуда, южнее бульвара, в переулке за каким-то зданием. Генри потянул носом.

— Это не Подмышки, но кто-то из таких же. Держи ухо востро.

— Сейчас вернусь.

Я вышел из машины. Генри остался на заднем сиденье — глаза безмятежно закрыты, трость на коленях.

— Буду прислушиваться к счетчику, чтобы не бежал слишком быстро.

———

Сумерки уже успели уступить место темному вечеру, пока я, шагая по переулку, разыскал вход в здание, над задними дверями которого красовалась наполовину потухшая неоновая вывеска с изображением двуликого бога Януса, глядящего в разные стороны. Одно из его лиц было почти смыто дождем, да и второе вот-вот должна была постичь та же участь.

«Даже у богов, — подумал я, — выдаются неудачные годы».

Извиняясь и прося прощения, я пробирался вверх по лестнице мимо молодых, но со старыми лицами парней и девушек, скорчившихся на ступеньках, как побитые собаки; все курили, и никто не обращал на меня внимания. Наконец я поднялся на верхний этаж.

Помещение редакции, казалось, не убирали со времен Гражданской войны. Весь пол, каждый его дюйм, был завален, засыпан, заброшан бумагами. На столах и подоконниках лежали сотни пожелтевших, пожухлых старых газет. А три корзины для мусора пустовали. Те, кто швырял в них скомканную бумагу, видно, всякий раз промахивались, и таких промахов было не меньше десятков тысяч. Я шел через это бумажное море, доходившее мне до щиколоток, давя старые сигары, окурки и, судя по хрусту их крошечных ребер, тараканов. Под заваленным бумажными сугробами столом я увидел брошенную телефонную трубку, взял ее и послушал.

Я подумал, что услышу, как шумят машины под окнами миссис Гутьеррес. Балда! Она-то уж, наверно, давно повесила свою трубку.

— Благодарю, что подождали, — сказал я.

— Эй вы, что надо? — спросил кто-то.

Я повесил трубку и обернулся.

Через бумажное море ко мне продвигался высокий костлявый мужчина, на кончике его длинного худого носа висела прозрачная капля. Желтые от никотина глаза осмотрели меня с ног до головы.

— Я звонил сюда полчаса назад,— кивнул я на трубку.— Только что закончил разговаривать сам с собой.

Он уставился на телефон, поскреб в затылке, и наконец до него дошел смысл моих слов. Изобразив слабое подобие улыбки, он протянул:

— Во-от гадство!

— Точно то же подумал и я.

Я заподозрил, что он гордится тем, как пренебрегает телефоном,— куда эффектней самому сочинять новости.

— Слушай, парень,— сказал мужчина, которого осенила новая идея — видно, он был из тех сообразительных, кто вытаскивает мебель из дому, когда ему нужно загнать в хлев коров.— А ты, случаем, не из легавых?

— Нет, я пудель.

— Что, что?

— Помнишь фильм «Пара черных ворон»?

— Что?

— Шел в двадцать шестом году. Там еще двое белых толкуют о пуделях? Ладно! Забудь! Это ты писал? — И я протянул ему страницу «Зеленой зависти» с грустнейшим призывом в самом низу.

Он прищурился на газету.

— Черт, нет, не я. Но все по закону. Это прислали.

— А тебе не пришло в голову, что может натворить такое объявление?

— О чем ты говоришь? Мы же их не читаем, станем мы! Печатаем, и делу конец. У нас свободная страна, верно? Ну-ка дай взглянуть.— Он выхватил газету и, шевеля губами, стал читать.— Ах, это! Черт! Здорово! Вот хохма, да?

— И тебе невдомек, что кто-то мог прочесть эту гнусь и решить, что это правда про него?

— Им же хуже. Слушай, парень, а катился бы ты отсюда вон! И без тебя тошно! — Он сунул мне в руку газету.

— Без домашнего телефона этого шутника я не уйду!

Он остолбенел, заморгал глазами, потом расхохотался.

— Да это секретная информация. Никому знать не положено. Хочешь ему написать — пожалуйста. Мы перешлем. Или он зайдет, сам заберет.

— Но мне надо срочно. Тут один человек умер, и...— Однако завод у меня вдруг кончился. Я снова глянул на окружавшее нас бумажное море и, еще ни о чем толком не помышляя, вынул из кармана коробок спичек.

— Как у вас тут насчет пожароопасности? — спросил я.

— Какая еще пожароопасность? Иди ты к чертовой матери! — Он обвел горделивым взглядом вороха бумаги годичной давности, пустые банки из-под пива, брошенные прямо на пол бумажные стаканчики, старую обертку от гамбургеров. Его прямо-таки распирало от самодовольства. Глаза заискрились, когда его взгляд упал на картонки от молока, стоящие на подоконниках и активно вырабатывающие пеницил-лин, рядом с ними валялись кем-то сброшенные муж-ские трусы — завершающий штрих в этом хаосе.

Я чиркнул спичкой, чтобы привлечь его внима-ние.

— Эй! — воскликнул он.

Я задул первую спичку, показывая ему, какой я покладистый, но, поскольку никакого желания по-мочь он так и не выказывал, я зажег вторую.

— А что, если я случайно уроню ее на пол?

Он снова окинул взглядом пол. Бумажное море шуршало и ласкало его щиколотки. Урони я спич-ку, и огонь доберется до него в считаные секунды.

— Не посмеешь ты бросить,— сказал он.

— Да? — Я задул эту спичку и зажег третью.

— Ну и чувство юмора у тебя! Сволочное!

Я уронил спичку.

Он завопил и подпрыгнул.

Я наступил на пламя, прежде чем оно успело рас-пространиться.

Он набрал полную грудь воздуха и разразился ру-ганью:

— Катись отсюда к чертовой матери! Катись, го-ворю!

— Подожди! — Я зажег последнюю спичку и, пригнувшись над ней, чтобы не погасла, пристально следя за огоньком, придвинулся вплотную к куче, в которой было не меньше полутонны рукописей, ви-зитных карточек, разорванных конвертов.

Я прикоснулся спичкой к куче в нескольких ме-стах, и бумага загорелась.

— Черт тебя подери! Чего ты хочешь?

— Всего лишь номер телефона. Ничего больше. Заметь, я даже адреса не прошу, так что увидеть этого типа, выследить его я не смогу. Но если ты, ублюдок, не скажешь мне номер его телефона, я все тут спалю к чертям собачьим.

С удовольствием я услышал, что голос у меня звучит громче обычного децибел на десять. Это Фанни бушевала у меня в крови. Множество других умерших кричали вместе со мной, всем им хотелось вырваться наружу.

— Давай номер! Сейчас же! — закричал я.

Огонь начал расползаться.

— Вот дерьмо! Затопчи огонь, дам я тебе этот проклятый номер!

Я начал отплясывать на горящей бумаге, заструился дым, и к тому времени, как мистер Янус, редактор, два лика которого смотрели в разные стороны, разыскал номер, записанный в его блокноте, пожар закончился.

— Держи, будь ты проклят. Вот этот несчастный номер: Вермонт, четыре-пять-пять-пять. Записал? Четыре-пять-пять-пять.

Я зажег еще одну, уже самую распоследнюю спичку, вчитываясь в карточку, которую он сунул мне под нос.

«Кто-то, кто любил тебя», — значилось на ней и номер телефона.

— Ну! — завизжал редактор.

«Фанни, — подумал я, — теперь его песенка спета».

Видно, я произнес эти слова вслух, потому что лицо редактора вспыхнуло и он обдал меня слюной.

— Чего ты добиваешься?

— Чтобы меня убили,— ответил я, сбегая вниз.

— Надеюсь, так и будет! — крикнул он мне вслед. Я открыл дверцу такси.

— Счетчик тикает как бешеный,— сообщил Генри с заднего сиденья.— Хорошо, что я богатенький.

— Сейчас я вернусь.

Я знаками попросил шофера подъехать к телефонной будке на углу, а сам бросился к ней бегом. У меня долго не хватало духу набрать номер, боялся — вдруг действительно ответят!

А что можно сказать убийце, если звонишь ему в такое время, когда ужинать пора?

Я набрал номер.

«Кто-то, кто любил тебя давным-давно».

Ну кто бы стал отвечать на такой дурацкий призыв?

Да любой, если бы увидел эти слова в трудную минуту. Голос из прошлого, он напоминает о знакомых прикосновениях, теплом дыхании у твоего уха, о страсти, поражающей, как удар молнии. Кто из нас устоит, услышав этот голос в три утра? А может, вспомнишь об этом призыве, когда проснешься в полночь, разбуженный чьим-то плачем, и окажется, что плачешь ты сам, слезы льются по твоим щекам, а ты даже не заметил, что ночью тебе приснился дурной сон.

«Кто-то, кто любил тебя...»

«Где сейчас она? Где он? Неужели еще жив? Быть того не может! Столько времени прошло. Тот, кто любит меня, неужели он где-то живет и дышит? А вдруг? Не позвонить ли? Я ведь тут, попробую».

Я три раза набрал номер, потом вернулся и сел рядом с Генри на заднее сиденье — он все еще слушал счетчик.

— Не расстраивайся, — сказал он.— Счетчик меня не волнует. На меня еще лошадок хватит, так что денежки не уйдут. Иди, дитя, позвони еще раз.

И дитя пошло.

На этот раз где-то далеко-далеко, как мне показалось — в неведомой стране, трубку снял тот, кто сам назначил себе день похорон.

— Да? — проговорил голос.

Я замер, но наконец выдавил:

— Кто это?

— Ну, если вопрос стоит так, то кто это? — тот же осторожный голос.

— Почему вы так долго не подходили к телефону? — Я слышал шум проезжающих машин на том конце провода.

Значит, это автомат в каком-нибудь переулке. «Черт! — подумал я.— Он поступает так же, как я. Пользуется ближайшей платной уличной будкой как своим номером».

— Ну что ж, если вам больше нечего сказать...— проговорил голос.

— Подождите! — воскликнул я, а сам подумал: «Голос мне знаком, дайте-ка вслушаться как следует».— Я увидел в «Янусе» ваше объявление. Вы не могли бы мне помочь?

То, что я волнуюсь, пришлось по вкусу другому концу провода — мой собеседник перестал осторожничать.

— Я могу помочь кому угодно, когда угодно и где угодно, — беспечно проговорил он. — Вы что, из этих... из одиноких?

— Что? — воскликнул я.

— Вы один из...

«Одинокие» — так он сказал, и вопрос решился. Я снова был у Крамли, он погрузил меня в прошлое, я ехал в старом трамвае, под дождем, на поворотах раздавался страшный скрежет. Голос на другом конце провода был тот же, что в ту дождливую ночь, полвека назад, голос, твердивший о смерти и одиночестве, об одиночестве и смерти. Я запомнил этот голос, а сеанс гипноза с Крамли вернул его мне с такой силой, что голова чуть не раскололась, сейчас же я слышал его в трубке. Не хватало одной детали. Я все еще не знал, кому этот голос принадлежит. Он был так знаком, фамилия вертелась у меня на кончике языка, но...

— Продолжайте! — отчаянно крикнул я.

На другом конце, что-то заподозрив, замерли. И вдруг я услышал сладостные звуки, ставшие за полжизни родными.

На другом конце провода шумел дождь. Но самое главное — там ревел прибой, все громче и громче, все ближе и ближе, я почувствовал, что он подкатывается к моим ногам.

— Господи! Да я знаю, где вы! — вскрикнул я.

— Ничуть не бывало! — сказал голос, и трубку повесили.

Но недостаточно быстро. Я дико смотрел на трубку, зажатую у меня в кулаке.

— Генри! — заорал я.

Генри, устремив глаза в никуда, выглянул из такси. Забираясь в машину, я упал.

— Генри, ты и дальше со мной?

— А как же я без тебя? — ответил Генри.— Скажи водителю, куда нам.

Я сказал. Мы двинулись.

Такси остановилось. Стекла в нем были опущены. Генри высунулся наружу, и его голова с обращенным вперед лицом напоминала изваяние, украшающее нос какого-то темного корабля. Он принюхивался.

— Не был здесь с детства. Пахнет океаном. А чем еще? Гнилью вроде. А-а, это пирс. Ты тут живешь, писака?

— Ты хотел спросить: «Тут ли живет Знаменитый Американский Писатель?» Тут.

— Надеюсь, твои романы пахнут лучше?

— Надеюсь, если доживу и они будут написаны. Генри, мы можем себе позволить, чтобы такси нас подождало?

Генри лизнул большой палец, отсчитал три бумажки по двадцать долларов и протянул водителю.

— С этим тебе будет не так страшно ждать нас, сынок?

— За такие деньги,— сказал водитель, пряча доллары,— можете не беспокоиться до утра.

— Ну, к тому времени дело будет сделано,— отозвался Генри.— Детеныш, ты соображаешь, что делаешь?

Я не успел ответить, как под пирс подкатила большая волна.

— Грохочет, будто нью-йоркская подземка, — сказал Генри. — Смотри, чтобы тебя не задавило.

Мы вышли из такси и оставили его дожидаться нас у входа на пирс. Я попытался вести Генри.

— Не надо, — воспротивился он. — Только говори, где веревки натянуты или проволока или камни валяются. А то у меня локоть очень чувствительный. Не люблю, когда меня водят под руку.

Я отпустил его, и он зашагал, гордо подняв голову.

— Подожди меня здесь, — сказал я. — Отступи немного назад. Ага, хорошо. Так тебя не видно. Когда пойду обратно, я скажу только одно слово — «Генри», а ты в ответ скажешь мне, чем пахнет. Ясно? И сразу повернешься и пойдешь к машине.

— Ясно. Я отсюда счетчик слышу.

— Скажешь шоферу, чтобы ехал в полицейское управление. Спроси Элмо Крамли. Если его нет, пусть позвонят ему домой. Он должен вместе с тобой приехать сюда. Чем скорей, тем лучше, раз уж мы раскрутили все это. Если только и вправду раскрутили. Может, твой нос нам больше не понадобится.

— Надеюсь, понадобится. Я и трость прихватил, чтобы всыпать этому мерзавцу. Дашь мне припечатать ему разок?

Я поколебался.

— Разок — пожалуйста, — сказал я наконец. — Ну как, Генри, ты в порядке?

— Братец Лис умеет лежать тихонько.

Я пошел дальше, чувствуя себя Братцем Кроликом.

———

Пирс ночью выглядел кладбищем слонов — огромные черные кости, прикрытые, как крышкой, туманом, а волны, накатывая на кости, то хоронили их, то обнажали, то хоронили, то снова обнажали.

Я пробирался вдоль магазинчиков и крошечных, как обувные коробки, домишек со сдающимися квартирами, мимо закрытого покерного клуба, примечая по дороге разбросанные тут и там похожие на гробы телефонные будки. Света в них не было, они стояли и ждали — если не завтра, то на будущей неделе их снесут.

Я шел по планкам, и у меня под ногами вздыхали, скрипели и терлись друг о друга мокрые и сухие доски. Весь пирс потрескивал и покачивался, как тонущий корабль, стонал, когда я проходил мимо красных флажков и надписей «Опасно», а когда перешагнул через натянутую цепь, оказалось, что дальше идти некуда. Остановившись на краю пирса, я обернулся и поглядел на заколоченные наглухо двери домов и на скатанные брезентовые палатки.

Я проскользнул в самую последнюю на пирсе телефонную будку и, чертыхаясь, поискал в кармане мелочь, выданную мне Генри. Бросил монетку в щель и стал набирать номер, полученный в редакции «Януса».

— Четыре-пять-пять-пять,— набрал я, повторяя цифры шепотом, и стал ждать.

В эту минуту вдруг лопнул изношенный ремешок моих микки-маусовых часов. Часы упали на пол будки. Кляня все на свете, я поднял их и бросил на полочку под телефоном. А сам приложил ухо к трубке. Где-то далеко, на другом конце, раздавались телефонные звонки.

Я оставил трубку висеть, вышел из будки и постоял, закрыв глаза, прислушиваясь. Сначала я слышал только громкий рев прибоя под ногами. Такой, что содрогались доски. Потом он затих, и я, напрягая уши, вдруг услышал...

Вдали, примерно на середине пирса, звонил телефон.

«Совпадение? — подумал я. — Телефоны вольны звонить где угодно и в любое время. Но что, если звонит тот, чей номер я набрал?»

Сунув голову в будку, я схватил болтающуюся трубку и повесил ее на место.

Телефон в отдалении, в продуваемой ветром темноте, перестал звонить.

Что, конечно, еще ничего не доказывало.

Я снова опустил монету и снова набрал номер.

Глубоко вздохнул и...

Телефон в стеклянной будке-гробике, удаленный от меня на половину светового года, зазвонил снова.

Я так и подскочил, у меня даже грудь сдавило. Глаза расширились, и я глубоко втянул в себя холодный воздух.

Я не стал вешать трубку. Выйдя из будки, я ждал — вдруг кто-то выскочит из ночных закоулков, из мокрых палаток, из старого аттракциона «Сбей молочную бутылку». Может же выбежать кто-то, кто, как я, ждет звонка. Кто-то, кто вроде меня готов выскочить в два часа ночи под дождь, чтобы услышать голос из Мехико-Сити, где светит солнце, где жизнь все еще жива, кипит и, кажется, никогда не умрет. Кто-то...

Пирс тонул в темноте. Ни одного освещенного окна. Из палаток ни шороха. А телефон звонил. Волны прибоя перекатывались под настилом пирса, будто искали, кто бы ответил. А телефон звонил и звонил. Чтобы заткнуть ему глотку, мне хотелось самому побежать туда, схватить треклятую трубку и ответить.

«Господи! — думал я. — Надо забрать монету. Надо...»

И вдруг свершилось.

Блеснул луч света и тут же погас. Там, напротив телефонной будки, что-то шевельнулось. А телефон звонил. Продолжал звонить. И кто-то, стоя в темноте, внимательно к нему прислушивался. Я увидел, как задвигалось что-то белое, и понял — тот, кто там стоит, осторожно осматривает пирс, вглядывается, ищет.

Я замер.

Телефон звонил. Наконец тень зашевелилась, обернулась, прислушиваясь. Телефон звонил. Вдруг тень пустилась бежать через дорогу.

Я влетел в будку и схватил трубку как раз вовремя.

Щелк.

Я слышал дыхание на том конце провода. Наконец мужской голос произнес:

— Да?

«Боже, — подумал я. — Тот самый голос! Я слышал его час назад, когда звонил из Голливуда».

«Кто-то, кто любил тебя давным-давно».

Видимо, я произнес это вслух.

На том конце провода с шумом вздохнули, втянули в легкие воздух, и наступила долгая пауза — там ждали.

— Да?

Будто мне выстрелили в ухо, а потом в сердце.

На сей раз я узнал этот голос.

— О боже! — прохрипел я.— Это вы.

Мои слова прострелили ему голову. Он стал задыхаться, я услышал, как он с трудом перевел дыхание.

— Будьте вы прокляты! — закричал он.— Будьте вы трижды прокляты!

Он не стал вешать трубку. Он просто выпустил ее, раскалившуюся от его дыхания, из рук. Она звякнула и заплясала, будто повешенный на веревке. Я услышал, как поспешно удаляются шаги.

Когда я вышел из своей будки, пирс был совершенно пуст. Там, где на миг блеснул свет, теперь царила темнота. Только под ногами у меня, когда я заставил себя не бежать, а идти к той телефонной будке, плясали обрывки старой газеты. Преодолев бесконечные сто ярдов, я увидел, что трубка болтается на шнуре и постукивает по холодному стеклу будки.

Я приложил трубку к уху.

И услышал, как на другом конце провода тикают мои десятидолларовые микки-маусовы часы, лежащие на полке в той будке за сто миль от меня.

Если мне повезет и я останусь жив, я спасу моего Микки.

Я повесил трубку, повернулся и окинул взглядом все эти маленькие домики, закрытые игровые павильоны, ларьки, лачуги, подозревая, что сейчас возьму и выкину какое-нибудь безумство.

И выкинул.

Я прошел около семидесяти футов и остановился перед окном маленькой лачуги. Прислушался. Внутри кто-то был, кто-то двигался, может быть, натягивал на себя в темноте одежду, чтобы выйти на улицу. Что-то там шуршало, кто-то сердито шептал, вроде совещался сам с собой, где искать носки, где туфли и куда запропастился этот несчастный галстук. А может, это волны под пирсом нашептывали свои выдумки, все равно их никто не мог проверить.

Бормотание стихло. Видно, он почуял, что я стою под дверью. Послышались шаги. Я неловко отпрянул назад, сообразив, что в руках у меня ничего нет. Даже тростью Генри я не вооружился.

Дверь яростным рывком отворили.

Я смотрел во все глаза. И как это ни дико, видел одновременно две вещи.

Кучку желтых, красных и коричневых оберток от шоколадок «Кларк», «Нестле» и батончиков, лежавших в комнате в полутьме на маленьком столике.

И...

Маленького человечка, утлую тень, взиравшую на меня ничего не понимающими глазами, будто этого карлика разбудили от сорокалетней спячки.

То был А. Л. Чужак собственной персоной. Чужак — предсказатель по картам Таро, френолог, занюханный психиатришка, круглосуточный консультант-психолог, он же астролог, фрейдист, нумеролог и само воплощение Зря Прожитой Жизни,— стоял на пороге, машинально застегивая рубашку, пытаясь вглядеться в меня расширенными то ли от наркотиков, то ли от удивления перед моей беспримерной наглостью глазами.

— Будь ты трижды проклят! — тихо проговорил он снова. И прибавил, неожиданно дрогнув губами в подобии улыбки: — Входите.

— Нет,— прошептал я. А затем громко предложил: — Нет уж! Выходите вы!

———

На этот раз ветер дул не в ту сторону, а может, именно в ту?

«Господи! — думал я, съеживаясь от страха, но снова обретая почву под ногами. — Куда же дул ветер все эти дни? Как же я мог ничего не почувствовать? Да очень просто! — опомнился я.— Ведь у меня был насморк — целых десять дней. Нос был заложен намертво. Можно считать, носа не было».

«Ох, Генри, — думал я,— ну и молодец же ты! Твой любознательный клюв всегда начеку, всегда ко всему принюхивается и подает сигналы твоей недремлющей смекалке. Ведь это ты, умница, переходя улицу в девять вечера, учуял однажды запах давно не стиранной рубашки и грязного белья, когда навстречу тебе прошествовала сама Смерть».

Глядя на Чужака, я чувствовал, как у меня сжимаются ноздри. Запах пота — первое свидетельство поражения. Запах мочи — запах ненависти. Чем же еще пахло от Чужака? Бутербродами с луком, нечищеными зубами, от него разило жаждой самоуничтожения. Запах двигался на меня, как штормовая туча, как неуправляемый поток. Меня охватил вдруг такой тошнотворный ужас, будто я стоял на пустынном берегу, а передо мной вздыбилась волна в девяносто футов высотой, которая вот-вот обрушится. Во рту пересохло, меня прошиб пот.

— Входите,— еще раз неуверенно предложил Чужак.

Мне показалось, что он сейчас, как рак, вползет обратно. Но он перехватил мой взгляд на телефонную будку прямо напротив его дома и взгляд на будку в конце пирса, где еще тикал Микки-Маус, и все понял. Не успел он открыть рот, как я позвал:

— Генри!

В темноте шевельнулось что-то темное. Я услышал, как у Генри скрипнули башмаки, и обрадовался его спокойному, теплому голосу:

— Да?

Чужак перебегал глазами с меня на темную тень, туда, откуда раздался голос.

Наконец я смог выговорить:

— Подмышки?

Генри глубоко вздохнул и выдохнул:

— Подмышки!

Я кивнул:

— Ты знаешь, что делать дальше.

— Слышу, как щелкает счетчик,— отозвался Генри.

Краем глаза я видел, что он двинулся прочь, остановился и поднял руку.

Чужак вздрогнул. Я тоже. Трость Генри просвистела в воздухе и со стуком упала на пирс.

— Тебе может понадобиться! — крикнул Генри.

Чужак и я уставились на упавшее перед нами оружие.

Услышав, как тронулось с места такси, я дернулся вперед, схватил трость и прижал к груди, будто с ней мне не страшны были ни ножи, ни ружья.

Чужак проводил глазами удаляющиеся огоньки.

— Что за черт? Что все это значит? — спросил он.

И стоявшие за его спиной покрытые пылью Шопенгауэр и Ницше, Шпенглер и Кафка тоже недоуменно перешептывались, подперев руками свои безумные головы: «Что все это значит?»

— Подождите, я схожу за ботинками.— Чужак исчез.

— Только за ботинками! Больше ничего не брать! — крикнул я вслед.

Он сдавленно засмеялся.

— А чем еще я могу запастись? — крикнул он, невидимый, возясь в доме.

Он высунул в дверь руки — в каждой был ботинок.

— Ножей у меня нет! Ружей тоже! — Он напялил ботинки, но не зашнуровал их.

В то, что случилось в следующую секунду, поверить было никак невозможно. Тучи, нависшие над Венецией, вдруг решили раздвинуться и открыли полную луну.

Мы оба подняли глаза, пытаясь понять, доброе это предзнаменование или дурное, и если доброе, то для кого из нас?

Чужак обвел взглядом берег, потом пирс.

— «Когда вокруг один песок, и впрямь берет тоска», — произнес он. Потом, услышав собственный голос, фыркнул себе под нос. — «О, устрицы! — воскликнул Морж. — Прекрасный вид кругом! Бегите к нам! Поговорим, пройдемся бережком».

Он двинулся к дороге. Я остался стоять.

— А дверь свою вы не собираетесь запереть?

Чужак едва глянул через плечо на свои книги, которые, сбившись на полках, как стая стервятников, блестели из-под черных перьев запорошенными пылью золотыми глазами, дожидаясь, когда к ним протянется рука и они обретут жизнь. Их невидимый хор напевал мрачные песни, которые мне следовало услышать давным-давно. Я вновь и вновь пробегал глазами по их корешкам.

«Боже мой! Как же я раньше не видел!»

Этот устрашающий бастион, таящий в себе смертные приговоры, этот перечень поражений, этот литературный Апокалипсис, нагромождение войн, склок, болезней, депрессий, эпидемий, этот водоворот кошмаров, эти катакомбы бреда и головоломных лабиринтов, в которых бьются, ища выход и не находя его, обезумевшие мыши и взбесившиеся крысы. Этот строй дегенератов и эпилептиков, балансирующих на краю библиотечных утесов, а над ними в темноте многочисленные колонны одна другой гаже и отвратительней.

Отдельные авторы из этого сборища, отдельные книги хороши. По, например, или Сартр — они как острая приправа. Но почему же я не видел, что это не библиотека, а скотобойня, подземная темница, башня, в застенках которой десятки мучеников в железных масках, осужденных на веки вечные, молча сходят с ума?

Почему я сразу не задумался и не распознал суть этой коллекции?

Потому что ее охранял Румпельштильцхен.

Даже сейчас, глядя на Чужака, я так и ждал, что он вот-вот схватит себя за ногу и разорвется на две половинки.

Он ликовал.

Что было еще страшней.

— Эти книги,— наконец прервал молчание Чужак, глядя на луну и даже не оборачиваясь на свою библиотеку,— эти книги обо мне не думают! С какой стати я буду думать о них?

— Но...

— И потом,— добавил он,— кому придет в голову похитить «Закат Европы»?

— Я думал, вы любите свои книги!

— Люблю? — Он удивленно помолчал.— Госпо-ди! Неужели вы так и не понимаете? Я ненавижу все! Что бы вы ни назвали! Ненавижу все на свете!

И он зашагал в ту сторону, где скрылось такси с Генри.

— Ну что? — крикнул он мне.— Вы идете?

— Иду! — отозвался я.

— Это у вас что, оружие?

Мы медленно двигались вперед, присматриваясь друг к другу. Я с удивлением обнаружил, что сжимаю в руках трость Генри.

— Нет, скорей щупальце, так мне кажется,— от-ветил я.

— Щупальце очень большого насекомого?

— Очень слепого.

— А без него он сможет найти дорогу? И куда он отправился в столь позднее время?

— Выполнять поручение. И незамедлительно вер-нется,— соврал я.

Но Чужак был живым детектором лжи. При зву-ках моего голоса его просто вывернуло наизнанку от восторга. Он ускорил шаги, потом остановился и упер-ся в меня изучающим взглядом.

— Я так понимаю, он во всем полагается на свой нос. Я слышал, что вы спросили и что он ответил.

— Насчет подмышек? — уточнил я.

Чужак поежился в своих заношенных одеждах. Стрельнул глазами под левую руку, потом под пра-вую, окинул взглядом множество пятен и выцветших проплешин — красноречивые свидетельства долгой истории прошедших лет.

— Про подмышки? — повторил я.

И словно пронзил его грудь пулей.

Чужак покачнулся, но устоял на ногах.

— Куда и зачем мы идем? — прохрипел он.

Я чувствовал, что его сердце под засаленным галстуком колотится, как у испуганного кролика.

— Мне казалось, ведете меня вы. Я знаю только одно, — и на этот раз я на полшага опередил его, — слепой Генри все искал чье-то грязное белье, нестираную рубашку, зловонное дыхание. Нашел и объяснил мне где.

Я не повторил зловещее слово «подмышки». Но Чужак и без того при каждом моем слове сжимался, будто становился все меньше.

— Зачем я понадобился слепцу? — наконец спросил он.

Мне не хотелось сразу открывать ему все. Надо было испытать и прощупать его.

— Из-за еженедельника «Янус. Зеленая зависть», — пояснил я. — Я видел через окно эту газету у вас в комнате.

То была явная ложь, но удар попал в цель.

— Да, — подтвердил Чужак. — Но что вас связывает — вас и этого слепого?

— А то, что вы, — я набрал полную грудь воздуха и выпалил: — Вы — мистер Душегуб!

Чужак прикрыл глаза, быстро обдумал, как отреагировать. И рассмеялся.

— Душегуб? Душегуб! Смешно! С чего вы взяли?

— С того. — Я шел впереди, он трусил за мной. Я говорил, обращаясь к туману, надвигающемуся с моря. — С того, что Генри уже давно учуял этот запах, когда однажды переходил через улицу. Тот же запах он заметил в коридоре дома, где живет, а сегодня, сейчас — здесь. И пахнете так вы!

Кроличьи удары сердца опять сотрясли тело человечка, но он понимал, что пока в безопасности — все это не доказательства!

— Да с какой стати, — ахнул он, — я стал бы ошиваться в каком-то богом забытом доме, где я ни за что не согласился бы жить? Зачем мне это надо?

— Затем, что вы выискивали одиноких и заброшенных, — объяснил я. — И я — тупой идиот, непроходимый слепец, куда хуже Генри, я — дурак из дураков, — я служил вам наводчиком и помогал отыскивать их. Фанни была права! И Констанция тоже! Именно я был прислужником Смерти, Тифозной Мэри. Это я приводил болезнь, то есть вас, за собой. Во всяком случае, вы следовали за мной по пятам. Искали несчастных одиночек, — дыхание вырывалось из моей груди, как бой барабанов, — несчастных одиночек.

И, едва я это сказал, накал страстей, обуревавших нас обоих, достиг апогея. Я выплеснул из себя правду, будто открыл дверцу топки и оттуда пахнуло жаром, он обжигал мне язык, сердце, душу. А Чужак? Я приподнял завесу над его тайной жизнью, о которой никто не догадывался, вытащил на свет его порок, и, хотя еще предстояло изобличать его, добиваться от него признания, было ясно, что я сдернул асбест и выпустил огонь наружу.

— Как вы их назвали? — спросил Чужак, он остановился ярдах в десяти от меня, неподвижный как статуя.

— Одинокие. Это вы их так назвали. Вы их так описывали — одинокие и заброшенные.

Так оно и было. И передо мной, беззвучно, бесшумно ступая, окутанные туманной дымкой, прошли в похоронном марше их души: Фанни и Сэм, Джимми и Кэл, а за ними все остальные. Раньше я не знал, как их всех назвать, не понимал, что у них общего, что их объединяет.

— Да вы бредите, — ответил Чужак. — Выдумываете, лжете, строите догадки. Ко мне это все не имеет отношения.

А сам глядел на обтрепанные манжеты, скрывавшие его худые запястья, на следы пота, стекавшие поздними ночами по пальто. Его одежда, казалось, садится на глазах, а он ерзает в своей собственной бледной коже.

Я бросился в атаку.

— Господи, да вы, даже стоя здесь, гниете! Вы — оскорбление для общества! Вы ненавидите все на свете, всех и каждого, все и вся! Сами же сейчас в этом признались! Вот вы и отравляете все своей грязью, своим вонючим дыханием! Ваше грязное белье — вот ваше знамя! Вы поднимаете его на древке, чтобы отравить ветер. Эх вы, А. Л. Чужак — олицетворение Апокалипсиса!

Он сиял. Он был в восторге! Мои оскорбления звучали для него как комплименты. Он привлек внимание! Его эго подняло голову. Сам того не подозревая, я устроил западню и прицепил приманку.

«Что дальше? — думал я. — Господи, господи, что дальше-то говорить? Как вытянуть из него признание? Как с ним расквитаться?»

А он уже снова шагал впереди, весь раздувшийся от моих оскорблений, гордый обвинениями в том, что сеял смерть и горе,— этими медалями, которые я прикрепил на его грязный галстук.

Мы шли. И шли. И шли.

«Господи,— думал я,— сколько же еще мы будем блуждать? Сколько же еще мы будем рассуждать? Сколько же еще все это будет длиться?»

«Как в фильме,— думал я,— в невозможном, невероятном фильме, который все тянется и тянется, где одни объясняют, а другие возражают, а первые снова объясняют».

Это не может продолжаться.

Но продолжается.

Он не уверен в том, что знаю я, и я тоже в этом не уверен, и оба мы стараемся догадаться, не вооружен ли другой.

— И оба мы трусы! — сказал Чужак.— И оба боимся испытать один другого.

Морж шел дальше. Устрицы следовали за ним.

Мы шли.

И это уже не была сцена из плохого или хорошего фильма, где герои слишком много разговаривают, нет, это была поздняя ночь, и луна то пряталась, то появлялась вновь, туман сгустился, а я продолжал диалог с идиотом психиатром, который вел дружбу с духом отца Гамлета.

«Чужак,— думал я.— Ну и фамилия! Уклонишься от одного, отпрянешь от другого — вот и становишься чужаком.

Интересно, как это с ним случилось? Окончил колледж, весь мир у его ног, начал частную практику, и вдруг в один прекрасный год — землетрясение, помнит ли он его? В тот год у него отказали ноги и мозги, и начался долгий спуск с горы, но не на тобогане, а прямо на худой заднице, и не было рядом женщины, чтобы подхватить его по дороге в пропасть, смягчить сотрясение, облегчить кошмар, унять его, плачущего по ночам и одержимого ненавистью на рассвете. И вот как-то утром он встал с постели и обнаружил себя... где?

В Венеции, штат Калифорния, и последняя гондола давным-давно уплыла, и фонари гаснут, а в каналах нефть и старые львиные клетки, и за их решетками ревут только волны прилива...»

— У меня есть один списочек,— начал я.

— Что?

— Оперетта «Микадо»,— сказал я.— Одна песенка из нее прямо про вас. «Свою возвышенную цель достигнете со временем. Накажете виновников заслуженным ими бременем». Одинокие. Все, без исключения. Вы внесли их в список, чтобы, как поется в песенке, никого не пропустить. Чем они провинились? Сдались без боя. Или даже не попытались чего-то достичь. Посредственности, или неудачники, или растерявшиеся. А наказать их за это взялись вы. О боже!

Теперь уже он раздулся как павлин.

— Допустим,— сказал он, продолжая идти вперед.— Ну и что?

Я приготовился, прицелился и выстрелил.

— Подозреваю,— сказал я,— что где-то здесь поблизости находится отрезанная голова Скотта Джоплина.

Он не смог удержаться, и против воли его правая рука дернулась к грязному карману пиджака. Он сделал вид, будто хочет просто поправить карман, но, обнаружив, что с гордостью смотрит на правую руку, отвел взгляд и продолжал шагать.

Первый выстрел. Первое попадание. Я ликовал. «Хотел бы я, — мелькнуло у меня в мозгу, — чтобы вы — детектив лейтенант Крамли — были сейчас здесь».

Я выпустил второй заряд.

— Продажа канареек, — тоненьким голосом пропищал я, таким же тоненьким, как выцветшие карандашные буквы на карточке, висевшей на окне старой леди. — Хирохито восходит на престол. Аддис-Абеба. Муссолини!

Левая рука Чужака с тайным удовлетворением потянулась к левому карману.

«Господи, — подумал я, — значит, он таскает эти старые бумажные подстилки из клеток с собой?»

Здорово!

Он вышагивал впереди. Я следом.

Мишень номер три. Целимся в третий раз. Стреляем.

— Львиная клетка. Старик из кассы!

Подбородок А. Л. Чужака склонился к нагрудному карману.

Ага, вот где, черт побери, хранятся конфетти от трамвайных билетов, конфетти, которые так никому и не пригодились!

Чужак плыл сквозь туман, ничуть не встревоженный тем, что я уже наловил полный сачок его преступлений. Он резвился, словно счастливое дитя на полях Антихриста. Его маленькие башмаки щелкали по планкам. Он сиял.

«Ну а что дальше? — забеспокоился я.— Ах да!»

Я представил себе, как Джимми хвастался в доме новой челюстью, рот у него был до ушей. И другого Джимми, лежащего вниз лицом под водой в ванне.

— Искусственные челюсти! — воскликнул я.— Верхние! Нижние!

Слава тебе господи, Чужак на этот раз не хлопал себя по карманам. А то я от ужаса разразился бы истерическим хохотом, узнав, что он таскает с собой мертвую улыбку. Он оглянулся через плечо, и я понял, что челюсти остались у него дома (в стакане с водой?).

Мишень номер пять. Приготовились. Пли!

— Танцующие чихуахуа, попугаи-щеголи!

Чужак отбил на досках пирса чечетку, стрельнув глазами на левое плечо. Я заметил на нем следы от птичьих лап и остатки помета! Один из попугаев Пьетро жил у него в доме.

Мишень номер шесть.

— Марокканская крепость на берегу Аравийского го моря.

Тонкий, как у ящерицы, язык Чужака скользнул по пересохшим губам.

Значит, бутылка шампанского Констанции запрятана на полках между одурманенным де Куинси и угрюмым Харди.

Поднялся ветер.

Я содрогнулся. Мне вдруг почудилось, что за нами, за мной и Чужаком, летят, шурша по темному пирсу, десятки шоколадных оберток, голодные маленькие призраки моего застарелого порока.

И наконец я собрался с духом и произнес то, чего никак не мог выговорить, но все-таки заставил себя. Мучительно горькие слова надломили мой язык и раздавили что-то в груди.

— Многоквартирный дом. Полночь. Набитый холодильник. «Тоска»...

Казалось, черный диск пронесся над городом, первая часть «Тоски» зазвучала, закрутилась и проскользнула под дверь А. Л. Чужака...

Список оказался длинным. Я уже был на грани паники, ужаса истерики от отвращения к самому себе, от собственного горя, от восторга перед собственной проницательностью. Того и гляди, я мог пуститься в пляс, затеять драку, разразиться воплями.

Но Чужак опередил меня. С мечтательным взором, вслушиваясь в тихие арии Пуччини, звучащие у него в голове, он заявил:

— Теперь толстуха обрела покой. Она в нем нуждалась. Я дал ей покой.

Что произошло после этого, я помню смутно. Кто-то закричал. Я. Еще кто-то закричал. Он. Я занес руку, потрясая тростью.

«Убью! — подумал я. — Размозжу голову!»

Чужак едва успел отскочить, когда трость просвистела по воздуху. Она ударила не его, а пирс и вылетела у меня из рук. Гремя, она покатилась по доскам, и Чужак поддал ее ногой, так что трость упала в песок.

Обезоруженный, я смог только ринуться на плюгавого мерзавца с кулаками, и, когда он увернулся, я зашатался, так как у меня внутри лопнула последняя пружина.

Я стал задыхаться. Я рыдал. Мои слезы под душем несколько дней назад — это были цветочки. Сейчас я захлебывался от рыданий, слезы лились потоком, даже кости заныли. Я стоял, обливаясь слезами, и пораженный Чужак чуть было не потянулся похлопать меня по плечу, чтобы успокоить: «Ну не надо, не надо».

— Да все в порядке, — сказал он наконец. — Она обрела покой. Вы должны мне за это спасибо сказать.

Луна скрылась за плотной стеной тумана, и я воспользовался темнотой, чтобы овладеть собой. Теперь я еле двигался, как при замедленной съемке. Язык не слушался, и я почти ничего не видел.

— Значит, вы считаете, — с трудом, как под водой, проговорил я, — что я должен вас благодарить за то, что они все умерли? Так?

Наверно, Чужак испытывал невероятное облегчение: ведь все эти месяцы или даже годы он жаждал излиться, не важно кому, не важно где, не важно как. Луна снова выплыла на небо. Ее лучи опять осветили Чужака, и я увидел, как дрожат его губы от желания выговориться.

— Да, я всем им помог!

— Помогли? — ахнул я. — Господи помилуй! Помогли?

Мне пришлось сесть. Он помог мне опуститься и, удивленный моей слабостью, склонился надо мной, будто считал себя ответственным за меня и за то, что произойдет этой ночью. Он — тот, кто убивал во спасение, пресекал страдания, уводил от одиночества, усыплял, когда рушились надежды, избавлял от жизни. Одаривал солнечными закатами.

— Но ведь и вы помогали, — рассудительно продолжал Чужак. — Вы писатель. Любознательный.

Мне только и оставалось ходить за вами следом, подбирая шоколадные обертки. Вы не представляете, как легко преследовать людей! Никто никогда не оглядывается, ни один человек. Вы тоже. Да что там! Вам и в голову ничего не приходило. Вы были моей верной ищейкой, наводящей на смерть. И гораздо дольше, чем вы полагаете, — больше года! Вы поставляли мне людей, о которых собирались писать в своих книгах. А кем они все были? Гравий на дорожке, мякина на ветру, пустые ракушки на взморье, карты без тузов, игральные кости без точек. Ни прошлого, ни настоящего. А я избавлял их от будущего.

Я поднял на него глаза. Силы возвращались ко мне. Горе на какое-то время отступило. Медленно нарастал гнев.

— Значит, вы все признаете?

— Почему бы и нет? Собака лает, ветер носит. После того как мы здесь все выясним, я поведу вас в полицию, непременно поведу, и, если вы захотите там что-нибудь сказать, у вас не будет никаких доказательств. Все мои слова — выпущенный пар.

— Не совсем так, — возразил я. — Вы не могли отказать себе в удовольствии взять от каждой жертвы что-нибудь на память. В вашей гнусной берлоге хранятся патефонные пластинки, бутылка шампанского, старые газеты.

— Сукин сын! — выругался Чужак и замолчал. Он засмеялся, будто лаем залился, а потом осклабился: — Ловко! Выудили это из меня, да?

Задумавшись, он покачивался на пятках.

— Что ж! — заявил он. — Теперь у меня нет другого выхода. Я обязан убить вас.

Я вскочил, и, хотя был всего на фут выше, чем он, и не слишком уж храбр, он от меня отпрыгнул.

— Нет! — сказал я.— Вы не сможете!

— Это почему же?

— Потому что вы не можете пустить в ход руки! — объяснил я.— Вы же никого из них пальцем не тронули. Вы обходились без рукоприкладства, теперь я все понял. Ваша задача заключалась в том, чтобы заставить людей самих что-то с собой сделать, или вы уничтожали их косвенным путем. Правильно?

— Правильно.— В нем снова взыграла гордость. Он забыл о том, что я стою рядом, и погрузился в созерцание своего славного блестящего прошлого.

— Старик из трамвайной кассы. Вам всего-то и понадобилось напоить его, ну, может, подтолкнуть — он упал, ударился головой, а вы потом прыгнули в воду и помогли ему попасть в клетку.

— Верно!

— А леди с канарейками? Вы просто постояли над ее постелью, строя страшные гримасы?

— Правильно.

— Сэм. Опоили его такой дрянью, что он угодил в больницу.

— Именно!

— Джимми. Удостоверились, что он выпил в три раза больше, чем можно, и вам даже не понадобилось переворачивать его в ванне. Он сам перевернулся и захлебнулся.

— Правильно.

— Пьетро Массинелло. Вы написали городским властям, что надо забрать его самого и всех его кошек, собак и птиц. Если он еще не умер в тюрьме, то скоро умрет.

— Верно.

— Ну и Кэл-парикмахер.

— Я утащил голову Скотта Джоплина, — сказал Чужак.

— А Кэл испугался и удрал из города. Джон Уилкс Хопвуд. Чудовищный эгоцентрист. Вы послали ему записку на почтовой бумаге Констанции Раттиган, подначили его каждый вечер появляться голым на берегу. Хотели испугать Констанцию, чтобы она утопилась?

— Было такое.

— А потом покончили с Хопвудом — дали ему понять, что, когда исчезла Констанция, его видели на берегу. И послали ему вдобавок подлое, страшное письмо, в котором обвиняли его в самых мерзких грехах.

— Он и был в них повинен, во всех.

— А Фанни Флорианна? Вы подсунули ей под дверь свое объявление, она вам позвонила, и вы договорились о встрече, а дальше все уже было просто: вы ворвались к ней, и повторилось то же, что со старушкой с канарейками, — вы испугали Фанни, она попятилась, упала на спину и не смогла встать, ну а вы спокойно постояли над ней, убедились, что она больше не встанет, и все. Верно я говорю?

На этот раз он не решился подтвердить мои слова: он видел, что я в бешенстве и хотя еще нетвердо стою на ногах, но ярость придает мне силы.

— За все это время вы допустили только одну ошибку — оставили у Фанни газету с обведенным чернилами объявлением. Потом вы вспомнили об этом и проникли к ней в комнату, но найти газету не смогли. Вы не догадались заглянуть лишь в одно место — в холодильник. Ваша газета с объявлением лежала там под банками. Ее нашел я. И потому я здесь. И не собираюсь стать следующим в вашем списке. Хотя у вас, наверно, другие планы.

— Да.

— Ничего у вас не выйдет! И знаете почему? По двум причинам. Первое — я не одинокий, я не заблудшая овца, не причисляю себя к неудачникам. Я добьюсь успеха. Буду счастливым. Женюсь, у меня будет прекрасная жена и прекрасные дети. Я напишу кучу замечательных книг, они будут нарасхват. Вашим требованиям это никак не отвечает. Так что вы, несчастный шут гороховый, не сможете меня убить — со мной все в порядке. Понятно? Я собираюсь жить вечно.

И вот вам вторая причина — вы не можете меня пальцем тронуть. Вы ведь своими руками никого не убили. Если убьете меня самолично, это испортит вам всю картину. Всех других вы довели до смерти либо шантажом, либо запугивая. Но сейчас, если вы вздумаете помешать мне пойти в полицию, вам придется совершить настоящее убийство собственными руками, безмозглый вы идиот!

Я шагал впереди, а он, совершенно сбитый с толку, поспешал за мной, чуть ли не дергая меня за локоть, чтобы обратить на себя внимание.

— Верно, верно, год назад я чуть не убил вас. А потом у вас начали покупать рассказы, и вы встретились с той женщиной, вот я и решил, что буду просто ходить за вами по пятам и подбирать нужных мне людей. Да, так и было. А началось все в тот вечер, в бурю, в последнем трамвае, когда я был мертвецки пьян. Вы сидели тогда так близко — протяни я руку, я мог бы до вас дотронуться. И дождь хлестал, и повернись вы... но вы не поворачивались, а то увидели бы и узнали меня, но вы не обернулись...

Мы уже сошли с пирса, миновали темную улицу вдоль канала и быстро поднялись на мост. Бульвар был пуст. Ни автомобилей, ни фонарей. Я прибавил шагу.

На середине моста через канал, неподалеку от львиных клеток, Чужак остановился и схватился за перила.

— Почему вы не хотите войти в мое положение? Помочь мне? — прорыдал он.— Я хотел вас убить! Это правда! Но получилось, что я убил бы Надежду, а люди без нее жить не могут, даже такие, как я. Верно ведь?

Я уставился на него:

— Нет, после сегодняшнего разговора вам надеяться не на что.

— Почему? — задохнулся он.— Почему? — и посмотрел на холодную маслянистую воду.

— Потому что вы окончательно и бесповоротно спятили.

— Я убью вас!

— Нет,— сказал я, испытывая глубокую грусть.— Вам осталось убить только одного человека. Последнего из одиноких. Начисто опустошенного. Самого себя.

— Себя?! — вскричал Чужак.

— Вас!

— Меня?! — завизжал он еще громче.— Да будьте вы прокляты, прокляты, прокляты...

Он круто повернулся. Вцепился в перила моста. И прыгнул.

Его тело скрылось в темноте.

Он погрузился в волны, грязные, покрытые маслянистыми пятнами, как его костюм, темные и страшные, как его душа, они сомкнулись над ним, и он исчез.

— Чужак! — завопил я.

Он не показывался.

«Вернитесь!» — хотел крикнуть я.

И вдруг испугался: а что, если он и правда вернется?

— Чужак! — шептал я.— Чужак! — Я перевесился через перила, вглядываясь в зеленую пену и зловонные воды прилива.— Я же знаю, что вы здесь!

Не может все так кончиться. Слишком просто. Он, конечно, затаился где-то в темноте под мостом, как большая жаба, глаза подняты, лицо зеленое, затаился и ждет, тихонько набирая в легкие воздух. Я прислушался. Ни всплеска. Ни вздоха. Ни шороха.

— Чужак! — прошептал я.

«Чужак»,— отозвалось эхо под мостом.

Вдали на берегу огромные нефтяные чудища поднимали головы, слыша мои призывы, и снова опускали их под аккомпанемент вздохов накатывающих на берег волн.

«Не жди! — казалось мне, бормочет под мостом Чужак.— Здесь хорошо. Покойно. Наконец-то покой. Пожалуй, я здесь и останусь».

«Лжец,— думал я,— небось выскочишь, стоит мне зазеваться!»

Мост заскрипел. Я в ужасе обернулся.

Нигде ничего! Только туман растекается по пустому бульвару.

«Беги,— говорил я себе.— Звони! Вызывай Крамли! Почему он не едет? Беги! Нет, нельзя! Если я отлучусь, Чужак сбежит».

Где-то далеко, в двух милях от меня, прогромыхал красный трамвай, он свистел и визжал, совсем как чудовище в моем страшном сне, чудовище, норовившее отнять у меня время, жизнь, будущее,— трамвай несся к заполненной гудроном яме, ждавшей его в конце пути.

Я подобрал кусочек щебня и бросил его в канал.

— Чужак!

Камешек шлепнул по воде и ушел на дно.

Он меня обманул, скрылся. А я должен отплатить ему за Фанни.

«Да, еще Пег,— подумал я.— Надо ей позвонить».

«Нет, нет, потом. Придется и ей подождать».

Сердце у меня в груди колотилось так сильно, что казалось, оно вспенит воду и со дна поднимутся мертвецы. Само мое дыхание, боялся я, может расшатать буровые вышки. Я зажмурился, стараясь утишить и дыхание, и сердце.

«Чужак,— мысленно уговаривал я,— выходи. Фанни здесь, она ждет тебя. И леди с канарейками тоже ждет. И старик из трамвайной кассы — вот он, рядом со мной. А Пьетро ждет, когда ты вернешь ему его любимцев. Выходи! Я здесь, мы все здесь, ждем тебя.

Чужак!»

На этот раз он, видно, услышал.

И появился, чтобы разделаться со мной.

Он вылетел из черной воды, как пушечное ядро из жерла.

«Господи, — испугался я, — дурак! Зачем ты его звал?»

Теперь он был не меньше десяти футов ростом! Карлик превратился в чудовище, мелкий жулик — в Гренделя.

Он налетел на меня, как дракон, выпустив когти, с воплями, с визгом, с хрипом. Обрушился, словно воздушный шар, наполненный кипятком. Все его благие намерения, его миф о самом себе, логика совершаемых им убийств — все было забыто.

— Чужак! — кричал я.

Вся эта сцена напоминала замедленную съемку, что было особенно страшно, словно я мог останавливать кадр за кадром и гадать, почему он так поразительно вырос и изогнулся, вглядываться в его пылающие глаза, в искаженный ненавистью рот, в руки, которые в неистовстве сжимали железными пальцами мой пиджак, рубашку, мое горло. Мое имя, как запекшаяся кровь, горело на его губах, пока он, перегибаясь назад, поднимал меня. Черная как смола вода ждала.

«Господи, только не туда», — думал я. Железные двери львиных клеток были широко распахнуты. Они тоже ждали.

— Нет!

Замедленная съемка кончилась. Завершилась молниеносным падением.

Подброшенные его бешенством, мы полетели вниз, хватая ртом воздух.

Мы грохнулись в воду, как две бетонные статуи, и пошли ко дну, сжимая друг друга в объятиях, словно охваченные безумной страстью, стараясь подмять под себя один другого и, наступив на спину поверженного, выбраться на поверхность, к свету и воздуху.

Погружаясь в воду, я, казалось, слышал, как Чужак молит, заклинает: «Ну тони! Тони! Тони!» — будто мальчишка, захваченный какой-то шальной игрой без правил, злится на противника, не желающего подчиняться. «Тони!»

Но теперь под водой нас уже никто не мог увидеть. Мы крутились, вцепившись один другому в горло, словно два крокодила. Наверно, сверху это казалось схваткой пожирающих друг друга пираний. Или огромным пропеллером, исступленно крутящим воду с радужными пятнами нефти.

И пока я тонул, где-то в глубине мозга у меня вспыхивал слабый огонек надежды.

«Он впервые убивает по-настоящему, — наверно, думал я, хотя было ли время думать? — Но я живой, я не поддамся ему. Я боюсь темноты больше, чем он боится жизни. Он должен это понять. Я должен победить!»

Но доказательств этому не было.

Мы еще раз перекатились в воде и налетели на что-то твердое, так что у меня вышибло весь воздух из легких. Львиная клетка. Чужак заталкивал, запихивал меня в открытую дверь. Я молотил руками и ногами. И вдруг, крутясь в белой пене и водовороте брызг, сообразил:

«Господи! Да я же в клетке! Внутри. Все кончается тем, с чего начиналось. На рассвете приедет Крамли и увидит в клетке меня! Я буду манить его из-за прутьев решетки. Господи!»

Легкие жгло, как огнем. Я пытался изловчиться и вырваться, хотел на последнем вздохе оглушить его криком. Хотел...

И вдруг борьба кончилась.

Руки Чужака разжались.

«Что это? — всполошился я.— Почему?»

Он почти совсем отпустил меня.

Я попробовал оттолкнуть его, но словно уперся в чучело, во что-то, потерявшее способность двигаться. Будто я ворочал труп, сбежавший из могилы, а теперь пожелавший вернуться назад.

«Он сдался,— подумал я.— Он знает, что должен стать последним в списке. Знает, что не может убить меня. Я не гожусь в его жертвы».

Видимо, он и впрямь принял решение. Поддерживая Чужака, я видел его лицо — бледное лицо призрака, видел, как он содрогается, отпуская меня на волю. Наконец-то я мог ринуться вверх — на воздух, к ночи, к жизни!

Сквозь темную воду я различил ужас, застывший у него в глазах, когда он открыл рот, сжал ноздри и выдохнул струю жутко светящегося воздуха. Потом втянул в легкие темную воду и пошел ко дну — конченый человек, решивший покончить с самим собой.

Когда я почти вслепую, отчаянно гребя, подплыл к выходу из клетки, он плавал в ней, как окоченевшая марионетка. А я вырвался из-за решеток и рванулся вверх, отчаянно моля: «Хочу жить вечно, хочу увидеть туман, хочу найти Пег, где бы она ни была в нашем треклятом опасном мире».

Я выплыл на поверхность, в туман, который превратился в накрапывающий дождь. Голова у меня раскалывалась от боли, и я издал громкий вопль — вопль радости, что спасся, и вопль скорби. Казалось, зазвучал скорбный голос всех тех, кто погиб в этот последний месяц и так не хотел погибать. Я захлебнулся, меня вырвало, я чуть снова не погрузился с головой, но все же дотащился до берега, выкарабкался из воды и сел ждать возле канала.

Где-то на краю света затормозил автомобиль, хлопнула дверца, раздались поспешные шаги. Из дождя вытянулась длинная рука, сильные пальцы сжали мое плечо и стали меня трясти. Как в кадре, снятом крупным планом, передо мной возникло лицо Крамли — словно лягушка под стеклом. Он склонился надо мной, как потрясенный отец над утонувшим сыном.

— Ну как вы? Живы? Всё ничего?

Я, задыхаясь, кивнул.

Вслед за Крамли приближался Генри: он шел, принюхиваясь к дождю, боясь учуять страшный запах, но ничего дурного не слышал.

— Как он? — спросил Генри.

— Жив,— сказал я и действительно ощутил, что это правда.— Слава богу! Жив!

— А где Подмышки? Я должен рассчитаться с ним за Фанни.

— Я уже рассчитался, Генри,— проговорил я.

И кивнул вниз, на львиную клетку, где за решетками, как бледное желе, плавал новый призрак.

— Крамли,— сказал я,— его конура битком набита уликами и доказательствами.

— Проверим.

— А какого черта вы так долго не приезжали? — возмутился я.

— Этот вонючий водитель оказался слепым похуже меня.— Нащупывая ногами дорогу, Генри подошел к краю канала и сел рядом со мной. Крамли сел по другую сторону, и мы сидели, болтая ногами, чуть не взбаламучивая ими темную воду.— Он даже полицейский участок найти не мог. Куда он делся? Я бы его тоже взтул.

Я фыркнул. Из носа хлынула вода.

Крамли вплотную придвинулся ко мне:

— Где болит?

«Там, где никому не видно»,— подумал я. Как-нибудь ночью лет через десять это все всплывет. Надеюсь, Пег не рассердится на меня, если я подниму крик среди ночи,— ей будет случай проявить материнскую заботу.

«Через минутку,— думал я,— надо позвонить Пег. "Пег,— скажу я,— выходи за меня замуж. Приезжай в Венецию сегодня же. Приезжай домой. Будем вместе голодать, но жизнь будет прекрасна, клянусь богом! Выходи наконец за меня, Пег, и спаси меня, чтобы я не попал в одинокие и заброшенные. Спаси меня, Пег!"

И она скажет мне по телефону "да" и приедет».

— Не болит нигде,— ответил я Крамли.

— Ну слава богу, а то кто же станет читать мою дурацкую книгу, если вас не будет?

Я расхохотался.

— Простите. — От смущения за свою непосредственность Крамли уткнулся подбородком в грудь.

— Черт! — Я схватил его руку и положил ее себе на шею, чтобы он меня помассировал. — Я люблю вас, Крамли. Я люблю тебя, Генри.

— Во дает! — нежно сказал Крамли.

— Бог с тобой, милый, — проговорил слепой.

Подъехала еще одна машина. Дождь затихал. Генри потянул носом:

— Этот лимузин мне знаком.

— Святый боже! — высунулась из окна машины Констанция Раттиган. — Ну и компания! Лучший в мире знаток марсиан! Величайший слепой на свете! И незаконный сын Шерлока Холмса!

Кое-как мы отозвались на ее шутку, но ответить в том же духе сил не хватило.

Констанция вышла из машины и остановилась за моей спиной, глядя в канал.

— Все кончено? Это он там?

Мы дружно кивнули, словно зрители в ночном театре. Мы не могли отвести глаз от темной воды, от львиной клетки и от призрака, который, маня, вздымался и падал за прутьями решетки.

— Боже! Ты же весь мокрый, хоть выжимай. Так и заболеть недолго. Надо раздеть парня, вытереть насухо и согреть. Не возражаете, если я заберу его к себе?

Крамли кивнул.

Я положил руку ему на плечо и крепко его сжал.

— Сейчас шампанское, а потом пиво? — предположил я.

— Жду вас, — сказал Крамли, — жду в моих джунглях.

— Генри! — позвала Констанция.— Поедешь с нами?

— А то как же? — отозвался Генри.

А машины все подъезжали, и полицейские готовились прыгать в воду, вытаскивать то, что лежало в львиной клетке, а Крамли направился к лачуге Чужака; с меня же, дрожащего от холода, Констанция и Генри содрали мокрый пиджак, помогли забраться в машину, и мы поехали по самой середине ночного берега, среди огромных, тяжело вздыхающих буровых вышек, оставляя позади мой несуразный маленький дом, где я трудился. Позади остался и домишко с покатой крышей, где ждали Шпенглер и Чингисхан, Гитлер и Ницше, а также несколько дюжин старых оберток от шоколада, осталась позади и запертая касса на трамвайной остановке, где завтра снова соберутся старики ждать последних в этом столетии трамваев.

Пока мы ехали, мне показалось, что мимо прошмыгнул на велосипеде я сам — двенадцатилетний мальчуган, развозящий спозаранку в темноте газеты. А дальше нам навстречу попался я, уже повзрослевший, девятнадцатилетний,— я шел, натыкаясь на столбы, пьяный от любви, а на щеке у меня краснела губная помада.

Как раз когда мы собирались свернуть к аравийской крепости Констанции, мимо нас с шумом пронесся другой лимузин. Он промчался по дороге как молния. Уж не я ли, такой, каким буду через несколько лет, сидел там? А рядом Пег в вечернем платье, мы возвращались с танцев. Но лимузин скрылся из виду. Будущему придется подождать.

Когда мы въезжали в засыпанный песком задний двор мавританской крепости, я испытывал простое и самое большое на свете счастье — я был жив.

Лимузин остановился, мы с Констанцией вышли и ждали Генри, а он величественно махнул нам рукой и произнес:

— Отойдите, а то ноги отдавлю!

Мы посторонились.

— Дайте слепому показать вам дорогу!

Он пошел вперед.

Мы радостно последовали за ним.

Примечания

С. 7. *Венеция в штате Калифорния* (Венис) — восточный пригород Лос-Анджелеса на берегу Тихого океана. С юга примыкает к городку Санта-Моника. Венеция создавалась с 1905 г. по идеям и на средства табачного магната Эббота Кинни, решившего построить город по образцу итальянской Венеции, для чего было проложено более 32 км каналов. Создан парк с аттракционами и прочими развлечениями. В 1950–1960-х гг. город пришел в запустение. С 1970-х гг. началось возрождение Венеции. Сейчас она известна как излюбленное место обитания художников и архитекторов. Появилось много авангардных построек.

«Русские горки» — так в США называется аттракцион, известный в России как «американские горки».

С. 9. *Калвер-Сити* — южный пригород Лос-Анджелеса, центр кинопромышленности.

С. 11. *Хопалонг Кэссиди* — ковбой, герой 28 вестернов К. Э. Малфорда, написанных в 1907–40 гг. Кинокомпания «Парамаунт пикчерз» сняла о нем 35 фильмов, «Юнайтед артистс» — еще 31. Во всех 66 фильмах (1935–1953) в роли Хопалонга снимался Уильям Бойд (1895–1972), так что в конце концов его имя и имя его героя стали синонимами.

С. 12. *Харон* — в древнегреческой мифологии перевозчик душ умерших в царство теней.

С. 13. *...и табаком из сигарет, усеивавшим берег еще с тысяча девятьсот десятого года.* — Имеются в виду последствия деятельности табачного магната Кинни.

«Метро-Голдвин-Майер» (МГМ) — голливудская киностудия, основанная в 1924 г. и до 1951 г. возглавляемая Луисом Б. Майером. До середины 50-х гг. — крупнейшая студия Голливуда. Неизменной до сего дня остается заставка фильмов — рычащий лев.

С. 25. *Ахав* — демонический капитан, герой эпического романа Германа Мелвилла (1819–1891) «Моби Дик, или Белый кит» (1851).

Птеродактиль — род ископаемых летающих пресмыкающихся с хорошо развитыми зубами и коротким хвостом.

С. 26. *Бронтозавр* — ископаемое пресмыкающееся громадных размеров (от 9 до 22 м в длину) с очень длинными хвостом и шеей.

Трицератопс — крупное (до 6 м длины) ископаемое пресмыкающееся мелового периода с толстыми ногами, длинным хвостом, рогом на конце морды и парой рогов на лбу.

Стегозавр — ископаемое пресмыкающееся до 10 м в длину, с двойным гребнем костяных пластин высотой до метра по всей спине.

С. 34. *Рапунцель* — героиня одноименной сказки братьев Гримм, запертая в башне. В наказание за то, что по ее длинным косам к ней поднимался возлюбленный, колдунья остригла ее.

С. 35. *Археоптерикс* — ископаемая птица юрского периода величиной с ворону.

С. 37. *Хирохито* — император Японии с 1926 по 1989 г.

Хайле Селассие (1892–1975) — император Эфиопии с 1930 по 1974 г.

С. 52. *Карузо Энрико* (1873–1921) — итальянский оперный, певец, тенор, мастер бельканто.

Галли-Курчи Амелита (1889–1963) — итальянская оперная певица, колоратурное сопрано.

Суартхаут Гледис (1904–1969) — американская певица, контральто.

С. 55. *«Фантазия»* — мультипликационный фильм Уолта Диснея (1901–1966).

С. 56. *«Сент-Эмильон»* — французское вино типа кларет.

Тиббет Лоуренс (1896–1960) — американский баритон.

Санди Уильям Эшли (Билли) — проповедник-евангелист, проповедовал идеи строгости нравов. Его выступления проходили с участием оркестров, хоров и собирали многолюдные аудитории.

С. 57. *Брайан Уильям Дженнингс* (1860–1925) — американский политический деятель. В так называемой «Речи о Золотом кресте» ратовал за отказ от золотого стандарта.

С. 67. *Манн Томас* (1875–1955) — знаменитый немецкий писатель, лауреат Нобелевской премии по литературе 1929 г. Повесть «Смерть в Венеции» написана в 1913 г.

С. 68. *Эпифиллюм* — растение семейства кактусовых.

Серенгети — национальный парк в Северной Танзании, создан в 1941 г.

Окапи — парнокопытное жвачное животное семейства жираф.

С. 69. *Сетон-Томпсон Эрнест* (1860–1946) — канадский писатель и художник-анималист.

С. 71. *Поп Александр* (1688–1744) — английский поэт-классицист, критик.

С. 74. *Четвертое июля* — 4 июля 1776 г. принята Декларация о независимости США. С тех пор этот день является национальным праздником.

С. 78. *Лорд Карнарвон Джордж Эдвард* (1866–1923) — английский египтолог, вскрывший 17 февраля 1923 г. гробницу Тутанхамона.

С. 82. *Джеймс Генри* (1843–1916) — крупнейший американский писатель, автор психологических романов. Предтеча литературы «потока сознания».

Франклин Бенджамин (1706–1790) — американский просветитель, ученый, государственный деятель.

Братья Гонкур — *Эдмон* (1822–1896) и *Жюль* (1830–1870) — французские писатели, по их завещанию учреждена Гонкуровская академия, присуждающая литературные премии.

Гуанахуато — город в Центральной Мексике, основан в 1545 г. Славится древними соборами.

Теотихуакан — место археологических раскопок в 40 км от Мехико-Сити. Здесь находятся остатки самого крупного доколумбова города в Западном полушарии. Славится своими памятниками, в том числе Пирамидой Солнца.

С. 90. *Вирджиния Вулф* (1881–1941) — английская писательница модернистского направления, автор романов и эссе.

Пири Эдвин (1856–1920) — американский исследователь Арктики. В 1909 г. достиг Северного полюса.

Бэрд Ричард Эвелин (1888–1957) — американский летчик и полярный исследователь. Первым облетел оба полюса. Руководил тремя экспедициями в Антарктику.

Харди (Гарди) Томас (1840–1928) — английский писатель, в его психологических романах преобладают трагические мотивы и характеры.

Гиббон Эдуард (1737–1794) — английский историк, его главный труд — «Закат и падение Римской империи» в шести томах.

С. 91. *Ницше Фридрих* (1844–1900) — немецкий философ, представитель иррационализма и волюнтаризма, проповедовал культ сильной личности.

Шопенгауэр Артур (1788–1860) — немецкий философ-иррационалист.

«Анатомия меланхолии» — произведение английского ученого, философа и психолога Роберта Бартона (1577–1640).

По Эдгар Аллан (1809–1849) — американский поэт и прозаик, теоретик литературы, автор рассказов в жанре «новеллы ужаса», классик трагической новеллы, родоначальник детективной литературы.

Шелли Мэри (1797–1851) — английская писательница, автор готических повестей.

Маркиз де Сад Донатьен Альфонс Франсуа (1740–1814) — французский писатель, описывал извращения, связанные с наслаждением жестокостью.

Де Куинси (Квинси) Томас (1785–1859) — английский писатель, критик и публицист. Оставил воспоминания об ощущениях курильщика опиума — «Исповедь англичанина, употребляющего опиум» (1822).

Шпенглер Освальд (1880–1936) — немецкий философ и историк. Главное сочинение «Закат Европы» (1923).

О'Нил Юджин (1888–1953) — крупный американский драматург, лауреат Нобелевской премии 1936 г., автор психологических трагедий.

...горькие воспоминания о тюрьме... — Имеются в виду написанные Оскаром Уайльдом (1854–1900) «Баллада Редингской тюрьмы», «De Profundis» и «Письма из тюрьмы».

Кракатау — действующий вулкан в Индонезии, речь идет об одном из самых катастрофических в мире извержений, происшедшем в 1883 г., сопровождавшемся выпадением вулканического пепла на площади свыше 800 000 кв. км. Морская волна вызвала гибель людей на соседних островах.

«Траур к лицу Электре» — пьеса Юджина О'Нила.

С. 93. *Ликок Стивен Батлер* (1869–1944) — канадский писатель, автор юмористических рассказов, пародий, теоретических работ о юморе в литературе.

Пикок Томас Лав (1785–1866) — английский писатель-сатирик.

Бенчли Джеймс (1889–1945) — американский юморист и сатирик.

Тёрбер Джеймс (1894–1961) — американский писатель-юморист и карикатурист.

Перельман Сидни Джеймс (1904–1979) — американский юморист и сатирик.

С. 94. *Савонарола* (1452–1498) — настоятель доминиканского монастыря во Флоренции, призывал Церковь к аскетизму, осуждал гуманистическую культуру, организовывал сожжение произведений искусства.

С. 98. *Оукли Энни* (1860–1926) — американская цирковая артистка-снайпер. В 1935 г. о ней был снят фильм.

С. 102. *Скотт Джоплин* (1868–1917) — американский композитор и пианист, автор сочинений в стиле регтайм.

С. 104. *Хоппер Эдуард* (1882–1967) — американский живописец и график, автор городских пейзажей.

С. 112. *Кролик Питер* — герой сказок английской детской писательницы и художницы Беатрикс Поттер (1866–1943).

С. 116. *Флэш Гордон* и *Бак Роджерс* — герои комиксов о межпланетных приключениях.

С. 122. *Джонсоны Мартин* и *Оса* — известные американские исследователи, писатели и продюсеры. Совершали экспедиции в страны Тихого океана и в Африку.

С. 124. *Пост Эмили* (1872–1960) — американская журналистка, автор книг, статей и радиопередач о правилах хорошего тона.

С. 127. *Фербенкс Дуглас* (1883–1939) — актер и продюсер, звезда Голливуда. Амплуа — благородный рыцарь. Снялся в десятках фильмов.

Рэй Чарльз (1891–1943) — выдающийся актер эпохи немого кино, играл благородных любовников.

Манджафоко — главный злодей, директор кукольного театра.

Пиноккио — герой фильма У. Диснея по одноименной сказке итальянского писателя Коллоди (1826–1890).

С. 128. *Гиш Лилиан* (1893–1993) — американская актриса немого кино.

Чейни Лон (1883–1930) — звезда немого кино, играл роли злодеев, славился способностью к перевоплощению.

С. 130. *Пикфорд Мэри* (1893–1979) — киноактриса, в 1910–1920-х гг. — звезда немого кино, международную известность ей принесли роли скромных сентиментальных девушек, добродетель которых непременно вознаграждалась.

С. 131. *«Вурлитцер»* — музыкальный автомат, сопровождавший демонстрацию немых фильмов, названный по фамилии его создателя.

С. 132. *Фатти Арбакль* (1878–1933) — американский актер немого кино, снимался в амплуа комика-толстяка.

С. 135. *«Доктор Джекил и мистер Хайд»* — фильм снят по фантастической повести Р. Л. Стивенсона «Странная история доктора Джекила и мистера Хайда» (1886) — о раздвоенности личности, сочетании доброго и порочного в одном человеке.

Вейдт Конрад (1893–1943) — известный киноактер немецкого происхождения, покинул Германию в 1933 г. Его амплуа — элегантно-демонические роли.

С. 141. *«Я трепещу, чего-то ожидая» <...> Кто это сказал? Леди Макбет?* — Герой ошибается. Эти слова принадлежат королеве из трагедии Шекспира «Ричард II», действие II, сцена 2. Перевод М. Донского.

С. 158. *Стикс* — в древнегреческой мифологии подземная река, через которую перевозили души умерших.

С. 159. *«Клуб Львов»* — общественная организация бизнесменов, клубов на службе общества, основана в 1917 г. Девиз: «Свобода, разум, безопасность страны».

С. 163. *Эллис* — небольшой остров в заливе Аппер-Бей близ Нью-Йорка. С 1892 по 1943 г. — главный центр по приему иммигрантов в США.

Энчилада — мексиканский пирожок-тортилья с начинкой из курицы, сыра, томатного соуса с перцем.

Конга — танец африканского происхождения, популярный на Кубе и в странах Латинской Америки. Танцующие стоят друг за другом, образуя цепочку.

Чикано — американец мексиканского происхождения, живущий в США.

С. 177. *«Дьюсенберг»* — марка дорогого автомобиля, выпускавшегося в США с 1918 по 1937 г.

С. 178. *Армстронг Роберт* — актер, игравший роль героя в первой версии фильма «Кинг-Конг» (1933).

С. 184. *Норма Десмонд* — героиня фильма «Бульвар Сансет» (1950), стареющая актриса, в прошлом звезда немого кино.

С. 189. *Пятое мая* — мексиканский праздник в честь победы мексиканской армии над французскими войсками Наполеона III 5 мая 1862 г.

Рио Рита — героиня музыкального шоу.

С. 190. *Монгольфье* — братья *Жозеф Мишель* (1740–1810) и *Жак Этьен* (1745–1799), изобретатели воздушного шара. Первый полет с людьми состоялся 21 ноября 1783 г. в Париже.

С. 195. *Тифозная Мэри* — прозвище Мэри Маллон (1870–1938) — поварихи-ирландки. Работая во многих американских семьях, заразила брюшным тифом более пятидесяти человек. Была бациллоносителем, а сама обладала иммунитетом. Была предана суду и дважды содержалась в изоляции.

С. 199. *Бушман Френсис Ксавьер* (1883–1966) — американский актер, игравший героев-любовников, отличался мощным телосложением, служил моделью для скульпторов.

С. 202. *Микки-маусовы часы* — дешевые штампованные часы.

С. 205. *Лазарь* — по евангельской легенде, человек, воскрешенный Христом (Евангелие от Иоанна, 2).

С. 206. *Дзэн* — течение буддизма, проповедь непосредственного действия, интуитивизма. С середины XX в. приобрело большую популярность в США.

С. 207. *«Нэнси Дрю и Парнишка Weltschmerz»* — героиня серии юношеских книг Эдварда Стратамейера (1863–1930), продолжения которых выходят до сего дня. Герой Брэдбери шутя соединяет ее и «парнишку Мировая Скорбь».

Роммель Эрвин (1891–1944) — немецкий фельдмаршал по прозвищу Лис Пустыни, во время Второй мировой войны командовал танковыми войсками в Северной Африке.

Калигула Цезарь (12–41) — римский император, отличавшийся крайней жестокостью и безрассудством.

С. 208. *Кроуфорд Джоан* (1909–1977) — американская киноактриса, начинала карьеру, снимаясь в немом кино. Лауреат премии «Оскар» в 1945 г.

Гарсон Грир (1904–1996) — американская киноактриса на амплуа добропорядочных американок.

С. 209. *...дни отступления из Эль-Аламейна...* — В октябре 1942 г. немецкие войска под командованием Роммеля были разгромлены в Египте британской армией, которой командовал генерал (позднее фельдмаршал) Монтгомери.

С. 210. *Медичи* — флорентийский род, игравший важную роль в средневековой Италии. К нему принадлежали французские королевы Екатерина и Мария, прославившиеся интригами и коварством.

Уорнер Х. Б. (1876–1958) — английский актер, снимавшийся во множестве английских и американских фильмов.

Улэнд Уорнер (1880–1938) — американский актер, играл характерные роли, в основном азиатов.

Уорнер Бакстер (1891–1957) — популярный американский киногерой-романтик 30-х гг.

Нагель Конрад (1896–1970) — американский киногерой 20–30-х гг.

Бэнки Вилма (1898–1992) — американская актриса венгерского происхождения, ушла из кино, когда оно стало звуковым.

Барримор Джон (1888–1942) — американский киноактер.

Боу Клара (1905–1963) — популярнейшая актриса американского немого кино.

С. 211. *Вагнер Рихард* (1813–1883) — немецкий композитор и дирижер. Реформатор оперы, новатор в области мелодики. Создавал оперы на сюжеты германской мифологии.

С. 212. *Каллиопа* — паровой орга́н, использовавшийся в США на ярмарках, в цирках, на каруселях.

С. 213. *Адмирал Дениц* (1891–1980) — среди других военных преступников был осужден на Нюрнбергском процессе и приговорен к десяти годам лишения свободы.

Безумный Отто Баварский (принц Отто Баварский, 1848–1916) — брат баварского короля Людвига II, отстраненного в 1886 г. от управления страной из-за усилившегося душевного расстройства, страдая тем же заболеванием, тем не менее провел на престоле 1886–1913 гг.

С. 214. *Кришнамурти* (1895–1986) — юноша-индус, воспитанием которого, будучи в Индии в 1910 г., занялась известная теософка — последовательница Блаватской англичанка-Энни Безант (1847–1933), провозгласившая его Учителем Мира, новым Спасителем. В 1926–1927 гг. ездила с ним по Европе и Америке, однако Кришнамурти воспротивился такому обожествлению и впоследствии стал популярным лектором.

Макферсон Эйми Семпл (1890–1944) — евангелистка, основавшая в Лос-Анджелесе «Международную церковь Истинного Евангелия». Участница множества судебных процессов и скандалов.

С. 215. *Три Бирбом* (1853–1917) — английский актер и режиссер, постановщик шекспировских пьес.

Рид Кэрол (1906–1976) — знаменитый британский кинорежиссер, постановщик «Третьего человека» (1949) и «Оливера» (1968).

Хаксли Олдос Леонард (1894–1963) — английский писатель-модернист, автор интеллектуальных романов.

С. 216. *Антиной* — греческий юноша, любимец римского императора Адриана, обожествлен после смерти. Почитался образцом юношеской красоты.

С. 218. *Ричард* — очевидно, имеется в виду герой трагедии Шекспира «Ричард III».

С. 228. *Линдберг Чарлз Огастес* (1902–1974) — американский летчик, совершивший в 1927 г. первый беспосадочный перелет через Атлантику.

С. 230. *Тако* — мексиканская тортилья с начинкой из мяса, фасоли, сыра и острого соуса.

С. 235. *Дезинтегратор Бака Роджерса* — игрушка, представляющая собой фантастическое оружие из космических боевиков, бесплатно присылавшаяся отправителям определенного количества крышек от банок с овсяными и прочими хлопьями.

С. 240. *«Слишком хорошо стали смотреть за мной в последнее время»* — Шекспир. «Гамлет», акт II, сцена 2. Перевод Б. Пастернака.

С. 247. *Гарди Оливер* (1892–1957) и *Лорел Стэн* (1890–1965) — знаменитая голливудская комическая пара, мастера эксцентрических сценок.

С. 256. *Дэвис Бетти* (1908–1989) — выдающаяся драматическая киноактриса. Дважды лауреат премии «Оскар» — в 1935 и 1938 гг.

Хенрид Пол (1908–1992) — австрийский актер, приехавший в США в 1940 г. Снимался в ролях европейских аристократов.

С. 257. *Дядюшка Уиггли* — кролик, герой детских рассказов Гаррис Хауард (1873–1962).

Скизикс и *Зимолюбка* — герои комиксов Кинга Франка (1883–1969).

С. 264. *Видор Кинг* (1894–1982) — режиссер и продюсер, лауреат премии «Оскар» 1978 г.

Гарбо Грета (1905–1990) — настоящее имя Грета Густав-сон, шведка по происхождению, звезда американского немо-го кино 20–30-х гг. Амплуа загадочных роковых женщин. Благодаря замкнутому образу жизни и обаянию созданных ею образов стала легендой.

Майер Луис Б. (1885–1957) — один из основателей и со-владельцев фирмы МГМ.

С. 265. *Джильберт Джон* (1895–1936) — киноактер на ам-плуа героя-любовника.

Наварро Рамон (1899–1968) — романтический идол Гол-ливуда, снимался до начала 30-х гг.

С. 268. *Колман Рональд* (1891–1958) — американский ак-тер английского происхождения. Снимался во многих филь-мах, в частности в фильме «Потерянный горизонт» по роману Джона Хилтона (1900–1972), где рассказывается о поисках утопической страны *Шангри-Ла* — страны с идеальным об-щественным устройством.

С. 275. *Ламантин* — млекопитающее из отряда сирен или травоядных китов. Водятся у берегов Америки от Флориды до Бразилии, а также у берегов Африки. В силу своей мало-численности взяты в США под охрану.

С. 282. *Носферату* — человек-вампир, герой одноименно-го фильма Роберта Вине, поставленного в 1921 г. по мотивам «Дракулы» Брэма Стокера.

С. 285. *...больных дочерей Марка Твена...* — Две дочери Марка Твена скончались в молодости от тяжелых болезней.

С. 287. *Кауард Ноэль Пирс* (1899–1973) — английский ак-тер, драматург, композитор. Автор оперетт, ревю, киносцена-риев, сочетающих в себе элементы комедии и мелодрамы.

С. 293. *Нижинский Вацлав* (1889–1950) — русский артист балета, балетмейстер. С 1909 г. с труппой С. Дягилева танце-вал в Париже.

С. 299. *«Все страньше и страньше»* — цитата из сказки Л. Кэрролла (1832–1898) «Алиса в Стране чудес». Перевод Н. Демуровой.

С. 310. *Гриффит Дэвид Уорк* (1875–1948) — режиссер, классик мирового кино. Творчество Гриффита оказало большое влияние на развитие мирового киноискусства.

С. 318. *Роршаховский тест* — психологический тест, предложенный в 1921 г. швейцарским психиатром Германом Роршахом для определения личностных особенностей пациента.

С. 336. *Братец Лис* и *Братец Кролик* — герои «Сказок дядюшки Римуса», созданных Джоэлем Чандлером Харрисом (1848–1908) по мотивам негритянского фольклора.

С. 344. *«Когда вокруг один песок, и впрямь берет тоска»; «О, устрицы! — воскликнул Морж. — Прекрасный вид кругом! Бегите к нам! Поговорим, пройдемся бережком!»* — цитаты из сказки Л. Кэрролла «Алиса в Зазеркалье». Перевод А. Щербакова.

С. 345. *Сартр Жан Поль* (1905–1980) — французский философ и писатель, глава французского экзистенциализма.

Румпельштильцхен — герой одноименной сказки братьев Гримм, от ярости разорвавший себя пополам.

С. 351. *«Микадо»* (1885) — оперетта английского композитора Артура Салливана (1842–1900), либретто Уильяма Гильберта (1836–1911).

С. 363. *Грендель* — страшное чудовище, убитое Беовульфом, героем одноименной англосаксонской поэмы — древнейшего английского литературного памятника (около VIII в.).

Литературно-художественное издание

Рэй Брэдбери

СМЕРТЬ – ДЕЛО ОДИНОКОЕ

Ответственный редактор *М. Яновская*
Художественный редактор *А. Сауков*. Технический редактор *О. Шубик*
Компьютерная верстка *И. Варламова*. Корректор *В. Дроздова*
В оформлении обложки использован кадр из фильма «The Killers»,
США, 1946 год / Photo 12 / FOTOLINK

ООО «Издательство «Э»
123308, Москва, ул. Зорге, д. 1. Тел. 8 (495) 411-68-86.
Өндіруші: «Э» АҚБ Баспасы, 123308, Мәскеу, Ресей, Зорге көшесі, 1 үй.
Тел. 8 (495) 411-68-86.
Тауар белгісі: «Э»
Қазақстан Республикасында дистрибьютор және өнім бойынша арыз-талаптарды қабылдаушының
өкілі «РДЦ-Алматы» ЖШС, Алматы қ., Домбровский көш., 3«а», литер Б, офис 1.
Тел.: 8 (727) 251-59-89/90/91/92, факс: 8 (727) 251 58 12 вн. 107.
Өнімнің жарамдылық мерзімі шектелмеген.
Сертификация туралы ақпарат сайтта Өндіруші «Э»
Сведения о подтверждении соответствия издания согласно законодательству РФ
о техническом регулировании можно получить на сайте Издательства «Э»
Өндірген мемлекет: Ресей
Сертификация қарастырылмаған

Подписано в печать 05.02.2018. Формат 76х100 $^1/_{32}$.
Печать офсетная. Усл. печ. л. 16,89.
Доп. тираж 5000 экз. Заказ №Э-3324.
Отпечатано в типографии
ООО «Комбинат программных средств»
420044, РТ, г. Казань, пр. Ямашева, д.36Б.

16+

ISBN 978-5-699-41047-7

9 785699 410477 >